MAUPASSANT
LA SÉMIOTIQUE DU TEXTE
EXERCICES PRATIQUES

ALGIRDAS JULIEN GREIMAS

MAUPASSANT

LA SÉMIOTIQUE DU TEXTE
EXERCICES PRATIQUES

ÉDITIONS DU SEUIL
27, rue Jacob, Paris VIᵉ

ISBN 2-02-004365-3

© Éditions du Seuil, 1976

Avant-propos

1. La lecture qu'on propose ici d'un conte littéraire se veut un échantillon d'exercices pratiques, c'est-à-dire l'illustration des rencontres du sémioticien — interrogeant et manipulant le texte — et du texte, qui lui oppose tantôt son opacité tantôt une transparence qui ne fait que réfléchir les jeux à multiples facettes qui y sont inscrits. Comme l'exploration de l'ethnologue, installé sur le terrain, ce travail sur le texte est censé être, pour le sémioticien, un retour naïf aux sources.

Cette comparaison peut être poussée encore plus loin : tout comme l'étranger, s'établissant auprès d'une communauté qu'il sait autre, apporte avec lui, en plus d'une sympathie quelque peu hypocrite parce que fondée sur le postulat de la différence, tout son savoir antérieur dûment organisé, la relation de l'analyste au texte n'est jamais innocente et la naïveté des questions qu'il lui pose est souvent feinte. Il lui arrive, heureusement, de temps en temps — et c'est là une récompense pour des efforts disproportionnés aux découvertes — de rencontrer des faits qui dérangent ses certitudes et l'obligent à des remises en question des explications toutes prêtes. Cette route parsemée d'obstacles, selon l'image bien connue de Condillac, est peut-être celle de toute pratique scientifique.

2. S'il est un domaine où les recherches sémiotiques semblent avoir réussi à établir leurs quartiers, c'est bien celui de l'organisation syntagmatique de la signification. Il ne s'agit là, bien sûr, ni d'un savoir certain ni des acquis définitifs, mais d'une manière d'approcher le texte, des procédures de sa segmentation, de la reconnaissance de quelques régularités et surtout des modèles de prévisibilité de l'organisation narrative, modèles qui s'appliquent, en principe, à toutes sortes de textes et même, à la suite d'extrapolations qui paraissent justifiées, à des enchaînements, plus ou moins stéréotypés, de comportements humains.

La reprise du travail de Propp, et surtout son insertion dans le champ de recherches ouvert par les analyses mythologiques de Dumézil et de Lévi-Strauss, ont rendu possibles ces études. La simplicité apparente des structures narratives que Propp a reconnues dans les contes populaires, le choix heureux de son terrain de manœuvre, expliquent ce retour triomphal : le conte merveilleux de l'enfance, prête volontiers son évidence à la limpidité de la démonstration. Depuis, nous avons travaillé, non sans quelques réarrangements et généralisations, et nous continuons à travailler sur cet acquis proppien.

Aujourd'hui, alors que sa vertu heuristique semble peu à peu s'épuiser, il paraît tentant, quoique peu original, de suivre l'exemple de Propp et — selon le principe qui invite à aller du connu à l'inconnu et du plus simple au plus complexe —, de passer de la littérature orale à la littérature écrite, du conte populaire au conte savant, à la recherche de confirmations des modèles théoriques partiels dont nous disposons et de résistances factuelles qui permettraient d'augmenter notre savoir relatif aux organisations narratives et discursives.

3. Dans ce domaine, méthodologiquement circonscrit, de l'analyse des discours narratifs, c'est la sémiotique littéraire qui, par le nombre de chercheurs et la qualité de leurs travaux, occupe la première place, la plus exposée aussi, à la fois aux éloges et aux critiques. La rapidité de son développement et l'ampleur de ses ambitions ne pouvaient pas, à vrai dire, manquer d'inspirer quelque inquiétude : qui trop embrasse, mal étreint, dit la sagesse des Anciens. Aussi, l'impression que ces études semblent en ce moment marquer le pas vient-elle de ce que, en ce domaine, nous savons certainement trop de choses, mais que nous les connaissons mal. Cette crise de croissance — car c'est de cela qu'il s'agit — se manifeste par un certain nombre de symptômes qui prennent parfois la forme d'impasses :

a) Une certaine exploitation mécanique du schéma proppien consistant, après sa simple projection sur des textes littéraires, à y reconnaître une suite attendue de « fonctions » ou, mieux encore, l'utilisation des modèles réduits qui définissent, par exemple, le récit, comme une succession d'améliorations et d'aggravations de la situation, apparaissent comme autant de techniques répétitives, sans projet scientifique : elles ne servent ni à augmenter notre connaissance des organisations narratives ni à rendre compte de la spécificité des textes étudiés.

b) Des recherches littéraires visent souvent à concilier l'enquête sémiotique avec les exigences du siècle, en choisissant des textes non-représentatifs, mais modernes et hautement élaborés. Si leur analyse permet souvent de montrer la valeur heuristique de la sémiotique et l'enrichit de nouveaux concepts (dont l'importance intuitive ne doit pas être mésestimée), elle n'en comporte pas moins un vice rédhibitoire, celui de ne laisser le moindre espoir d'une éventuelle validation.

Ces travaux rejoignent parfois, par leur originalité, les meilleurs essais de critique littéraire et s'y insèrent comme des *points de vue* sur le texte : ils perdent, de ce fait, leur spécificité sémiotique. Dans des cas plus fréquents et moins heureux, ils constituent ce qu'on peut considérer comme un « apport » de la sémiotique à la critique littéraire et qui va du renouvellement éphémère de son vocabulaire à l'apparition d'une « écriture » sémiotique.

c) Une troisième attitude, enfin, conjugue les effets contradictoires de la fascination que provoque la richesse du texte examiné et de l'impuissance, avouée ou non, d'en rendre compte. Les justifications théoriques de cette démission peuvent prendre diverses formes. On insistera, par exemple, sur l'unicité de chaque texte, qui constitue, à lui seul, un univers en soi, et l'on postulera la nécessité de construire une grammaire pour chacun : mais le propre d'une grammaire est de pouvoir rendre compte de la production et de la lecture d'un grand nombre de textes, et l'emploi métaphorique de ce terme — hommage du vice à la vertu — cache mal la renonciation au projet sémiotique. On dira aussi que tout texte est susceptible d'une infinité de lectures, ce qui est souvent une belle excuse pour se dispenser de toute lecture, toujours fastidieuse. On prétendra, enfin, que la richesse du texte provient de ce qu'il est le produit d'une infinité de codes autonomes : c'est une façon de déplacer le problème, et non de le résoudre, car ou bien le sujet de l'énonciation — producteur du texte — est un monstre innombrable, ou bien ce sujet est déjà éclaté lui-même en mille morceaux et c'est à d'autres profondeurs métaphysiques qu'il faudra avoir recours pour y chercher le principe d'unité.

4. On pourrait probablement trouver des raisons idéologiques à ces attitudes démissionnaires. Cependant, une simple explication pragmatique suffira pour l'instant : l'outillage méthodologique dont dispose la sémiotique discursive à l'heure actuelle ne correspond pas — ou plutôt pas encore — aux exigences de l'analyse des textes littéraires complexes. Toutefois, cette inadéquation entre les moyens et les besoins ne permet pas d'incriminer l'outillage ni de discriminer des textes qui seraient soi-disant réfractaires à l'analyse. De même, notre incapacité de reconnaître la cohérence syntagmatique de certains textes, ou le caractère systématique de l'univers sémantique qui leur est sous-tendu, ne doivent pas être précipitamment confondus avec l'absence de cette cohérence ou de cette systématicité.

Tout nous invite, en somme, à poser le problème de la sémiotique discursive en termes de stratégie et de tactique : une stratégie d'ensemble pour une discipline donnée, selon laquelle les objets sémiotiques simples doivent être examinés avant les objets complexes; une tactique particulière, pour l'approche de chaque objet discursif, qui consiste à adopter le niveau optimal d'analyse, le mieux approprié à l'objet, permettant de statuer, à la fois sur la spécificité d'un texte et sur les modes de sa participation à l'univers sociolectal des formes narratives et discursives.

En pensant que le meilleur moyen de donner des conseils c'est encore d'être le premier à les suivre, nous avons trouvé que ce qu'il y avait de mieux à faire, c'était de pratiquer un texte d'apparence simple, produit d'un écrivain passablement démodé, pour essayer de nous rendre compte par nous-même de ce qui s'y passe.

II

1. Choisir Maupassant, c'est donc s'inscrire, d'une certaine manière, dans la lignée de Propp, en continuant l'exploration sémiotique, celle d'un « genre » littéraire, le conte, et dont l'œuvre de Maupassant — située entre celles de Mérimée et de Tchékov —, constitue, de l'avis général, un des jalons remarquables. C'est aussi choisir un texte connu : Maupassant est en effet un des écrivains français les plus lus. Prendre un texte légèrement fané c'est enfin s'assurer à l'avance d'une distance entre lui et le lecteur, dont le regard n'est pas déformé par des ré-interprétations modernes.

2. L'étude d'un texte littéraire pose inévitablement, de manière plus ou moins explicite, le problème de sa situation dans l'univers littéraire sociolectal. Si l'on entend, par « univers littéraires », des classifications de textes correspondant aux dimensions des aires culturelles (ou parfois aux limites des sociétés fermées sur elles-mêmes) et ayant la forme d'ethno-taxinomies qui articulent — à l'aide de catégories distinctives et de lexicalisations appropriées — l'ensemble des discours en classes et sous-classes et qui régissent, par la suite, les productions ultérieures des nouveaux discours; et si l'on pense que ces classifications « naturelles » peuvent être explicitées et présentées comme des « théories de genres », on voit qu'en essayant de décrire un texte littéraire comme celui de Maupassant, il faut commencer par se demander dans quelle mesure on ne décrit pas, en même temps, un texte « réaliste » de la prose française du XIXe siècle.

3. L'ambiguïté s'installe ainsi comme un préalable de la recherche. Car tout l'intérêt de la reprise, par la sémiotique, du schéma narratif de Propp ne réside pas dans le fait qu'il permet de rendre compte de l'organisation narrative du conte russe (ou européen, puisque

participant à la même aire culturelle), ou qu'il peut être utilisé comme modèle d'analyse de l'ethno-littérature en général; cet intérêt réside dans le fait que le schéma proppien est susceptible d'être considéré, après certains arrangements nécessaires, comme un modèle hypothétique, mais universel, de l'organisation des discours narratifs et figuratifs.

Aussi les études d'inspiration sémiotique, assez nombreuses, qui cherchent à définir, par exemple, le « genre fantastique » ou le « genre réaliste », posent-elles plus de questions qu'elles n'apportent de réponses. Ainsi, si l'on choisit comme champ d'exploration un corpus de textes traditionnellement et conventionnellement classés sous telle ou telle étiquette, on ne dispose d'aucun moyen de s'assurer que les traits communs, sélectionnés comme définitoires d'un genre, le soient vraiment et ne se retrouvent tels quels — comme cela est arrivé sous nos yeux — dans un genre à première vue éloigné, le discours tragique, par exemple. Non seulement il n'existe pas de texte qui soit la réalisation parfaite d'un genre, mais en tant qu'organisation achronique le genre est logiquement antérieur à toute manifestation textuelle.

Doit-on dès lors poser en premier lieu l'existence d'un « discours réaliste », possédant son organisation propre, indépendant des univers littéraires et des aires culturelles où il s'inscrit, et dont les propriétés structurelles constantes seraient reconnaissables par exemple à la manière de celles des proverbes et des énigmes, européens, africains ou asiatiques? Comment faire pour ériger le réalisme au statut de concept universel?

Notre ambition n'ira donc pas jusqu'à considérer le conte étudié comme un texte réaliste.

4. La théorie européenne des genres comporte une dichotomie qui oppose dès l'abord les textes poétiques aux textes en prose. L'évolution des rapports entre celle-ci et la distinction d'« ensembles littéraires » — au sens où ces derniers sont censés représenter des formes discursives ancrées à des périodes historiques — n'a pas manqué de poser, à un moment donné, une question de préséance : alors que, par exemple, toute la littérature classique s'oppose en bloc à la littérature romantique, la distinction entre poésie et prose n'en étant qu'une sous-articulation interne, le XIXᵉ siècle procède, dans sa deuxième moitié, à l'inversion hiérarchique de ces rapports, en faisant diverger les deux courants sous des étiquettes de « symbolisme » et de « réalisme », en apparence incompatibles.

Cette distinction novatrice — qui peut bien correspondre à quelque chose de plus profond, car on assiste à l'époque à une sorte de resacralisation du langage poétique — a été sanctionnée, d'une certaine manière, par des spécialistes : nous pensons notamment à Roman Jakobson, qui propose de l'homologuer comme opposition entre le discours métaphorique et le discours métonymique.

Cependant, on ne peut manquer de se demander naïvement comment il est possible que des hommes appartenant à la même génération, relevant d'un même univers sociolectal et participant à la même épistémé, soient si différents dans leurs productions et, ce qui plus est, dans les formes et les modes de leur pensée — car c'est de cela qu'il s'agit — métaphorique et métonymique, symboliste et réaliste. Comment est-il possible qu'un Zola ait pu être en même temps un écrivain soucieux de coller à la « réalité » et le critique ayant le mieux compris l'œuvre d'un Manet? Car, si le langage poétique comporte ses propres exigences — la corrélation nécessaire, plus précisément, entre les plans de l'expression et du contenu —, on ne voit pas pourquoi l'organisation de l'univers sémantique et ses réalisations discursives, métaphoriques ou métonymiques, ne puissent être comparables dans les textes poétiques ou prosaïques.

Nos analyses, pour partielles qu'elles soient, en arrivent à la conclusion que Maupassant est presque tout autant un écrivain « symboliste » que ses contemporains; d'autre part, le conte, en tant que genre, peut être considéré comme l'équivalent, en prose — par sa structure à la fois paradigmatique et syntagmatique — d'un poème. Cela ne nous mène nulle part. Car si le réalisme n'est pas réaliste, le sémioticien n'aura pas de peine à montrer que le symbolisme, de son côté, n'est pas « symboliste », et notamment dans le sens ontologique qu'on a l'habitude d'attribuer à ce terme.

En évitant ces conceptualisations de surface, nous nous sommes attaché, lors des analyses fragmentaires qu'on pourra lire, à relever, en vue d'un éventuel inventaire, les caractères sémiotiques généralisables du texte.

Deux amis

Paris était bloqué, affamé et râlant. Les moineaux se faisaient bien rares sur les toits, et les égouts se dépeuplaient. On mangeait n'importe quoi.

Comme il se promenait tristement par un clair matin de janvier le long du boulevard extérieur, les mains dans les poches de sa culotte d'uniforme et le ventre vide, M. Morissot, horloger de son état et pantouflard par occasion, s'arrêta net devant un confrère qu'il reconnut pour un ami. C'était M. Sauvage, une connaissance du bord de l'eau.

Chaque dimanche, avant la guerre, Morissot partait dès l'aurore, une canne en bambou d'une main, une boîte en fer-blanc sur le dos. Il prenait le chemin de fer d'Argenteuil, descendait à Colombes, puis gagnait à pied l'île Marante. A peine arrivé en ce lieu de ses rêves, il se mettait à pêcher; il pêchait jusqu'à la nuit.

Chaque dimanche, il rencontrait là un petit homme replet et jovial, M. Sauvage, mercier, rue Notre-Dame-de-Lorette, autre pêcheur fanatique. Ils passaient souvent une demi-journée côte à côte, la ligne à la main et les pieds ballants au-dessus du courant; et ils s'étaient pris d'amitié l'un pour l'autre.

En certains jours, ils ne parlaient pas. Quelquefois ils causaient; mais ils s'entendaient admirablement sans rien dire, ayant des goûts semblables et des sensations identiques.

Au printemps, le matin, vers dix heures, quand le soleil rajeuni faisait flotter sur le fleuve tranquille cette petite buée qui coule avec l'eau, et versait dans le dos des deux enragés pêcheurs une bonne chaleur de saison nouvelle, Morissot parfois disait à son voisin : « Hein! quelle douceur! » et M. Sauvage répondait : « Je ne connais rien de meilleur ». Et cela leur suffisait pour se comprendre et s'estimer.

A l'automne, vers la fin du jour, quand le ciel, ensanglanté par le soleil couchant, jetait dans l'eau des figures de nuages écarlates, empourprait le fleuve entier, enflammait l'horizon, faisait rouge comme du feu entre les deux amis, et dorait les arbres roussis déjà, frémissants d'un frisson d'hiver, M. Sauvage regardait en souriant Morissot et pronon-

13

çait : « *Quel spectacle!* » *Et Morissot émerveillé répondait, sans quitter des yeux son flotteur :* « *Cela vaut mieux que le boulevard, hein?* »

Dès qu'ils se furent reconnus, ils se serrèrent les mains énergiquement, tout émus de se retrouver en des circonstances si différentes. M. Sauvage, poussant un soupir, murmura : « *En voilà des événements!* » *Morissot, très morne, gémit :* « *Et quel temps! C'est aujourd'hui le premier beau jour de l'année.* »

Le ciel était, en effet, tout bleu et plein de lumière.

Ils se mirent à marcher côte à côte, rêveurs et tristes, Morissot reprit : « *Et la pêche? hein! quel bon souvenir!* »

M. Sauvage demanda : « *Quand y retournerons-nous?* »

Ils entrèrent dans un petit café et burent ensemble une absinthe; puis ils se remirent à se promener sur les trottoirs.

Morissot s'arrêta soudain : « *Une seconde verte, hein?* » *M. Sauvage y consentit :* « *A votre disposition.* » *Et ils pénétrèrent chez un autre marchand de vins.*

Ils étaient fort étourdis en sortant, troublés comme des gens à jeun dont le ventre est plein d'alcool. Il faisait doux. Une brise caressante leur chatouillait le visage.

M. Sauvage, que l'air tiède achevait de griser, s'arrêta : « *Si on y allait?*

— *Où ça?*

— *A la pêche, donc.*

— *Mais où?*

— *Mais à notre île. Les avant-postes français sont auprès de Colombes. Je connais le colonel Dumoulin; on nous laissera passer facilement.* »

Morissot frémit de désir : « *C'est dit. J'en suis.* » *Et ils se séparèrent pour prendre leurs instruments.*

Une heure après, ils marchaient côte à côte, sur la grand'route. Puis ils gagnèrent la villa qu'occupait le colonel. Il sourit de leur demande et consentit à leur fantaisie. Ils se remirent en marche, munis d'un laissez-passer.

Bientôt ils franchirent les avant-postes, traversèrent Colombes abandonné, et se trouvèrent au bord des petits champs de vigne qui descendent vers la Seine. Il était environ onze heures.

En face, le village d'Argenteuil semblait mort. Les hauteurs d'Orgemont et de Sannois dominaient tout le pays. La grande plaine qui va jusqu'à Nanterre était vide, toute vide, avec ses cerisiers nus et ses terres grises.

M. Sauvage, montrant du doigt les sommets, murmura : « *Les Prussiens sont là-haut!* » *Et une inquiétude paralysait les deux amis devant ce pays désert.*

Les Prussiens! Ils n'en avaient jamais aperçu mais ils les sentaient là depuis des mois, autour de Paris, ruinant la France, pillant, massacrant, affamant, invisibles et tout-puissants. Et une sorte de terreur superstitieuse s'ajoutait à la haine qu'ils avaient pour ce peuple inconnu et victorieux.

Morissot balbutia : « Hein! si nous allions en rencontrer ? »

M. Sauvage répondit, avec cette gouaillerie parisienne reparaissant malgré tout : « Nous leur offririons une friture. »

Mais ils hésitaient à s'aventurer dans la campagne, intimidés par le silence de tout l'horizon.

A la fin, M. Sauvage se décida : « Allons, en route! mais avec précaution. » Et ils descendirent dans un champ de vigne, courbés en deux, rampant, profitant des buissons pour se couvrir, l'œil inquiet, l'oreille tendue.

Une bande de terre nue restait à traverser pour gagner le bord du fleuve. Ils se mirent à courir; et dès qu'ils eurent atteint la berge, ils se blottirent dans les roseaux secs.

Morissot colla sa joue par terre pour écouter si on ne marchait pas dans les environs. Il n'entendit rien. Ils étaient bien seuls, tout seuls.

Ils se rassurèrent et se mirent à pêcher.

En face d'eux, l'île Marante abandonnée les cachait à l'autre berge. La petite maison du restaurant était close, semblait délaissée depuis des années.

M. Sauvage prit le premier goujon. Morissot attrapa le second, et d'instant en instant ils levaient leurs lignes avec une petite bête argentée frétillant au bout du fil; une vraie pêche miraculeuse.

Ils introduisaient délicatement les poissons dans une poche de filet à mailles très serrées, qui trempait à leurs pieds, et une joie délicieuse les pénétrait, cette joie qui vous saisit quand on retrouve un plaisir aimé dont on est privé depuis longtemps.

Le bon soleil leur coulait sa chaleur entre les épaules; ils n'écoutaient plus rien; ils ne pensaient plus à rien; ils ignoraient le reste du monde; ils pêchaient.

Mais soudain un bruit sourd qui semblait venir de sous terre fit trembler le sol. Le canon se remettait à tonner.

Morissot tourna la tête, et par-dessus la berge il aperçut, là-bas, sur la gauche, la grande silhouette du Mont-Valérien, qui portait au front une aigrette blanche, une buée de poudre qu'il venait de cracher.

Et aussitôt un second jet de fumée partit du sommet de la forteresse; et quelques instants après une nouvelle détonation gronda.

Puis d'autres suivirent, et de moment en moment, la montagne jetait

son haleine de mort, soufflait ses vapeurs laiteuses qui s'élevaient lente-
ment dans le ciel calme, faisaient un nuage au-dessus d'elle.

M. *Sauvage haussa les épaules : « Voilà qu'ils recommencent », dit-il.*

Morissot, qui regardait anxieusement plonger coup sur coup la plume
de son flotteur, fut pris soudain d'une colère d'homme paisible contre
ces enragés qui se battaient ainsi, et il grommela : « Faut-il être stupide
pour se tuer comme ça! »

M. *Sauvage reprit : « C'est pis que des bêtes. »*

Et Morissot qui venait de saisir une ablette, déclara : « Et dire que ce
sera toujours ainsi tant qu'il y aura des gouvernements. »

M. *Sauvage l'arrêta : « La République n'aurait pas déclaré la*
guerre... »

Morissot l'interrompit : « Avec les rois on a la guerre au dehors;
avec la République on a la guerre au dedans. »

Et tranquillement ils se mirent à discuter, débrouillant les grands
problèmes politiques avec une raison saine d'hommes doux et bornés,
tombant d'accord sur ce point, qu'on ne serait jamais libres. Et le
Mont-Valérien tonnait sans repos, démolissant à coups de boulet des
maisons françaises, broyant des vies, écrasant des êtres, mettant fin à
bien des rêves, à bien des joies attendues, à bien des bonheurs espérés,
ouvrant en des cœurs de femmes, en des cœurs de filles, en des cœurs de
mères, là-bas, en d'autres pays, des souffrances qui ne finiraient plus.

« C'est la vie », déclara M. Sauvage.

« Dites plutôt que c'est la mort », reprit en riant Morissot.

Mais ils tressaillirent effarés, sentant bien qu'on venait de marcher
derrière eux; et ayant tourné les yeux, ils aperçurent, debout contre
leurs épaules, quatre hommes, quatre grands hommes armés et barbus,
vêtus comme des domestiques en livrée et coiffés de casquettes plates,
les tenant en joue au bout de leurs fusils.

Les deux lignes s'échappèrent de leurs mains et se mirent à descendre
la rivière.

En quelques secondes, ils furent saisis, emportés, jetés dans une barque
et passés dans l'île.

Et derrière la maison qu'ils avaient crue abandonnée, ils aperçurent
une vingtaine de soldats allemands.

Une sorte de géant velu, qui fumait, à cheval sur une chaise, une
grande pipe de porcelaine, leur demanda, en excellent français : « Eh
bien, messieurs, avez-vous fait bonne pêche? »

Alors un soldat déposa aux pieds de l'officier le filet plein de poissons
qu'il avait eu soin d'emporter. Le Prussien sourit : « Eh! eh! je vois que
ça n'allait pas mal. Mais il s'agit d'autre chose. Écoutez-moi et ne vous
troublez pas.

« *Pour moi, vous êtes deux espions envoyés pour me guetter. Je vous prends et je vous fusille. Vous faisiez semblant de pêcher, afin de mieux dissimuler vos projets. Vous êtes tombés entre mes mains, tant pis pour vous; c'est la guerre.*

« *Mais comme vous êtes sortio par les avant-postes, vous avez assurément un mot d'ordre pour rentrer. Donnez-moi ce mot d'ordre et je vous fais grâce.* »

Les deux amis, livides, côte à côte, les mains agitées d'un léger tremblement nerveux, se taisaient.

L'officier reprit : « *Personne ne le saura jamais, vous rentrerez paisiblement. Le secret disparaîtra avec vous. Si vous refusez, c'est la mort, et tout de suite. Choisissez?* »

Ils demeuraient immobiles sans ouvrir la bouche.

Le Prussien, toujours calme, reprit en étendant la main vers la rivière : « *Songez que dans cinq minutes vous serez au fond de cette eau. Dans cinq minutes! Vous devez avoir des parents?* »

Le Mont-Valérien tonnait toujours.

Les deux pêcheurs restaient debout et silencieux. L'Allemand donna des ordres dans sa langue. Puis il changea sa chaise de place pour ne pas se trouver trop près des prisonniers; et douze hommes vinrent se placer à vingt pas, le fusil au pied.

L'officier reprit : « *Je vous donne une minute, pas deux secondes de plus.* »

Puis il se leva brusquement, s'approcha des deux Français, prit Morissot sous le bras, l'entraîna plus loin, lui dit à voix basse : « *Vite, ce mot d'ordre? Votre camarade ne saura rien, j'aurai l'air de m'attendrir.* »

Morissot ne répondit rien.

Le Prussien entraîna alors M. Sauvage et lui posa la même question.

M. Sauvage ne répondit pas.

Ils se retrouvèrent côte à côte.

Et l'officier se mit à commander. Les soldats élevèrent leurs armes.

Alors le regard de Morissot tomba par hasard sur le filet plein de goujons, resté dans l'herbe, à quelques pas de lui.

Un rayon de soleil faisait briller le tas de poissons qui s'agitaient encore. Et une défaillance l'envahit. Malgré ses efforts, ses yeux s'emplirent de larmes.

Il balbutia : « *Adieu, monsieur Sauvage.* »

M. Sauvage répondit : « *Adieu, monsieur Morissot.* »

Ils se serrèrent la main, secoués des pieds à la tête par d'invincibles tremblements.

L'officier cria : « *Feu!* »

Les douze coups n'en firent qu'un.

M. Sauvage tomba d'un bloc sur le nez. Morissot, plus grand, oscilla, pivota et s'abattit en travers sur son camarade, le visage au ciel, tandis que des bouillons de sang s'échappaient de sa tunique crevée à la poitrine.

L'Allemand donna de nouveaux ordres.

Ses hommes se dispersèrent, puis revinrent avec des cordes et des pierres qu'ils attachèrent aux pieds des deux morts; puis ils les portèrent sur la berge.

Le Mont-Valérien ne cessait pas de gronder, coiffé maintenant d'une montagne de fumée.

Deux soldats prirent Morissot par la tête et par les jambes; deux autres saisirent M. Sauvage de la même façon. Les corps, un instant balancés avec force, furent lancés au loin, décrivirent une courbe, puis plongèrent, debout, dans le fleuve, les pierres entraînant les pieds d'abord.

L'eau rejaillit, bouillonna, frissonna, puis se calma, tandis que de toutes petites vagues s'en venaient jusqu'aux rives.

Un peu de sang flottait.

L'officier, toujours serein, dit à mi-voix : « C'est le tour des poissons maintenant. »

Puis il revint vers la maison.

Et soudain il aperçut le filet aux goujons dans l'herbe. Il le ramassa, l'examina, sourit, cria : « Wilhelm! »

Un soldat accourut, en tablier blanc. Et le Prussien, lui jetant la pêche des deux fusillés, commanda : « Fais-moi frire tout de suite ces petits animaux-là pendant qu'ils sont encore vivants. Ce sera délicieux. »

Puis il se remit à fumer sa pipe.

Paris

Paris était bloqué, affamé et râlant. Les moineaux se faisaient bien rares sur les toits, et les égouts se dépeuplaient. On mangeait n'importe quoi.

1. ORGANISATION TEXTUELLE

1. *Disjonctions temporelles et spatiales.*

Le texte choisi, sous sa forme écrite, comporte un *dispositif graphique* caractérisé par le choix des caractères d'imprimerie, le découpage phrastique, le découpage en paragraphes, etc. Ce dernier toutefois, qu'on aimerait considérer comme le critère quasi naturel — ou du moins comme la marque évidente de l'intervention directe du narrateur organisant son discours — ne possède malheureusement qu'un caractère indicatif, c'est-à-dire facultatif et non-nécessaire. Ceci provient, croyons-nous, du fait que tout discours — et à plus forte raison le discours narratif — présente une organisation multiplane, et que sa mise en paragraphes peut correspondre à des délimitations indiscutables, mais situées tantôt sur l'un, tantôt sur l'autre des niveaux du déroulement discursif.

Aussi est-on amené le plus souvent à recourir, en premier lieu, aux critères spatio-temporels de segmentation, qui ont l'avantage d'être uniformément présents dans tout discours pragmatique, c'est-à-dire dans le discours relatant des séries d' « événements » ou de « faits » qui, eux, se trouvent nécessairement inscrits dans le système de coordonnées spatio-temporelles. Sans pour autant reconnaître le caractère universel et surtout hiérarchiquement dominant de la segmentation spatio-temporelle — nous verrons, au cours de cette analyse, que les disjonctions logiques prévalent parfois sur celle-ci —, il paraît convenable, pour la clarté de la démarche, de l'appliquer, en première instance, sur le texte à analyser.

1.1. *La temporalité.*

Du point de vue temporel, les deux premiers paragraphes du texte se présentent intuitivement comme un ensemble de notations figuratives renvoyant à une période temporellement déterminée, appelée /guerre/. Toutefois la dénomination *guerre* n'apparaît qu'au début du troisième paragraphe, qui raconte les événements situés « avant la guerre ». Ce n'est donc que rétrospectivement et par une rétrolecture des deux premiers paragraphes qu'on peut leur postuler un soubassement temporel comme la projection de l'un des termes de l'opposition :

« avant la guerre »   *vs*   (pendant la guerre)

Cette opposition se décompose à son tour en deux catégories, une catégorie proprement temporelle :

(1) /avant/   vs   /pendant/   vs   /après/

et une catégorie dénominative, opérant la périodisation de la temporalité :

(2) /guerre/   vs   /paix/

C'est par la conjugaison des termes sélectionnés des deux catégories — (1) et (2), /pendant/ qui est le temps dans lequel s'inscrivent les événements narrés et /guerre/ qui est la dénomination sémantique, axiologisée par les valeurs que comporte le texte, de ce cadre temporel — que se trouve délimité l'espace textuel recouvrant les deux premiers paragraphes.

> *Remarque* : On notera qu'aucune des possibilités d'*ancrage historique* — datation ou allusion aux événements de portée socio-politique — n'est exploitée par le narrateur, comme s'il voulait, par cette omission, présenter dès le début la guerre comme un mal universel et absolu.

1.2. *La spatialité.*

Si l'ancrage historique du récit reste implicite, son *ancrage spatial*, au contraire, est affiché : le premier mot du texte, « Paris », est en effet le toponyme désignant un des lieux posés par la narration.

Ce lieu topique, Paris, — et qui, en tant que nom propre, est en principe vide de toute signification — est, de plus, immédiatement qualifié par l'adjectif « bloqué », qui constitue la première de ses déterminations spatiales et que l'on peut interpréter comme :

$$\frac{/\text{englobé}/}{\text{« Paris »}} \quad vs \quad \frac{/\text{englobant}/}{\text{(non-Paris)}}$$

Cette catégorie sémique simple permet, en conformité avec la délimitation temporelle, d'opposer les deux premiers paragraphes du texte au troisième, qui commence par la notation du déplacement disjonctif de l'acteur Morissot, passant de l' /englobé/ vers l' /englobant/ (« Morissot partait... »).

2. *Disjonction actorielle.*

Les critères spatio-temporels que nous venons d'utiliser, s'ils permettent d'établir une frontière assurée entre les deux premiers paragraphes et la suite du texte, sont en revanche inopérants pour les distinguer entre eux et nous obligent à rechercher de nouveaux critères de segmentation.

La disjonction actorielle apparaît comme un de ceux-ci. En effet, la première lecture, superficielle, de l'ensemble du texte suggère spontanément la possibilité de sa division en deux parties distinctes, selon la dominance discursive des acteurs qui y sont manifestés : ainsi, la première partie est caractérisée par la présence continue des sujets phrastiques représentés par « ils » (ou, tantôt par Morissot, tantôt par M. Sauvage), alors que la seconde partie est dominée par l'itération du sujet phrastique « il » (l'officier prussien).

Pour rendre l'autonomie au premier paragraphe, en consolidant ainsi les indications du dispositif graphique, on peut suggérer par conséquent une opposition entre ce paragraphe — en l'érigeant en même temps à la dignité de *séquence* (SQ) et la suite du texte, comme étant fondée sur la distinction des sujets discursifs :

Séquence I	*vs*	Séquences II et III
SUJET : *Paris*		SUJETS : *Morissot et M. Sauvage*

Une telle disjonction actorielle, pour être justifiée, doit satisfaire à deux conditions : il faut montrer d'abord que l'acteur Paris est un *acteur discursif,* permanent tout le long de la séquence ; il faut, ensuite, fonder l'opposition sur une distinction catégorielle de deux classes d'acteurs, représentés respectivement par « Paris », d'une part, et « Morissot et M. Sauvage », de l'autre.

On voit tout de suite que l'organisation phrastique de la SQI fait difficulté : elle est composée de quatre propositions coordonnées, ayant chacune un sujet phrastique différent : « Paris », « les moineaux », « les égouts » et « on ». Si une lecture intuitive nous pousse à considérer comme évident le fait que le topique de ces quatre propositions est toujours « Paris », la manifestation textuelle ne l'affiche point, et les quatre propositions mises côte à côte peuvent être lues, *à la limite,* comme des expressions figuratives autonomes, comparables, disons, aux quatre images juxtaposées constituant la strophe d'un poème symboliste. Le problème, qui peut paraître oiseux à quelqu'un de non averti des exigences de l'analyse linguistique, constitue la pierre d'achoppement de la grammaire discursive (ou textuelle), soucieuse d'assurer la cohérence du texte et de rendre compte de la permanence des acteurs, manifestés, dans le déroulement des discours, par différentes positions actantielles phrastiques. Aussi l'examen de la séquence aura soin d'expliciter les présupposés phrastiques permettant de garantir son *isotopie actorielle.*

Si l'on arrive à rendre compte, de manière satisfaisante du point de vue linguistique — car il s'agit là d'un problème de linguistique discursive et non du niveau narratif, qu'on peut considérer comme translinguistique —, de la permanence de l'acteur « *Paris* », on pourra alors fonder l'opposition interséquencielle sur la distinction :

acteur collectif *(« Paris »)*   vs   acteur individuel *(« deux amis »)*

et la séquence tout entière pourra être lue comme l'ensemble de déterminations qualifiant et instituant, de ce fait, « Paris » comme acteur collectif.

> *Remarque :* Nous considérons comme *acteurs individuels* non seulement les acteurs pourvus d'une figure individuée, mais aussi des couplages de différentes sortes (jumeaux, grand-mère et petit-fils, etc.) bien connus en mythologie.

2. LA PREMIÈRE PHRASE

1. *Les rôles thématiques.*

Ayant ainsi établi provisoirement l'autonomie de la sq 1, dont les dimensions correspondent aux démarcations du premier paragraphe, l'analyse sémantique à entreprendre peut suivre sans difficulté le découpage syntaxique en phrases du texte linéaire produit en français. La première phrase

« Paris était /bloqué,/ /affamé/ et râlant/ »

de construction attributive, possède une structure ternaire de qualifications, à laquelle se trouve sous-tendue une *connotation dysphorique* commune, qui constitue d'ailleurs le support continu de l'ensemble de la séquence. Du point de vue sémantique, la structure ternaire se dissout sans peine; le premier élément, comportant des déterminations spatiales, se sépare en effet des deux autres qualifications, qui en sont dépourvues et qui manifestent des contenus fortement axiologisés. Si l'on considère la proposition attributive comme susceptible d'avoir le statut de la définition, on peut dire que la dénomination « *Paris* » est dotée d'une définition spatiale et d'une définition axiologique.

Cette dernière comporte deux lexèmes, paraphrasés dans les dictionnaires d'usage courant comme :

(a) « affamé » $\simeq$ souffrant de la faim
(b) « râlant » $\simeq$ faisant entendre le bruit rauque, en parlant du moribond.

La deuxième de ces définitions paraphrastiques attire d'abord notre attention par son caractère inhabituel : elle n'arrive pas à décrire le comportement sonore (« le bruit rauque ») qu'en le rattachant, en tant qu'une de ses manifestations particulières, à un nom d'agent (« un moribond »), cet être lexématique dans lequel il est aisé de reconnaître le *rôle thématique*, c'est-à-dire, le sujet doté d'un parcours discursif approprié.

La première conséquence qu'on peut tirer de cette constatation est l'extraction du sème /humain/ du contenu sémantique du lexème « râlant » et son transfert de la définition à la dénomination : « Paris » qui, jusque-là, n'était doté que d'une détermination spatiale dyspho-

23

rique, acquiert maintenant une figure anthropomorphe, se trouve « personnifié » et peut s'écrire comme :

« Paris » = /englobé/ + /dysphorique/ + /humain/

La deuxième conséquence consiste à reconnaître, derrière la manifestation figurative sonore de « râlant », l'existence d'un rôle thématique que nous pouvons désigner comme celui de /mourant/ et de le mettre en parallèle avec le rôle thématique de /vivant/, comme étant manifesté par le lexème « affamé », car, en effet, seuls les vivants peuvent être affamés. Mais, dire de quelqu'un qu'il est mourant, c'est reconnaître que son état se définit comme celui de /non-mort/, tout comme l'état de vivant est celui de /vie/, états précaires, il est vrai, parce qu'ils tendent vers leurs contradictoires, ceux de /mort/ ou de /non-vie/. La représentation, à titre de rappel, du carré sémiotique permettra de visualiser ces deux « tendances » :

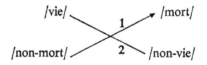

Ce que décrivent les lexèmes « râlant » et « affamé », ce sont des positions incertaines des deux rôles de /mourant/ et de /vivant/ sur les deux axes de contradictoires : (1) pour le /mourant/ et (2) pour le /vivant/.

2. Les structures aspectuelles.

Il est évident qu'une telle représentation se heurte à des objections de simple logique : les termes contradictoires sont des termes discrets, catégoriels, ne comportant pas de solution de continuité, et la négation de l'un d'entre eux fait immédiatement surgir l'autre.

Comment interpréter alors les rôles de /mourant/ et de /vivant/, dont les parcours narratifs implicites consistent justement à ménager le passage d'un terme contradictoire à l'autre? La difficulté ne peut être surmontée qu'en affirmant l'autonomie de deux niveaux distincts de la représentation sémiotique, d'un *niveau logico-sémantique* où se trouvent situées les opérations logiques rendant compte des manipulations des contenus d'un texte, et d'un *niveau discursif* où ces mêmes opérations logiques, une fois *converties,* sont susceptibles de

24

recevoir, sur le plan grammatical, des formulations actantielles relevant d'une grammaire narrative de surface et, sur le plan sémantique, des représentations processuelles et aspectuelles.

Abandonnant donc provisoirement le niveau logico-sémantique, essayons de nous représenter le fonctionnement d'un rôle thématique au niveau discursif qui est le sien. Le fait d'être /mourant/ ou /vivant/ y apparaît comme un *procès* continu et, par conséquent, doté du *sème aspectuel* de /durativité/ : on dira qu'à un *état* de nature logique correspond, comme conséquence de la procédure de la *temporalisation*, un *procès duratif*, autrement dit, que la *durée* est la représentation temporelle d'un *état*. Le procès duratif, à son tour, est susceptible d'être délimité par deux aspectualités *ponctuelles* : l' /inchoativité/ et la /terminativité/. Ainsi, dans le cas de /mourant/, le procès qui, lui, est sous-jacent comporte l'aspect duratif — correspondant au terme logique de /non-mort/ — et un aspect terminatif — correspondant au terme /mort/. Un troisième sème aspectuel doit être introduit ici, celui de /tensivité/ (indispensable lorsqu'on veut donner, par exemple, la représentation sémantique des lexèmes tels que « assez », « proche », « trop », « loin », etc) : il peut être défini comme la relation de tension que contracte le sème duratif avec l'un ou l'autre des sèmes ponctuels.

Dans le cas qui nous intéresse, c'est la relation tensive entre le procès duratif et son achèvement, l'aspect ponctuel terminatif, qui semble pouvoir rendre compte du parcours narratif des deux rôles de /mourant/ et de /vivant/. L'interprétation que nous venons d'esquisser peut être résumée dans le schéma suivant :

/VIVANT/	niveau logique	/vie/ ←——————————→ /non-vie/
	niveau aspectuel	/dur./ ——→ /+ tens./ ——→ /term./
/MOURANT/	niveau logique	/non-mort/ ←——————————→ /mort/
	niveau aspectuel	/dur./ ——→ /+ tens./ ——→ /term./

Le schéma montre bien que la relation tensive est une relation *orientée* : si, à partir de la position /durativité/, correspondant à /vie/, elle était orientée en sens inverse, elle viserait le terme /inchoativité/ et rendrait compte du rôle thématique de /naissant/. Partant, au contraire, de la position durative corrélée à /mort/, elle pourrait établir la tension visant l'aspect terminatif correspondant à /non-mort/ et donnerait ainsi la représentation du rôle de /ressuscitant/.

On peut se demander, à juste titre, quel est l'emplacement exact des lexèmes « affamé » et « râlant » dans le dispositif que nous venons

25

de mettre en place. Il est évident que, par leur présence dans le texte, ces lexèmes justifient le montage du mécanisme rendant compte du fonctionnement aspectuel des rôles thématiques et servant ainsi de relais entre les contenus « mortels » profonds et la dénomination « Paris », à laquelle ils sont attribués. Mais il y a plus. Ces lexèmes sont des expressions *figuratives* dénotant l'épuisement progressif de la vie et, de ce fait, relèvent d'un inventaire de variables stylistiques, dans lequel le sujet de l'énonciation les a choisis. Tout en étant inscrits dans le cadre de contraintes sémiotiques que nous avons cherché à expliciter, ces choix deviennent, lorsqu'on atteint le niveau figuratif, plus aléatoires (on ne voit pas, à première vue, pourquoi l'énonciateur serait amené à choisir nécessairement la « faim » dans toute une série de privations possibles, ou le « râle » parmi tant de manifestations éventuelles de l'approche de la mort). Un dernier sème aspectuel, celui d' /intensité/ doit toutefois être introduit : il signale la position exacte, toute proche du point terminatif, dans l'exécution du parcours narratif de /vivant/ et de /mourant/.

3. *Une logique des approximations.*

La reconnaissance de deux niveaux autonomes de représentation sémantique — le niveau logique et le niveau discursif — et d'une certaine équivalence qu'on peut postuler entre ces deux représentations n'est pas sans importance pour la conception qu'on peut se faire de l'économie générale de la théorie sémiotique. Le fait que, pour être manifesté dans le discours, la structure logique du contenu est susceptible d'être temporalisée et que les *catégories logico-sémantiques* de l'organisation sémiotique profonde peuvent être interprétées à l'aide de *catégories aspectuelles* de la temporalité permet de comprendre et de concilier deux types de transformations : les *transformations structurelles* et les *transformations discursives*. Ainsi, par exemple, la description de l'histoire fondamentale, conçue comme une suite de transformations des structures profondes, n'exclut pas, bien au contraire, sa projection sur l'axe de la temporalité, où l'histoire considérée comme discours retrouve ses durées, ses ponctualités et ses tensions. A ne prendre, pour illustrer cette constatation, qu'un détail de l'histoire de la langue française : si le passage du français ancien, langue à déclinaison, en français moderne, langue sans déclinaison, apparaît comme une transformation structurelle, ce changement s'étale, au niveau de la temporalité de surface, sur une période de quelque trois cents ans, où les transformations discursives partielles, les procédures de médiation et de suppléance ont eu tout le temps de se manifester.

D'un autre côté, cette couverture de la contradiction logique par la temporalité et son interprétation aspectuelle en termes de tensions entre ce qui est présent et ce qui est encore absent — permettant, on l'a vu, des surdéterminations intensives qui rapprochent les contenus investis de l'un ou l'autre des termes contradictoires — rendent compte d'un ensemble non-négligeable de faits sémiotiques, dont l'explication paraissait difficile. En effet, la logique naturelle (ou logique concrète), dont les manifestations sont fréquentes dans les textes mythiques, sacrés, poétiques, etc., est caractérisée en partie par les préférences qu'elle marque pour l'utilisation des catégories relatives, dont les termes, au lieu de se présenter comme des discontinuités catégorielles, s'opposent entre eux, comme des plus et des moins, comme des excès et des insuffisances, comme des plus-values et des manques à gagner (cf. par exemple, la sur-estimation et la sous-estimation des relations de parenté, une des catégories explicatives du mythe d'Œdipe selon C. Lévi-Strauss). Une telle relativisation de la contradiction permet d'envisager la possibilité d'une *logique des approximations* qui, en traitant, à la manière de la topologie, des objets à contours approximatifs, serait tout aussi rigoureuse que la *logique catégorielle*.

Pour en revenir maintenant à l'analyse de notre cas précis, on voit que le mécanisme aspectuel que nous avons construit signale, sur l'axe de la durée, la position discursive du rôle thématique comme très proche, — à cause de la tension terminative et de l'intensité qui la surdétermine —, de son aboutissement, à savoir de la position qui correspond, au niveau logico-sémantique, aux termes respectifs de /non-vie/ et de /mort/. Dès lors, si l'on adopte le signe $/\pm/$ pour marquer l'approximation, on peut définir les rôles thématiques comme équivalents ou, ce qui revient au même, comme des conversions des termes catégoriels, de telle sorte que :

$$\text{/vivant/} \simeq \pm \text{/non-vie/}$$
$$\text{/mourant/} \simeq \pm \text{/mort/}$$

Une représentation sémantique de la proposition attributive, que nous considérons comme la définition de la dénomination toponymique [de] « *Paris* », peut être à ce stade proposée :

Paris = [englobé] + [/± non-vie/ + /± mort/] + [dysphorique] + [/humain/ + /figuratif/]

1. *L'isotopie discursive.*

Sur le plan textuel, le problème qui se pose lorsqu'on veut aménager le passage d'une phrase réalisée dans une langue naturelle à la phrase qui la suit immédiatement, est celui de la cohérence discursive : l'existence du discours — et non d'une suite de phrases indépendantes — ne peut être affirmée que si l'on peut postuler à la totalité des phrases qui le constituent une isotopie commune, reconnaissable grâce à la récurrence d'une catégorie ou d'un faisceau de catégories linguistiques tout le long de son déroulement. Ainsi, nous sommes enclins à penser qu'un discours « logique » doit être supporté par un réseau d'anaphoriques qui, en se renvoyant d'une phrase à l'autre, garantissent sa permanence topique. A l'inverse, le discours poétique — surtout lorsqu'il vise consciemment « l'abolition de la syntaxe » — manifeste à la surface, du fait de l'omission des marques de la récurrence, une certaine incohérence grammaticale. Entre les deux extrêmes, se situent toutes sortes de discours qu'on peut dire imparfaits, dans le même sens que toutes les manifestations en langues naturelles sont imparfaites par rapport à l'idéalité des formes grammaticales que nous leur postulons. Ces discours sont à la fois immédiatement compréhensibles et incohérents à la surface, et leur lecture, qui relève de l'évidence pour l'usager de la langue, fait surgir des obstacles presque insurmontables au linguiste, soucieux de faire ressortir toutes les implicitations et de fonder objectivement, par la reconnaissance des marques de la récurrence, la permanence de l'isotopie discursive. Aussi les inquiétudes tatillonnes du linguiste, qui s'efforce de mettre à jour les réseaux complexes de présupposés sous-jacents à tout discours, paraissent-elles souvent futiles au sémioticien ne s'intéressant qu'au maniement des grandeurs textuelles transphrastiques.

Il en va ainsi de la séquence que nous examinons. Rien, apparemment, dans la deuxième phrase composée de deux propositions coordonnées, considérée en elle-même, n'indique qu'elle fasse suite à la première, qu'il s'agisse là de la description de la ville de Paris ; rien, sinon le simple fait de leur succession : tout se passe comme si la simple contiguïté, comparable en ceci au rôle qu'elle joue dans la syntaxe freudienne du rêve, constituait à elle seule l'élément du plan de l'expression recouvrant et signalant la relation entre deux unités phrastiques, et fondant ainsi leur succession en signification.

Cependant, pour rendre compte de la nature de cette relation, il est préférable d'aborder le problème par un autre bout. Si, comme le dit L. Hjelmslev, une des premières opérations du syntacticien est la catalyse, c'est-à-dire l'explicitation des éléments phrastiques implicites, on voit que le lexème « *Paris* » peut être introduit dans les deux propositions coordonnées comme occupant l'emplacement des déterminants de :

> « les toits » (de Paris) »
> « les égouts » (de Paris) »

Dès lors, la relation entre « Paris », d'une part, ses « toits », et ses « égouts » de l'autre, se présente comme une relation de déterminant à déterminé ou, plus grossièrement, comme une relation *hypotaxique*. Mais ce n'est pas tout. Si le lexème « Paris » (ou l'acteur Paris, dans notre terminologie sémiotique) occupe, dans la première phrase, la position de l'actant sujet, il joue, dans la deuxième proposition coordonnée, le rôle de déterminant du sujet : alors, en constatant la récurrence de « Paris », dans les deux phrases, comme signal de leur isotopie, on peut dire que la relation entre elles est une *relation hypotaxique simple*. Il n'en est pas de même lorsqu'on considère la première proposition, où « Paris » fait fonction de déterminant non plus du sujet, mais du circonstant « toits » : étant donné que le circonstant se situe, dans la hiérarchie de l'énoncé simple, à un niveau de dérivation inférieur, la relation entre « Paris » — sujet de la première phrase —, et « Paris » implicite — déterminant de « toits » —, de la deuxième phrase, n'est plus une relation hypotaxique simple; elle représente toute une cascade de relations hypotaxiques dont le nombre correspond à celui des paliers de dérivation des constituants de l'énoncé. Nous dirons qu'il s'agit alors d'une *relation hypotaxique complexe*.

> *Remarque :* On peut très bien admettre, comme nous l'a fait remarquer une de nos collègues d'Ottawa, que les articles définis de « *les* toits » et « *les* égouts » peuvent être interprétés comme étant dotés d'une fonction anaphorique supplémentaire et servent de marques de récurrence discursive. Ils auraient alors la fonction de relais, renvoyant à la fois à l'antécédent « *Paris* » de la première phrase et au déterminant « *Paris* » implicité. (Cf. « J'aime Paris » → « j'aime *le* Paris d'avant-guerre »).

Deux sortes d'observations peuvent être ajoutées à ce propos.

1. Il ressort, de ce que nous avons dit de la relation hypotaxique, que l'isotopie discursive ne peut pas être identifiée, du point de vue structural, avec la simple concordance grammaticale, mais qu'il s'agit là du mécanisme de *rection*, comparable à la relation qui s'établit, par exemple, entre une préposition latine et le génitif qu'elle régit, d'une *rection sémantique*, au sens que donne à ce qualificatif Tesnière; car si les relations qui s'établissent entre les termes anaphorisables peuvent être décrites comme des relations syntaxiques de sélection, les termes qui se trouvent ainsi reliés ne sont reconnaissables que grâce à leurs déterminations sémantiques. On voit aussi — ceci dit entre parenthèses — à quel point le terme rhétorique de *métonymie*, que nous avons voulu utiliser spontanément pour dénommer le phénomène examiné, reste vague; il y a tout intérêt à lui substituer des définitions grammaticales précises.

2. L'examen de ce cas particulier d'isotopie discursive, dans la mesure où ses conclusions peuvent être généralisées, ne manque pas de projeter un peu de lumière sur les relations qui peuvent exister entre le discours et la phrase, entre la linguistique discursive et la linguistique phrastique. On voit que l'isotopie, sur laquelle repose ici toute la séquence discursive est celle de la *spatialité*, manifestée dans le texte sous la forme de terminaux lexicaux (« Paris ») explicites ou implicites. Par rapport à cette *linéarité sémantique*, les représentations syntaxiques qu'on pourrait donner des phrases prises individuellement se trouvent décalées, de manière à rendre compte chaque fois d'une *distance rhétorique* différente (voir cliché ci-contre).

2. *La représentation spatiale.*

Ayant reconnu l'existence d'une isotopie spatiale qui soutient la séquence discursive — ainsi d'ailleurs que les modes du rattachement des phrases particulières à ce soubassement discursif — nous sommes justifié maintenant de donner de cette spatialité une représentation sémantique plus profonde.

Ainsi, les lexèmes déictiques « toits » et « égouts », représentants hypotaxiques, on l'a vu, de l'espace « Paris », se disposent, une fois paradigmatiquement rapprochés, sur l'axe de la *verticalité* comme :

$$\frac{\text{« toits »}}{\text{/haut/}} \quad vs \quad \frac{\text{« égouts »}}{\text{/bas/}}$$

30

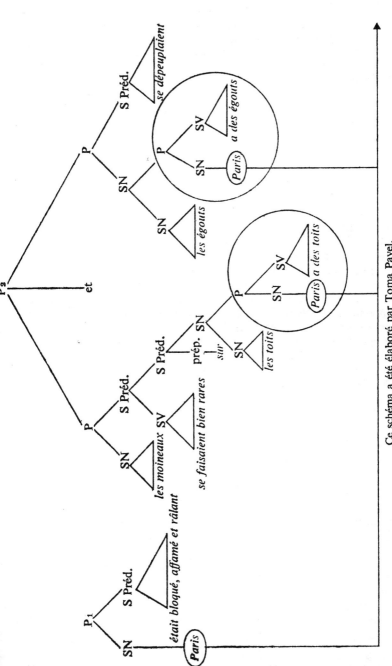

Ce schéma a été élaboré par Toma Pavel.

La catégorie spatiale /englobé/ *vs* /englobant/ que nous avons extraite à partir du lexème « bloqué » se situe au contraire, sur l'axe de l'*horizontalité*, inscrivant ainsi l'acteur Paris dans le système de coordonnées :

/haut/

/englobant/   /englobant/

/bas/

Si l'on ajoute ensuite que les termes /haut/ et /bas/ ne sont que des positions sur l'axe de la verticalité, à partir desquelles des surfaces planes horizontales sont construites, on voit que la strate « toits » constitue une sorte de couvercle et la strate « égouts », le fond de la marmite spatiale, dont les côtés représentent le cylindre obtenu par l'adjonction de la surface verticale à la rotondité horizontale de l' /englobant/. C'est cette sorte de marmite qui constitue la *figure spatiale* de l'acteur Paris, construction abstraite à partir de laquelle peuvent être produites les réalisations lexicales « bloqué », « toits », « égouts ».

3. *L'explicitation sémantique.*

La comparaison des deux propositions coordonnées :

	(1)		(2)		(3)	
(*a*)	« Les moineaux	/	se faisaient bien rares	/	sur les toits », et	
	(3)		(2)			
(*b*)	« les égouts	/	se dépeuplaient »,			

montre leur parenté sémantique indiscutable. Malgré les positions syntaxiques différentes, « les toits » et « les égouts » (3) appartiennent à la même classe sémantique de déictiques spatiaux, les deux prédicats (2) apparaissant comme des para-synonymes réductibles à l'expression commune /raréfaction/. Les « moineaux » seuls (1), acteur zoomorphe homologuable à son espace « toits », ne trouvent pas leur correspondant dans la proposition (*b*). L'explicitation de ce terme absent ne soulève cependant aucune difficulté, du moins sur le plan intuitif. Les expériences, avec des auditoires variés, que nous avons tentées font ressortir sans hésitation la relation :

$$\frac{\text{« toits »}}{\text{« moineaux »}} \simeq \frac{\text{« égouts »}}{\text{(rats)}}$$

La catalyse à laquelle on procède ainsi est d'ordre *sémantique* et non grammatical, comme c'était le cas lors de l'explication de « Paris », déterminant de « toits » et d' « égouts ». Elle semble pouvoir s'expliquer par la cohabitation de deux lexèmes, « égouts » et « rats », dans une même *configuration discursive*, réductible au rôle thématique de *rat*, cohabitation qui relève de l'*usage*, et non de la structure linguistique — et, de ce fait, probabilitaire — constitutive de stéréotypes.

4. *Les investissements axiologiques.*

Les deux acteurs ainsi reconnus sont des êtres zoomorphes, dotés d'une certaine forme de vie. En tant qu'acteurs, ils peuvent être considérés comme des *rôles thématiques*, c'est-à-dire comme des sujets discursifs susceptibles de dérouler chacun un parcours narratif dont le texte n'indique cependant que des *lieux* de réalisation éventuelle. A partir de là, divers parcours syntagmatiques, développant autant de programmes virtuels, sont possibles : l'illusion de la « richesse » du texte et de la multiplicité des lectures possibles y trouve son compte.

Cependant, toutes ces virtualités ne surgissent que si la lecture effectue une pause, si elle fige le texte à un moment de son déroulement; car le progrès dynamique du texte rejette immédiatement, comme des mort-nés, certains parcours probables, pour ne garder que ceux qui sont nécessaires à sa cohérence globale. Aussi ne proposerons-nous ici qu'une seule lecture, celle qui nous paraît conforme aussi bien à l'organisation sémantique de la séquence qu'à l'isotopie récurrente de l'ensemble du texte.

L'homologation des êtres zoomorphes, que sont les « *moineaux* » et les « *rats* », à leurs espaces respectifs nous semble pouvoir être prolongée de sorte que :

$$\frac{\text{« toits »}}{\text{« rats »}} \;:\; \frac{\text{« moineaux »}}{\text{« égouts »}} \;:\; \frac{\text{/haut/}}{\text{/bas/}} \;:\; \frac{\text{/être aérien/}}{\text{/être chthonien/}}$$

La suite du texte montrera sans difficulté que les éléments /air/ et /terre/, dénommés dans l'idiolecte de Maupassant comme /Ciel/ et

/Mont-Valérien/, dysphoriques par excellence, sont des représentations figuratives des contenus /non-vie/ et /mort/. Ne pouvant pas, en raison de la démarche linéaire que nous avons choisi, anticiper cette analyse, nous proposons de retenir seulement, à titre d'hypothèse forte, que nos acteurs, en qualité d'êtres « vivants » se trouvent liés aux espaces « mortels » :

$$\frac{\text{« moineaux »}}{/\text{vivant}/} \simeq \frac{/\text{air}/}{/\text{non-vie}/}$$

$$\frac{\text{« rats »}}{/\text{mourant}/} \simeq \frac{/\text{terre}/}{/\text{mort}/}$$

Le parallélisme de la situation ainsi décrite, avec le schéma aspectuel établi pour rendre compte des contenus investis dans les lexèmes « affamé » et « râlant » est frappant : aux rôles thématiques, inscrits à gauche, correspondent les termes catégoriels, représentés figurativement comme des espaces mortels, inscrits à droite. La différence essentielle entre les deux descriptions réside toutefois dans le fait que si, dans le premier cas, la *méditation discursive* permettant le passage d'un terme contradictoire /vie/ et /non-mort/ à l'autre /non-vie/ et /mort/ était conçue comme l'*augmentation de la tension* entre l'aspect duratif et l'aspect terminatif, dans le cas que nous examinons en ce moment, le même passage est réalisé discursivement sous la forme de la *diminution de la tension* entre le terme inchoatif (correspondant respectivement à /vie/ et à /non-mort/) et le terme duratif (/non-vie/ et /mort/); que, d'autre part, l'aspect *intensif* était exprimé, dans le premier cas, *qualitativement* (par la faim et les bruits rauques), tandis qu'ici l'aspect *détensif* (signalant la diminution de la tension) est manifesté *quantitativement* (par la raréfaction de la vie, c'est-à-dire, par le passage de /grande quantité/ à /petite quantité/). Cette différence apparaîtra mieux en comparant le schéma reproduit dans II 2 avec le schéma suivant :

/VIVANT/	*niveau logique*	/vie/	←——————————→	/non-vie/
	niveau aspectuel	/inchoatif/	——→ /-tens./ ——→	/dur./
/MOURANT/	*niveau logique*	/non-mort/	←——————————→	/mort/
	niveau aspectuel	/inchoatif/	——→ /-tens./ ——→	/dur./

Remarque : Par opposition à l'aspect *intensif* marqué par un /+/, nous notons l'aspect *détensif* par un /—/.

Ceci veut dire, tout simplement, que, situé dans un espace « mortel » assimilé à un état durable et permanent, la vie, quelle que soit sa forme, n'est que l'inchoation de la mort. Les deux espaces mortels étant représentés comme deux couches horizontales — comme un superstrat et un substrat — le peu de vie qui restait encore dans Paris s'évanouissait progressivement, sur l'axe vertical, par le haut comme par le bas.

On voit que, tout en introduisant de nouvelles caractéristiques spatiales, la deuxième phrase de la séquence ne fait que réitérer les mêmes contenus axiologiques :

$$/\pm \text{ non-vie} / + /\pm \text{ mort}/$$

4. LA TROISIÈME PHRASE

1. *La figure spatiale de Paris.*

Il ne nous semble plus nécessaire de refaire la démonstration mettant à jour le rattachement de la dernière phrase de la séquence à l'isotopie spatiale dominante. La clôture de l'espace Paris — effectuée successivement sur les axes horizontal et vertical — est telle que le narrateur peut se permettre l'implicitation du syntagme circonstanciel dans son ensemble, et non plus seulement du déterminant « Paris » de ce syntagme. Ce que révèle la catalyse, c'est la présence du circonstant :

(/dans/Paris)

où « *Paris* » représente le lieu topique de la séquence, tandis que /dans/ établit la relation topologique entre, d'une part, le *volume englobant*, constitué par Paris et, de l'autre, l'espace *englobé*, dans lequel se trouve situé le procès énoncé par cette dernière phrase. Un lieu intérieur, un /contenu/ par rapport au /contenant/, constitué lors de la production des deux premières phrases, se trouve ainsi créé, achevant le tracé de la figure spatiale de l'acteur Paris.

2. *Vers l'abolition du sens.*

Si l'on considère les actants linguistiques de cette phrase, c'est-à-dire :

$$\frac{\text{sujet}}{\text{« on »}} \quad vs \quad \frac{\text{objet}}{\text{« n'importe quoi »}}$$

on remarque qu'ils appartiennent tous les deux à la classe morphologique traditionnellement désignée comme celle des pronoms indéfinis et qu'ils comportent de ce fait les sèmes grammaticaux :

$$/\text{indéfini}/ \quad + \quad /\text{anaphorique}/$$

Ils s'opposent toutefois comme des termes de la catégorie :

$$/\text{humain}/ \quad vs \quad /\text{non-humain}/$$

et renvoient, en leur qualité d'anaphoriques, aux contenus antérieurement manifestés : au sujet « on » correspondent les contenus investis dans la première phrase, dont les manifestations lexématiques « affamé » et « râlant » définissent Paris comme un sujet /humain/; à l'objet « n'importe quoi » correspond, dans la deuxième phrase, la présence des êtres zoomorphes, définissables comme /non-humains/ et qui sont à la fois objets de consommation et consommateurs de n'importe quoi.

Si l'on tient compte à la fois des déterminations grammaticales, qui définissent les deux actants phrastiques, et de leur caractère anaphorique, grâce auquel ils reprennent et subsument les contenus axiologiques déjà mis à jour lors de l'analyse précédente, on peut représenter la structure actantielle de la phrase examinée comme :

$$\frac{\text{Sujet}}{\substack{/\text{anaphor.}/+/\text{indéf.}/+/\text{humain}/ \\ /\pm\text{non-vie}/ + /\pm\text{mort}/}} \quad vs \quad \frac{\text{Objet}}{\substack{/\text{anaphor.}/+/\text{indéf.}/+/\text{non-humain}/ \\ /\pm\text{non-vie}/ + /\pm\text{mort}/}}$$

Il ne nous reste qu'à nous interroger sur la nature du prédicat « manger » qui, en tant que *fonction*, établit la relation entre les actants et constitue l'énoncé. S'agissant d'un prédicat transitif, on peut dire que l'énoncé canonique, comportant le minimum d'investissements sémantiques au niveau de la relation fonctionnelle, qui se trouve sous-tendu à la manifestation de notre phrase, est un *énoncé du faire*, visant à transformer l'état de choses antérieur à sa production. Cette transformation d'état peut être décrite comme la conjonction du sujet avec l'objet de valeur représenté par la nourriture. Or, si l'on considère les contenus axiologiques investis dans les deux actants qui se trouvent conjoints lors du procès « manger », on remarque qu'ils ont reçu, à la suite de notre analyse, une représentation sémantique identique :

$$/\pm \text{ non-vie}/ + /\pm \text{ mort}/,$$

ce qui peut être paraphrasé à peu près ainsi : « les moribonds mangent les moribonds ».

Dès lors, en se référant à la conception générale du surgissement de la signification selon laquelle celui-ci ne peut être conçu que comme l'apparition de différences, c'est-à-dire qu'à la suite d'une opération disjonctive, on est en mesure de suggérer que la conjonction d'identités, telle qu'elle est proposée par la dernière phrase, peut être interprétée comme la forme figurative de l'*abolition du sens*. On notera que cette suspension du sens, généralisée par le caractère /indéfini/ du sujet et de l'objet, se trouve au contraire relativisée et atténuée par la détermination approximative des contenus axiologiques. L'état de Paris se situe donc *à la limite* de l'absence de sens.

5. REMARQUES FINALES

Si l'on voulait résumer en quelques mots les premiers résultats obtenus par l'analyse de cette brève séquence, on pourrait les reprendre sous la forme de quelques constatations :

1. Les contenus investis dans la séquence s'inscrivent dans le système de coordonnées spatio-temporel, mais, tandis que la coordonnée spatiale se trouve utilisée pour promouvoir le développement discursif, la coordonnée temporelle procède à leur dénomination en les identifiant avec la période dite « guerre », autorisant leurs homologations ultérieures dans la suite du discours.

2. Les contenus axiologiques, tels que nous les avons formulés à leur niveau profond, se révèlent récurrents : de ce point de vue, leur mise en discours n'apporte pas d'informations supplémentaires.

3. La discursivisation se fait de deux manières distinctes : *a*) par le développement, sous la forme de nouvelles articulations catégorielles,

du faisceau des catégories spatiales qui constituent l'isotopie fondamentale de la séquence, d'une part, et *b*) par la figurativisation des contenus obtenue grâce à la médiation des rôles thématiques, de l'autre.

4. Par rapport à la constance itérative des contenus, les variations des constructions syntaxiques de surface semblent jouer un rôle qu'on pourrait appeler stylistique : en effet, les trois phrases examinées possèdent chacune une structure différente — attributive, intransitive et transitive.

5. Du point de vue narratif, la séquence se présente, disions-nous, comme la définition de la dénomination de l'acteur Paris. Toutefois la définition n'est pas statique, mais dynamique : les transformations annoncées sont inachevées, Paris n'est pas mort, il est en train de mourir. Ce caractère dynamique est rendu par la mise en place des structures aspectuelles situées à un niveau moins profond que les structures logico-sémantiques, mais homologables d'une certaine manière av c elles. La temporalisation des transformations est reconnaissable grâce à la durativité des procès, mais aussi grâce à l'itéraivité des contenus récurrents.

6. On notera enfin, pour mémoire, que le récit commence et s'achève par le comportement figuratif de consommation.

L'amitié

(... s'arrêta net devant un confrère qu'il reconnut pour un ami. C'était M. Sauvage, une connaissance du bord de l'eau.)

Chaque dimanche, avant la guerre, Morissot partait dès l'aurore, une canne en bambou d'une main, une boîte en fer-blanc sur le dos. Il prenait le chemin de fer d'Argenteuil, descendait à Colombes, puis gagnait à pied l'île Marante. A peine arrivé en ce lieu de ses rêves, il se mettait à pêcher ; il pêchait jusqu'à la nuit.

Chaque dimanche, il rencontrait là un petit homme replet et jovial, M. Sauvage, mercier, rue Notre-Dame-de-Lorette, autre pêcheur fanatique. Ils passaient souvent une demi-journée côte à côte, la ligne à la main et les pieds ballants au-dessus du courant ; et ils s'étaient pris d'amitié l'un pour l'autre. En certains jours, ils ne parlaient pas. Quelquefois ils causaient ; mais ils s'entendaient admirablement sans rien dire, ayant des goûts semblables et des sensations identiques.

Au printemps, le matin, vers dix heures, quand le soleil rajeuni faisait flotter sur le fleuve tranquille cette petite buée qui coule avec l'eau, et versait dans le dos des deux enragés pêcheurs une bonne chaleur de saison nouvelle, Morissot parfois disait à son voisin : « Hein ! quelle douceur ! » et M. Sauvage répondait : « Je ne connais rien de meilleur. » Et cela leur suffisait pour se comprendre et s'estimer.

A l'automne, vers la fin du jour, quand le ciel, ensanglanté par le soleil couchant, jetait dans l'eau des figures de nuages écarlates, empourprait le fleuve entier, enflammait l'horizon, faisait rouge comme du feu entre les deux amis, et dorait les arbres roussis déjà, frémissants d'un frisson d'hiver, M. Sauvage regardait en souriant Morissot et prononçait : « Quel spectacle ! » Et Morissot émerveillé répondait, sans quitter des yeux son flotteur : « Cela vaut mieux que le boulevard, hein ? »

(Dès qu'ils se furent reconnus...)

1. LA SÉQUENCE ET SON CONTEXTE

1. *Intercalation.*

La première séquence, dénommée *Paris*, est suivie d'une autre que nous nommerons *La Promenade* et qui relate la rencontre de deux amis et leur promenade le long des boulevards parisiens. Elle contient, et ceci dès après sa première phrase, une séquence intercalaire que nous examinerons en premier lieu. Les raisons de la priorité que nous lui accordons apparaîtront à la suite de notre analyse.

L'insertion, dans la continuité du discours, des séquences intercalaires autonomes est souvent désignée sous le nom d'*enchâssement*. On comprend généralement par enchâssement l'insertion d'un sous-récit dans un récit plus grand : mais la difficulté consiste dès lors à préciser ce qu'on entend par sous-récit, quel degré d'autonomie est exigé d'une séquence intercalée pour qu'elle accède au statut de micro-récit. Aussi préférons-nous nous en tenir pour l'instant au terme plus général d'*intercalation* et n'examiner ici qu'un cas d'espèce qui, s'il apparaît suffisamment typique, pourra éventuellement être généralisé. Il s'agit, dans notre cas, d'un phénomène qui, à la surface discursive, apparaît non comme une insertion, mais comme l'*expulsion* d'une séquence hors de la linéarité du texte, expulsion effectuée par des procédures de *disjonction temporelle et spatiale.*

1.1. *Débrayage.*

Nous entendons par *débrayage* le mécanisme qui permet la projection hors d'une isotopie donnée de certains de ses éléments, afin d'instituer un nouveau « lieu » imaginaire et, éventuellement, une nouvelle isotopie.

1. *Le débrayage temporel* se produit dans notre texte par la notation « *avant* la guerre », qui disjoint la séquence intercalée de la temporalité générale du texte. L'isotopie temporelle nouvellement obtenue peut être considérée, de ce point de vue, comme le résultat d'une *anachronisation*, détruisant partiellement la linéarité temporelle du récit.

Le déictique *avant* présuppose l'étalement implicite de la catégorie :

$$avant \quad \text{vs} \quad pendant \quad \text{vs} \quad après,$$

40

« *pendant* » étant le présent imaginaire du récit obtenu lui-même par un premier débrayage temporel, qui l'avait posé comme un *alors* quelconque, sans rapport avec le temps de l'énonciateur.

2. *Le débrayage spatial* est annoncé par le verbe « partait » qui dénote un déplacement de l'acteur Morissot de l'espace « Paris » — que nous avons déjà défini comme *englobé* —, vers un dehors qui apparaît, du fait de cette disjonction, comme espace *englobant*. On voit que la *spatialisation* du discours n'est pas une distribution quelconque des espaces imaginaires le long du texte, mais qu'elle s'accompagne de leur mise en relation avec les acteurs discursifs qui les exploitent.

1.2. *Embrayage*.

1. Ainsi projetée hors du texte, la séquence intercalaire se trouve récupérée par le mécanisme d'*embrayage* qui la rattache de nouveau au continu discursif. Ce mécanisme est manifesté ici par la réitération d'un même lexème prédicatif situé, dans la séquence englobante, aux deux limites de l'insertion :

    (*a*)   le marqueur antécédent : « ... qu'il *reconnut* pour un ami »
    (*b*)   le marqueur subséquent : « *Dès* qu'ils se furent *reconnus*... »

Du point de vue temporel, on peut déjà noter que le *temps intercalé* — qui correspond « quantitativement » à une durée de plusieurs années — est ainsi mis en relation avec le *temps intercalant*, qui est, lui, de quelques secondes à peine. Si l'on considère le temps intercalé comme une temporalité embrayée, c'est-à-dire ramenée à la temporalité générale du récit, on peut dire que la séquence intercalée, loin d'être un phénomène d'anachronisation, est au contraire une *expansion temporelle*, une enflure localisée du temps du récit.

D'un autre côté, cette expansion temporelle est concomitante avec une *activité cognitive* des deux acteurs. Le progrès narratif qui correspond à la durée de la séquence intercalaire se situe entre deux énoncés :

$$EN_1 = F \text{ reconnaissance (Morissot} \rightarrow \text{Sauvage)}$$
$$EN_2 = F \text{ reconnaissance (Sauvage} \rightarrow \text{Morissot)}$$

Si l'on s'en tient à la définition du *Petit Robert* (reconnaissance = « identification par la mémoire »), on voit que la séquence intercalée, dans la mesure où elle raconte la « *connaissance* » des deux amis, joue le rôle du terme mémorisé de la comparaison, permettant l'identification réciproque qui, au niveau de la séquence intercalante, devient la « reconnaissance ». Du point de vue cognitif, le rapport entre les deux séquences est donc :

$$\frac{\text{séquence intercalante}}{\text{séquence intercalée}} \simeq \frac{\text{« reconnaissance »}}{\text{« connaissance »}}$$

2. L'embrayage de la séquence intercalée se trouve, d'autre part, facilité par la mise en place d'un second mécanisme, traditionnellement désigné du nom de *transition*. Il a recours à l'emploi conjonctif de déictiques spatiaux : en effet, on remarquera que le dernier mot de la séquence intercalante est « le bord de l'eau », qui désigne le lieu topique de la séquence intercalée, et que le dernier mot de celle-ci est « le boulevard », indiquant le lieu de rencontre des deux amis, c'est-à-dire l'espace de la séquence intercalante. Ces indications spatiales renvoient ainsi d'une séquence à l'autre et « ménagent la transition ».

A y regarder de plus près, on s'aperçoit que l'apparition de l'espace *englobant*, annoncé par « le bord de l'eau », est un phénomène second, intégrable dans le processus de la reconnaissance : c'est en re-connaissant son ami que Morissot le projette à la fois dans l'espace utopique et dans le temps passé. Il en va de même pour l'allusion finale au « boulevard », qui relève de la comparaison cognitive entre un espace euphorique actualisé et l'espace dysphorique représenté par « le boulevard ». Autrement dit, l'espace de la séquence intercalaire est en réalité un espace « mental », intégré dans le faire cognitif de la « reconnaissance », et s'opposant comme tel à l'espace événementiel, *pragmatique*, où se situe la rencontre de deux amis.

2. *La linéarité du discours.*

2.1. *La dimension cognitive et sa figurativisation.*

Si notre analyse du double mécanisme de débrayage et d'embrayage est correcte, certaines conclusions peuvent d'ores et déjà en être tirées. Ainsi, l'*intercalation* — telle du moins que nous la rencontrons dans ce texte — apparaît comme une procédure formelle d'organisation discursive permettant, sous la forme simulée d'un rejet de contenus hors du texte, d'intégrer ceux-ci plus intimement dans un discours unique et cohérent.

Cette procédure simule la disjonction temporelle, en faisant passer la séquence intercalaire pour une évasion hors du temps du récit. En fait, elle introduit, dans le programme discursif unique, une nouvelle dimension, un « temps intérieur » second. Tout en étant, au niveau du *paraître*, une projection du présent dans le passé, elle est, au niveau de l'*être*, une présentification du passé.

Il n'en va pas différemment des transformations spatiales qu'elle affiche : loin de créer un espace englobant disjoint de l'espace englobé (soit : le lieu actualisé du discours), elle construit un espace intérieur utopique.

Sur le plan de l'organisation discursive, ce procédé apparaît donc à la fois comme une *intériorisation du discours* et comme une *figurativisation de l'intériorité*. Grâce au mécanisme décrit — et, plus particulièrement, au débrayage temporel et spatial — le texte intercalaire dans son ensemble, bien que situé sur le plan *cosmologique*, doit être lu au plan *noologique*, celui-ci étant doté alors d'une représentation figurative comparable à une isotopie métaphorique.

2.2. *L'isotopie actorielle du discours.*

Ce rétablissement de la linéarité du discours — qui poursuit son déroulement, malgré un bref arrêt marqué par le changement de niveau et par l'introduction du plan cognitif dans le continu narratif pragmatique —, se trouve confirmé par le comportement, assez étrange en apparence, des *sujets discursifs*, qui ne tiennent aucun compte du découpage spatio-temporel affiché. Ainsi, l'acteur Morissot, installé dans la séquence intercalante comme sujet discursif, et suppléé, dans le déroulement phrastique, par une série d' « il » anaphoriques, enjambe aisément la frontière entre les deux séquences et continue à se manifester comme sujet dans la séquence intercalée. Cette *isotopie actorielle* se trouve remplacée, au milieu du texte intercalaire, par l'apparition du nouveau sujet discursif « ils » (= les deux amis); or, le nouvel acteur duel, une fois établi, traverse la seconde frontière et continue à présider, en qualité de sujet, aux énoncés de la séquence suivante. Le critère de permanence actorielle constitue donc un élément restrictif pour l'éventuelle définition d'un type particulier d'intercalation.

2.3. *L'anaphorisation et la cataphorisation.*

Si le débrayage spatio-temporel de la séquence intercalaire (sa projection hors du texte) se trouve suffisamment précisé, la procédure d'embrayage (sa réintégration dans le texte) demande un examen supplémentaire, ne serait-ce que pour spécifier les conditions dans lesquelles cette procédure de caractère général fonctionne dans le cas que nous étudions. En effet, l'embrayage prend ici la forme de la « reconnaissance » que nous avons interprétée, dans un premier temps, à l'aide du *Petit Robert*, comme une « identification par la mémoire ». Or, l'identification est un *faire cognitif*, une opération dont le résultat consiste dans l'acquisition d'un *savoir* portant sur la relation d'identité qui existe entre deux termes quelconques et, dans notre cas, sur l'identité de M. Sauvage *présent* avec M. Sauvage situé dans le *passé* : l'identification comporte donc la neutralisation de la catégorie temporelle *présent* vs *passé*, qui était utilisée en vue du débrayage. L'opération cognitive établit ainsi la dominance de la relation d'identité sur la catégorie temporelle. Or, cette relation d'identité est une relation anaphorique formelle, rapprochant deux termes quelconques : nous dirons qu'il s'agit là d'une *anaphore cognitive*.

Bien entendu les termes ainsi rapprochés sont susceptibles d'être investis de certains contenus. Par exemple, lorsqu'on dit de quelqu'un : « je reconnais qu'il est intelligent », on identifie un ensemble de symptômes, considérés comme marques de son intelligence, avec le concept d'intelligence, auquel on se réfère implicitement. Il en est de même de notre Morissot qui « reconnut (M. Sauvage) *pour un ami* »; le lexème « ami » n'est rien d'autre que l'expression du contenu « amitié », investi dans un des termes du processus d'identification qu'est la reconnaissance, et dont le second terme est constitué par la séquence intercalaire à contenu équivalent. Il s'agit ici d'une *anaphore sémantique*.

Dès lors, il ne sera peut-être pas inutile de proposer un dispositif terminologique recouvrant la situation discursive qu'on vient d'analyser. Si par *anaphore cognitive* on entend la relation logique d'identité établie entre deux termes quelconques du discours, on peut réserver le terme d'*anaphore sémantique* à la relation d'équivalence (identité sémique partielle), reliant deux termes situés dans le continu discursif comme un avant et un après textuels (et non temporels). Comme il s'agit, dans les deux cas, de phénomènes discursifs d'*expansion* et de *condensation*, on peut désigner du nom d'*anaphorisant* le terme condensé et du nom d'*anaphorisé* le terme en expansion.

Il peut paraître rentable pour des analyses plus fines, de distinguer deux types de relations d'équivalence, suivant la position que le terme condensé occupe dans le texte. Dans le cas de l'*anaphore* stricto sensu, l'*anaphorisé* précède l'*anaphorisant*, qui constitue ainsi un rappel du déjà dit. A cela, on peut opposer la *cataphore*, relation discursive dans laquelle le *cataphorisant* annonce le *cataphorisé* en expansion. Ainsi, dans notre texte, « ami » serait la manifestation lexicale du terme cataphorisant dont la séquence intercalaire serait le cataphorisé.

2. L'ORGANISATION INTERNE DE LA SÉQUENCE

1. *Organisation paradigmatique.*

1.1. *Les démarcateurs.*

Conformément à la tradition du français écrit, la séquence, dans son ensemble, se trouve divisée en paragraphes solidement articulés.

En plus de ce *dispositif graphique* — qui n'a rien de nécessaire, mais qui, dans ce cas, est opératoire —, la segmentation se trouve renforcée par la mise en place d'une batterie de démarcateurs qui sont de deux sortes :

> (a) les *déictiques temporels,*
> (b) les *noms propres d'acteurs.*

Cette triple articulation constitue l'ossature de la séquence étudiée.

1.2. *La segmentation.*

Elle nous permet de reconnaître cinq segments autonomes, qui sont distribués de la manière suivante :

$$Seg \ 1 : \frac{\text{« Chaque dimanche »}}{\text{ACTEUR : Morissot}} \longleftrightarrow Seg \ 2 : \frac{\text{« Chaque dimanche »}}{\text{ACTEUR : Sauvage}}$$

$$Seg \ 3 : \frac{(communication)}{\text{ACTEUR : ils}}$$

$$Seg \ 4 : \frac{\text{« Au printemps »}}{\text{COMMUNICATION : M→S}} \longleftrightarrow Seg \ 5 : \frac{\text{« A l'automne »}}{\text{COMMUNICATION : S→M}}$$

Deux remarques sont à enregistrer antérieurement à l'examen plus attentif de cette distribution.

a) *Seg 1* et *Seg 2*, d'une part, et *Seg 4* et *Seg 5*, de l'autre, se présentent comme symétriques, tandis que *Seg 3* constitue une sorte de pivot situé entre les deux axes. Il est aisé, par conséquent, de reconnaître dans cette distribution formelle une *projection de relations paradigmatiques* sur le déroulement syntagmatique de la séquence.

b) Tous les déictiques temporels utilisés comme démarcateurs comportent *une connotation euphorique*, par opposition au caractère dysphorique des termes exclus de la manifestation textuelle. Ainsi, les oppositions :

« *dimanche* »	*vs*	(les autres jours de la semaine)
« *printemps* » ⎫	*vs*	(hiver)
« *automne* » ⎭		
« *matin* » ⎫	*vs*	(nuit)
« *la fin du jour* » ⎭		

confèrent une totalité euphorique à l'ensemble de la séquence, en l'opposant à la séquence précédente (SQ 1).

1.3. *Symétries et dyssymétries.*

1. *Seg 1* et *Seg 2* débutent par la même notation déictique, dont le premier terme — un quantificateur — a pour fonction de transformer tous les événements ponctuels, décrits dans les deux segments, en séries itératives (et les passés simples qui leur auraient servi de prédicats en imparfaits), tandis que la notation entière réitérée, indique la concomitance temporelle des segments.

Comme pour contrebalancer cette affirmation d'identités, les dénominations d'acteurs, Morissot et Sauvage, sont attribuées séparément à chacun des segments et produisent une impression de différence, en disjoignant symétriquement, au niveau de la surface, les deux segments.

2. *Seg 4* et *Seg 5* sont, à leur tour, distribués à l'aide d'indications temporelles :

$$\frac{\text{« Au printemps »}}{\text{« le matin »}} \quad vs \quad \frac{\text{« A l'automne »}}{\text{« vers la fin du jour »}}$$

qui servent à marquer les oppositions déictiques entre les saisons et les différentes parties de la journée. Contrairement à la procédure utilisée en *Seg 1* et *Seg 2*, l'*identification temporelle*, la nouvelle procédure est la *totalisation temporelle*, les deux termes disjoints et complémentaires s'additionnant comme :

« printemps »	+	« automne »	=	/année/	—	/hiver/
« matin »	+	« soir »	=	/journée/	—	/nuit/

Cette double permanence, temporalisée, dans le premier cas, grâce à l'aspect itératif et, dans le second, à l'aide de l'aspect duratif, concourt à produire, à la surface du texte, l'effet de sens « description d'un état ».

Les deux acteurs étant déjà réunis dans les segments précédents, la recherche des traits distinctifs permettant d'opposer superficiellement les deux segments 4 et 5 se manifeste par l'opposition des « tours de parole »; dans *Seg 4* c'est Morissot qui prend le premier la parole et M. Sauvage ne fait qu'acquiescer, alors que, dans *Seg 5*, la préséance est accordée à M. Sauvage, approuvé par Morissot. Cette distribution des rôles ne fait d'ailleurs que souligner, du fait de leur interchangeabilité, la fusion déjà accomplie des deux acteurs individués en un seul sujet commun.

> *Remarque* : Le rôle de *pivot* conféré au *Seg 3* ne pourra apparaître qu'à la suite d'une analyse sémantique plus approfondie.

2. *Organisation syntagmatique.*

2.1. *Le faire et l'être.*

Le couplage des segments déjà opéré ne fait que mieux ressortir, à son tour, l'opposition :

$$\frac{\text{segments itératifs}}{(Seg\ 1 = Seg\ 2)} \quad vs \quad \frac{\text{segments additifs}}{(Seg\ 4 + Seg\ 5)}$$

opposition disjonctive, qui se trouve soulignée par la présence, dans *Seg 3*, de la conjonction-disjonction « mais ». Cette opposition se laisse interpréter comme rendant compte du découpage de la séquence en deux parties, dont la première représenterait, de manière récurrente, le *faire* narratif, tandis que la seconde totaliserait, à la suite des transformations accomplies, l'*état* qui résulte de ce faire.

2.2. *Le faire.*

1. Ainsi, *Seg 1* est tout entier consacré à la description du programme narratif de l'un des acteurs, Morissot, programme qui, au lieu d'être entièrement repris par l'acteur Sauvage, est présenté, dans *Seg 2*, sous sa forme condensée, par l'expression « autre pêcheur

fanatique ». *Seg 1* est donc entièrement *anaphorisé*, du point de vue sémantique, au profit de *Seg 2*.

Cette économie de moyens, a pour résultat de mettre en contradiction apparente les deux plans — paradigmatique et syntagmatique — du discours : les deux segments paradigmatiquement distribués — comme consacrés respectivement à l'un et à l'autre des deux acteurs — s'ils satisfont à cette condition grâce à l'anaphore sémantique, sont néanmoins traversés par un flot syntagmatique continu, qui fait que l'identité itérative des contenus se trouve dépassée par l'apport de nouvelles informations. Ainsi, l'affirmation affichée de l'organisation paradigmatique de la séquence se révèle n'être qu'un phénomène de surface, et n'empêche nullement sa lecture syntagmatique progressive.

2. La novation syntaxique qui marque *Seg 2* est l'apparition du nouveau *sujet discursif*, « ils ». Le programme discursif, présidé jusque-là par le sujet Morissot se trouve pris en charge dorénavant par un sujet duel qui est manifesté de deux manières :

- (a) soit sous la forme pronominale « ils »;
- (b) soit sous la forme disjointe, mais dialogique, de deux noms propres, disposés de telle sorte que l'apparition de l'un nécessite la présence de l'autre.

Narrativement, on le verra, l'apparition de ce sujet discursif duel doit être considérée comme un des temps forts du récit, car elle manifeste la constitution de l'*actant narratif* unique. Le texte, d'ailleurs, ne fait que signaler l'achèvement de deux *faire* séparés auxquels sont consacrés les deux premiers segments, en terminant la première partie de la séquence par « et ils s'étaient pris d'amitié l'un pour l'autre ».

3. Il ne nous reste plus qu'à signaler un *procédé discursif* particulier, destiné ici à faciliter le passage du sujet discursif individué au sujet duel. *Seg 2* comporte, dans sa première phrase, deux sujets à la fois : un *sujet syntaxique* phrastique « il », Morissot, et un *sujet sémantique*, Sauvage, le sujet du programme « pêche ». Ce croisement de deux programmes :

PN 1 : SUJET : *Morissot;*   PRÉDICAT : *rencontre*
PN 2 : SUJET : *Sauvage;*   PRÉDICAT : *pêche*

dont le premier est discursivement *affiché* et le second *occulté*, sert ici à faciliter la conjonction de deux acteurs en un seul actant.

L'AMITIÉ

2.3. *Le pivot.*

1. On peut examiner maintenant la structure du segment-pivot, *Seg 3*. Nous y avons déjà décelé la présence de *la disjonction logique* « mais » (dont c'est l'unique exemplaire dans la séquence, bien qu'elle abonde dans le reste du texte), qui nous est apparue, de manière encore intuitive, comme le signal du retournement des principaux axes de la séquence. Toutefois, on ne pourra lui conférer le rôle de pivot qu'en précisant d'abord sa fonction première, celle que cette conjonction assure dans le cadre du segment.

2. Ce qui semble être disjoint par « mais », dans le segment examiné, ce sont deux formes de *communication humaine* qu'on peut opposer comme :

> *communication verbale* vs *communication non-verbale.*

La première relève d'un *faire verbal* qui peut être encore soit effectif, soit dénié, c'est-à-dire posé d'abord comme un faire virtuel : c'est cette distinction qui est ici mise en évidence par l'opposition :

> « causer » *vs* « ne pas parler »,

opposition qui se trouve neutralisée, d'une certaine manière, parce qu'elle est totalisée par l'emploi des distributifs :

> « en certains jours » *vs* « quelquefois »,

parasynonymes de :

> tantôt *vs* tantôt

et qui, tout en postulant une *totalité*, la remplissent d'itérations temporelles.

3. A ces deux modes du *faire verbal* se trouve opposé un *faire non-verbal* (cf. « sans rien dire »). On voit donc que le pivot constitué par « mais » démarque bien la première partie de la séquence, relatant le *faire* (y compris le faire verbal d'intercommunication), d'une seconde partie, consacrée à la description de l'*état* consécutif à ce *faire* (y compris l' « entente » sans paroles).

La communication non verbale, manifestée en français de manière assez paradoxale (il s'agit de « s'entendre », c'est-à-dire, d' « entendre ce que dit l'autre, et inversement »), ne s'explique que si l'on distingue « se taire », terme contradictoire de « parler », du non-dire, qui est son terme contraire :

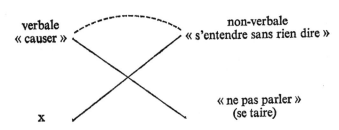

COMMUNICATION

verbale
« causer »

non-verbale
« s'entendre sans rien dire »

« ne pas parler »
(se taire)

x

La distinction qu'on vient de proposer sera reprise dans la deuxième partie du récit, où elle jouera un rôle non négligeable lorsqu'il s'agira d'interpréter le silence des deux amis.

4. Cette « entente silencieuse » est expliquée par Maupassant comme résultant :

« des goûts semblables » *et* « des sensations identiques »

Or, les « goûts » renvoient ostensiblement à la première partie de la séquence, qui se trouve ainsi *anaphorisée*, tandis que les « sensations » annoncent et *cataphorisent* la description contenue dans la deuxième partie. De même, la séquence, disjointe et divisée en deux par la conjonction « mais », se trouve de nouveau conjointe et totalisée par la conjonction « et ».

5. L'affirmation de la *similitude* des goûts et de l'*identité* des sensations, fondement de l' « entente silencieuse », signale, d'autre part, que l'installation d'un seul *actant narratif* subsumant les deux acteurs est déjà accomplie. Car la similitude des « goûts » n'est autre chose que la possession en commun d'un (ou des) programme narratif *virtuel*, euphorique et itératif : l'actant narratif se trouve ainsi défini par le *modèle idéologique* commun. L'identité des « sensations », d'autre part, est celle des *contenus axiologiques* acquis.

2.4. L'être.

1. L'examen superficiel des deux derniers segments *(Seg 4 et Seg 5)*, censés expliciter les contenus annoncés par le cataphorique

« sensations identiques », révèle d'abord la stricte symétrie de leur organisation syntaxique. Les deux segments comportent successivement :

    a) des notations temporelles;

    b) une subordonnée de concomitance temporelle introduite par « quand »;

    c) un couplage dialogique articulé selon

        « dire »/« prononcer »   *vs*   « répondre »;

    d) un commentaire du narrateur.

2. Les notations temporelles (*a*) sont utilisées, on l'a vu, en tant que démarcateurs de segmentation. Cela ne les empêche pas de manifester des valeurs du contenu qui leur soient propres : l'analyse sémantique se chargera de les expliciter.

3. Le commentaire du narrateur (*d*) suscite deux remarques : d'abord, il n'est pas repris dans *Seg 5;* la présence du lexème « boulevard », en fin de segment, y est requise pour effectuer l'embrayage spatial. De ce fait, on peut dire que le commentaire de *Seg 5* est *suspendu*, et non pas inexistant.

Ensuite, l'expression « se comprendre et s'estimer » n'est rien d'autre que l'expansion de « s'entendre » de *Seg 3*. Dès lors, l'organisation de *Seg 4* et *Seg 5* apparaît comme une permutation syntagmatique des rapports posés dans *Seg 3 :* là, l' « entente » est justifiée par l'identité des sensations manifestée dans le texte en position subséquente; ici, l' « entente » est située comme commentaire subséquent à la description des « sensations identiques », en expansion figurative.

4. Il ne nous reste plus à examiner que les éléments (*b*) et (*c*) des deux segments. Comme ils se trouvent placés en relation de concomitance temporelle, ces éléments représentent deux aspects complémentaires de l'attitude du sujet devant les « sensations » : la perception visuelle (et proprio-ceptive : cf. « la bonne chaleur ») et la verbalisation.

Sachant le peu de cas qu'on fait de la communication verbale dans le *Seg 3* (cf. le verbe « causer »), en comparaison avec la communication non verbale, on doit conserver le même rapport entre (*b*), rendant compte de la perception « authentique », et (*c*), donnant son interprétation verbale. La relation entre (*b*) et (*c*) est par conséquent une relation de *pseudo-équivalence*, l'équivalence affichée étant en réalité destinée à faire ressortir davantage une dominance, celle en l'occurrence de la présentation figurative des « sensations ».

5. L'opposition entre les contenus verbalisés de (c), dans *Seg 4* et *Seg 5*, qui s'exprime par l'opposition entre les exclamations :

« quelle *douceur* »   *vs*   « quel *spectacle* »,

se trouve curieusement confirmée par la définition que le *Petit Robert* donne de la sensation : mot qui désigne « un état ou un changement d'état... à prédominance *affective* ou *représentative* ». Ainsi, le monde est présent à l'homme de deux manières : soit, selon le mode de la conjonction, comme une « affection », soit, selon le mode de la disjonction, comme une « représentation ». Cette distinction de surface ne fait pourtant que camoufler, on le verra plus tard, d'autres contradictions plus vitales.

3. LE FAIRE EUPHORIQUE

1. *Le programme discursif.*

1. Les deux premiers segments, on l'a vu, peuvent être traités ensemble : ils se présentent comme des articulations parallèles d'un faire commun aux deux acteurs. Ainsi, la qualification attribuée à l'acteur Sauvage, d'être un « *autre* pêcheur fanatique », peut être transférée, grâce à la catégorie distributive :

/même/   *vs*   /autre/

à l'acteur Morissot.

Le terme « pêcheur », de son côté, constitue la lexicalisation d'un *rôle thématique* comportant, d'une part, les attributions syntaxiques d'un actant compétent, susceptible d'exécuter un programme du faire; et, de l'autre, des investissements sémantiques spécifiant (par la racine du terme) le programme à exécuter. Au rôle thématique de « pêcheur » correspond le programme discursif « pêcher ».

C'est ce programme qui se trouve décrit en détail dans *Seg 1;* il peut être présenté, en termes proppiens simples, comme :

(a) Départ
(b) Déplacement
(c) Arrivée
(d) Épreuve

52

2. Le programme discursif, qui est une expansion *ad libitum* du rôle thématique, peut contenir un ensemble d'informations supplémentaires, dites *indicielles*, dont la valeur sémantique ou narrative est variable :

a) Ainsi, le « pêcheur » en tant qu'acteur — et pour revêtir son rôle discursif d'une *couverture figurative* —, peut être doté d'un ensemble d'*indices circonstanciels* tels que, par exemple « une canne en bambou d'une main, une boîte en fer blanc sur le dos ».

b) Le programme discursif peut être, à son tour, accompagné d'*indices spatio-temporels*, constitutifs de son *ancrage historique*, tels que, d'un côté, les toponymes d'Argenteuil, Colombes, l'île Marante ou, de l'autre, de notations temporelles comme « le dimanche », « dès l'aurore », etc.

c) Le discours, une fois temporalisé, peut comporter des *indices aspectuels* qui surdéterminent les fonctions narratives : par exemple, pour « le déplacement », des précisions comme en « chemin de fer », « à pied », etc.

Toutes ces manifestations figuratives circonstancielles peuvent naturellement comporter, en plus de leurs fonctions indicielles, des valeurs sémantiques ou narratives intégrables dans des réseaux de signification plus vastes.

2. *La valorisation du programme.*

1. En reprenant l'expression « autre pêcheur fanatique », on dira que le terme « fanatique » constitue un jugement de valeur porté par l'énonciateur sur l'ensemble du programme discursif, qui du même coup attribue aux deux acteurs certaines qualifications qui les caractériseront en tant que sujets.

a) Tout d'abord, l'attitude des sujets par rapport à ce programme est considérée comme excessive : le terme « fanatique », de même que les indices temporels de *Seg 1* : « dès l'aurore... jusqu'à la nuit » comportent un sème aspectuel d'*intensivité*.

b) « Fanatique », ainsi que son correspondant « rêves », rencontré dans *Seg 1*, contient une connotation proprio-ceptive *euphorique*.

c) Ce terme dénote enfin et surtout une attitude *passionnée* du sujet envers un objet de son choix. En décomposant sommairement cette attitude — qui subsume en même temps les données relevées en *(a)* et *(b)*, on obtient la représentation sémantique suivante :

Sujet = /vouloir/ + /euphorie/ + /intensivité/

Ceci signifie que les deux acteurs sont dorénavant dotés de la modalité du vouloir, condition de leur transformation en *sujets*, et d'un vouloir surdéterminé comme intensément euphorique.

2. Les deux sujets du vouloir se trouvent donc en possession d'un programme du faire dont la réalisation est soumise à deux conditions restrictives; une temporelle : ils ne peuvent l'accomplir que « le dimanche »; une spatiale : pour l'accomplir, ils doivent se déplacer à l'île Marante, « ce lieu de (leurs) rêves ». Par rapport au dimanche, la vie quotidienne ne contient le programme du faire désirable que sous sa forme virtuelle, comme une construction imaginaire : « un rêve d'évasion », qui nécessite le déplacement d'un espace dysphorique vers un espace euphorique.

3. *L'installation de l'actant duel.*

Deux programmes du faire parallèles, dominés par le vouloir identique des deux sujets, se déroulent ainsi sur l'*isotopie figurative de la pêche.* Celle-ci, une fois définitivement établie, cède la place à *une nouvelle isotopie,* celle *de l'amitié.* Annoncée d'abord par la contiguïté spatiale des deux acteurs (l'expression « côte à côte » qui apparaît ici pour la première fois est redondante tout le long du récit), l'amitié s'affirme par la prise en charge du programme mais aussi par un minimum d'intercommunication qui doit être considérée comme un *faire réciproque.*

Du point de vue narratif, cependant, les deux isotopies mises en place au cours de la séquence étudiée ne doivent être considérées que comme des *isotopies thématiques* qui manifestent la première phase de l'organisation narrative du texte et notamment l'installation de l'*actant sujet duel.* C'est l'apparition de l'actant unique qui rend compte de la préférence accordée à la communication non verbale et de la réduction de la communication verbale à la simple « causerie » *phatique.*

4. L'UNIVERS FIGURATIF DES VALEURS

1. *Reconnaissance des valeurs.*

En analysant l'organisation formelle de *Seg 4* et *Seg 5,* nous avons pu constater l'existence d'une pseudo-équivalence entre, d'une part, la représentation verbalisée des sensations éprouvées (« douceur » et « spectacle ») et, de l'autre, leur description sous la forme de propositions figuratives. Il nous faut procéder maintenant à une analyse sémantique plus minutieuse de ces dernières propositions, ne serait-ce que pour vérifier nos premières hypothèses.

Avant de tenter une telle description, il faut d'abord en préciser les limites. Si l'on accepte le postulat selon lequel un univers individuel quelconque possède sa propre organisation sémantique, laquelle peut se présenter tout aussi bien comme une structure sémantique abstraite que sous la forme d'une imagerie sémiologique d'ordre figuratif, on doit admettre que la description adéquate de l'une ou de l'autre de ces deux formes d'organisation exige la connaissance de la totalité de l'univers analysé ou du moins de son échantillon représentatif. Or, tel n'est pas notre cas; et la description à entreprendre est donc condamnée à rester, dans une certaine mesure, hypothétique et incomplète.

Il n'en reste pas moins vrai que certaines valeurs figuratives que nous chercherons à décrire peuvent être appréhendées *grâce à leur récurrence dans le texte clos* ou *grâce à la reconnaissance d'oppositions installées par le sujet de l'énonciation.*

2. *Les transfigurations du Soleil.*

1. Parmi les lexèmes récurrents, c'est la figure du Soleil qui se manifeste d'abord, en qualité de sujet, dans l'élément (*b*) de *Seg 4* et *Seg 5.* Le Soleil y apparaît doté de fonctions à la fois différentes, dans les deux cas, et lié — c'est là le point qui nous intéresse en premier — à des notations temporelles spécifiques qu'on peut représenter comme suit :

$$\frac{Seg\ 4}{Seg\ 5} : \frac{\text{Soleil rajeuni}}{\text{Soleil couchant}} \simeq \frac{\text{« le matin »}}{\text{(le soir)}} \simeq \frac{\text{« au printemps »}}{\text{« à l'automne »}} \simeq \frac{\text{« saison nouvelle »}}{\text{« frisson d'hiver »}}$$

L'insistance avec laquelle se trouve affichée la corrélation entre, d'une part, les activités figuratives et mythiques du Soleil et, de l'autre, les deux cycles naturels de la vie cosmique est particulièrement frappante. Ces deux cycles — le cycle des saisons et le cycle journalier — s'y trouvent homologués de telle sorte que les termes relevant du second servent de substituts aux termes du premier : ainsi, par exemple, « le soleil *rajeuni* », terme relevant du premier, est opposé au

« soleil *couchant* », terme appartenant au second. Dès lors, en identifiant « soleil rajeuni » = soleil *renaissant*, on peut remplacer « soleil
couchant » par soleil *mourant*, et « la fin du jour » par la fin de la *vie
solaire*, etc.

2. Le prédicat « rajeunissement », tout en personnifiant l'acteur
figuratif Soleil, renvoie en même temps à une conception cyclique
de la vie et de la mort, en rappelant le mythe de l'éternel retour.
Très schématiquement, une telle conception se manifeste :

a) par l'attribution de contenus vitaux (ou mortels) à des saisons
considérées comme des deixis temporelles;

b) par la conjonction ou la disjonction de l'acteur Soleil avec telle
ou telle deixis temporelle.

3. La structure des saisons est d'ailleurs binaire et polarisée :

$$été \quad vs \quad hiver$$

sont médiatisés par deux périodes de transition, le *printemps* et l'*automne*. Ce n'est qu'en distinguant, on l'a vu lors de l'examen de SQ I,
deux niveaux autonomes — celui des opérations logiques, où se trouvent
situés les termes contradictoires d'*été* et d'*hiver*, et celui, plus superficiel, de leur temporalisation, où interviennent les procès comportant
des articulations aspectuelles, qu'on peut chercher à déterminer les
emplacements respectifs de *printemps* et d'*automne*. Ainsi, en se
plaçant du point de vue de l'*été* — terme implicite, mais qui oppose
néanmoins SQ II à SQ I, située dans la deixis *hiver* — on peut dire que
l'*été*, temporalisé comme un procès /duratif /, est en fait manifesté
par ses deux aspects /inchoatif/ et /terminatif/, que sont le *printemps*
et l'*automne*.

Dès lors, le Soleil, animé et personnifié par deux épithètes, « rajeuni »
et « couchant », peut être identifié, lorsqu'il se trouve dans l'espace
de l'*été*, avec le terme *vie* : celui de *non-vie* étant réservé à l'espace
de l'*hiver*. Les passages du Soleil d'un espace à l'autre peuvent, à
leur tour, être décrits comme des transformations :

$$\frac{hiver}{/non\text{-}vie/} \overset{1}{\Longrightarrow} \frac{été}{/vie/} \overset{2}{\Longrightarrow} \frac{hiver}{/non\text{-}vie/}$$

On dira alors qu'à la transformation (1) correspond, à la suite de la
temporalisation, le procès inchoatif inaugurant l'été, dénommé
printemps, et qu'à la transformation (2) correspond, de la même
manière, le procès terminatif *automne*, achevant l'*été*. Nous pouvons

56

dès lors transcrire ces procès aspectuels, dans une logique des approximations, en notant :

$$\frac{\text{printemps}}{/\pm\text{ vie}/} \quad vs \quad \frac{\text{automne}}{/\pm\text{ non-vie}/}$$

4. Le phénomène décrit est toutefois susceptible d'une double interprétation. Du point de vue *paradigmatique*, affiché tout aussi bien par la symétrie de *Seg 4* et *Seg 5* que par leur mise en parallèle [commune] avec *Seg 1* et *Seg 2* et qui tend à présenter la séquence II comme un « texte descriptif », les deux termes (printemps et automne) ne sont que deux termes aspectuels d'un seul procès, nommé *été*, identifiable à la *vie*.

Du point de vue *syntagmatique*, cependant, qu'adopte une lecture suivie et linéaire des deux segments, l'*automne* apparaît non plus comme l'aspect terminatif de l'été, mais comme l'aspect inchoatif de l'hiver, et les événements décrits se présentent comme le drame cosmique de la renaissance et de l'épuisement mortel du Soleil. Une telle lecture fait de *Seg 5* un texte prémonitoire, sur le plan cosmique, de la mort des deux amis.

3. *La buée aquatique.*

A examiner de plus près l'énoncé figuratif (*b*) du segment *Seg 4*, on s'aperçoit que le Soleil, en sa qualité de *sujet transitif,* y exerce une double activité :

a) il fait flotter, au-dessus de l'*eau*, une « petite buée »;

b) il verse, dans le *dos* des pêcheurs, une « bonne chaleur ».

En tenant compte de ce que cette double action du Soleil est ensuite subsumée verbalement par le terme « douceur », on peut dire que son faire a pour résultat de manifester la « douceur de vivre » sous deux formes différentes :

a) sur le *plan cosmologique,* (le Soleil se conjoint avec l'Eau, pour produire une petite « buée »);

b) sur le *plan noologique* (le Soleil se conjoint avec les humains, en produisant une « bonne chaleur » versée dans leur dos).

4. *La buée céleste.*

1. Une exploration paradigmatique de l'ensemble du texte est nécessaire pour mieux comprendre la conjonction Soleil-Eau.

Ainsi, contrairement à ce qui se passe au printemps, où l'action du Soleil s'exerce dans l'*espace d'en-bas*, au ras de l'*Eau*, le Soleil automnal se manifeste dans l'*espace d'en-haut*, où il ensanglante le *Ciel*. Le même acteur figuratif opère donc différemment dans les deux espaces, le premier faire étant euphorique, le second — dysphorique :

$$\frac{\text{Espace d'en-bas}}{\text{Espace d'en-haut}} \simeq \frac{\text{conjonction avec l'Eau}}{\text{conjonction avec le Ciel}} \simeq \frac{\text{euphorie}}{\text{dysphorie}}$$

En effet, le Soleil renaissant se manifeste au niveau de l'eau, tandis que son épuisement mortel s'inscrit dans l'espace céleste.

2. Bien plus : dans SQ VI, intitulée *La Guerre*, le premier signal visuel de la rupture de la « joie de vivre » est présenté par l'énonciateur sous la forme de l'apparition, dans le *Ciel*, d'une « buée de poudre » que « crache » le Mont-Valérien, comme « son haleine de mort ». Une *buée céleste* cette fois se présente donc comme le résultat de la conjonction d'un acteur figuratif mortel, le *Mont-Valérien*, avec le Ciel, situés tous deux dans l'espace dysphorique d'en-haut. Nous aurons à revenir sur ce phénomène. Il suffira de dire pour le moment que le choix du Mont-Valérien comme figure de la *mort* apparaît comme la solution pratique qui s'est imposée au narrateur, obligé de concilier l'élément *terre* avec l'espace dysphorique situé /en-haut/.

L'enregistrement de ces deux « *buées* » (les deux seules occurrences du texte) nous permet d'établir deux séries figuratives, parallèles et opposées :

$$\frac{\text{Soleil}}{\text{Mont-Valérien}} \cap \frac{\text{Eau}}{\text{Ciel}} \simeq \frac{\text{buée aquatique}}{\text{buée céleste}}$$

5. *Le sang solaire.*

1. Si l'on passe maintenant de l'analyse de *Seg 4* à celle de *Seg 5*, on constate que le Soleil, bien que sujet sémantique de l'énoncé figuratif est présenté sous sa *forme passive*. C'est en tant que sujet *passif* (épuisé dans son essence vitale), qu'il a pour fonction d' « ensanglanter le ciel » : le Ciel, à son tour, est manifesté dans cette première phase comme un espace /contenant/ dans lequel se répand le sang solaire (cf. SQ III : « Le ciel était, en effet, tout bleu et *plein* de lumière »).

Le *Ciel* apparaît donc comme un espace vide, susceptible d'être rempli; par opposition au Soleil qui représente le terme /vie/, le

Ciel apparaît comme son contradictoire, /non-vie/. Dès lors, l'épuisement du Soleil perdant son sang et le déversant dans l'espace du Ciel
est homologable sur l'isotopie des changements des saisons, avec
l'*aspect terminatif* du processus vital représenté par l'*automne* : le
sang ne serait dans ce cas, que l'*hyponyme* du principe vital du Soleil
en voie d'épuisement.

2. En passant du drame cosmique au drame humain, on retrouve
dans les dernières séquences du récit relatant la double mort des deux
amis, deux autres occurrences du lexème *sang*.

Dans la scène de la fusillade, l'auteur dit de Morissot :

> [il] s'abattit... le visage au *ciel*, tandis que les bouillons de *sang*
> s'échappaient de sa tunique crevée à la poitrine.

On ne peut manquer d'enregistrer ici le parallélisme entre la mort
solaire et la mort humaine, manifesté par la présence, dans la même
phrase, du terme *ciel*, qu'on affronte (cf. « le visage au ciel ») comme
un espace vide et ennemi, en affirmant la *vie* qui s'en va par « les
bouillons de sang ».

Dans la scène de l'immersion, à la surface de l'eau qui s'est enfin
calmée, le sang réapparaît, présenté par une petite phrase tenant lieu
d'un paragraphe : « Un peu de *sang* flottait. » Le caractère hyponymique de *sang*, se manifestant à la suite de la conjonction des corps
avec l'espace aquatique, paraît évident.

6. *Le paraître du Ciel.*

1. Si les signes de la mort toute proche du Soleil se déploient dans
l'espace d'en-haut, le monde d'en-bas n'en reçoit que le reflet :
ce n'est plus le Soleil qui se présente comme agent de communication
avec l'espace euphorique mais le Ciel, devenu grâce à la transformation passive, le sujet actif de l'énoncé figuratif. Nous aimerions interpréter cette transformation linguistique, située à la surface du texte,
comme pouvant annoncer, à un niveau narratif plus profond, l'instauration d'un sujet selon le paraître, sinon d'un faux sujet. En effet,
la réactivation du Ciel — présenté d'abord comme un espace
sur lequel s'exerce le faire du Soleil —, se trouve consolidée par la mise
en place de prédicats énergiques tels que « jeter », « empourprer »,
« enflammer », etc. On pourrait noter à ce propos que la transformation d'un acteur-espace en un acteur-sujet actif n'est pas un fait
isolé : le lieu topique *Eau* se comporte, dans la séquence *La Paix*,

de manière comparable, à savoir comme fournisseur de poissons.

2. Le faire réflexif du Ciel tel qu'il est manifesté par les prédicats de notre énoncé, est double :

a) d'une part, il consiste à *jeter* « dans l'eau des figures de *nuages écarlates* »,

b) de l'autre, à *rendre rouges* différents objets énumérés, le procès de « rougir » étant exprimé par une série de parasynonymes :

empourprer
enflammer
faire rouge
dorer

Un début d'interprétation pourrait être donné, rendant compte d'une telle distribution :

a) La première fonction du Ciel semble être celle d'une conjonction forte (cf. « jeter ») des *nuages* avec l'*eau*. Or, tout comme la *buée céleste* de la séquence SQ VI, *La Guerre*, se développe en *nuage*, de même le *sang solaire* prend « des figures de nuages écarlates ». Pourtant, la conjonction ne se fait en réalité que sur le mode du paraître ; car ce qui est conjoint avec l'eau, ce sont les « figures » des nuages, et non les nuages eux-mêmes ; le sang solaire, d'autre part, représenté par les nuages, ne l'est que sous sa forme le plus superficielle, celle de la *couleur*. Les événements cosmiques se trouvent ainsi transformés et présentés comme *reflet* et comme *représentation*.

b) La deuxième fonction consiste, on l'a vu, à colorer en rouge les divers objets rencontrés. Dans la mesure où l'on peut dire que le Soleil est à la fois *chaleur* et *lumière*, cette présence médiatisée du Soleil sous son aspect lumineux, s'oppose à la chaleur du segment précédent en n'en constituant que le paraître. Il en va de même du sang du Soleil qui, répandu dans le Ciel, ne se retrouve dans l'espace d'en bas que par son apparence rouge.

Les objets qui sont ainsi atteints par les reflets du sang solaire semblent disposés en strates horizontales. Entre la strate inférieure, constituée par l'*eau* (cf. le fleuve), et la strate supérieure, relevant de l'espace de la *terre* (cf. « les arbres roussis déjà, frémissants d'un *frisson d'hiver* »), se trouve la ligne de l'horizon, une zone de l'entre-deux où, suspendu entre l'*eau* (cf. « les pieds ballants au-dessus du courant ») et la *terre* (qui est située, on l'a vu et on le verra encore, dans l'espace d'en-haut), apparaît l'espace humain. Or cet espace étroit « entre les deux amis », qui est l'espace de l'amitié — puisque les deux acteurs ne constituent plus qu'un seul actant duel —, est rendu « rouge comme du feu ». On voit, par conséquent, que si *Seg 4* comporte, avec la « bonne chaleur » versée par le Soleil, un message de la vie, c'est une annonce prémonitoire de la mort qui est inscrite dans *Seg 5*.

3. Il est d'autant plus curieux de constater que l'accueil réservé à ce message de la fin de la vie solaire relève de l' « émerveillement » donnant lieu à une exclamation d'ordre esthétique : « quel spectacle! », c'est-à-dire, à l'expression d'un *non-savoir* provisoire des deux amis, concernant la vérité de la vie cosmique. S'agit-il ici d'une conception esthétique de la vie (dans la lignée de Flaubert) : une « belle mort » vaut mieux que l'état moribond de Paris décrit dans la sq I, conception que confirmeraient les dernières paroles de Morissot : « Cela vaux mieux que le boulevard, hein? » ou d'une expression antiphrastique, si caractéristique de l'écriture de Maupassant?

7. *Le carré sémiotique.*

La difficulté de procéder à l'analyse des deux énoncés figuratifs de *Seg 4* et *Seg 5*, due essentiellement à l'insuffisance quantitative des signes manifestant l'univers sémiologique qu'on cherche à expliciter, nous a obligé à procéder à des explorations paradigmatiques partielles de l'ensemble de la nouvelle. Un modèle hypothétique, rendant compte de l'organisation figurative de cet univers, s'est constitué ainsi petit à petit. Tout en admettant que l'analyse ultérieure aura à valider progressivement ce modèle, nous jugeons utile de le formuler dès maintenant, en inscrivant sur le carré sémiotique les valeurs et les figures déjà reconnues :

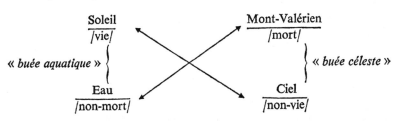

Soleil /vie/ — Mont-Valérien /mort/ — « buée aquatique » — « buée céleste » — Eau /non-mort/ — Ciel /non-vie/

Un certain nombre de remarques explicatives facilitera la lecture :
a) Les termes soulignés représentent les *acteurs figuratifs*, tandis que les termes mis entre parenthèses désignent les *valeurs axiologiques* qui s'y trouvent investies.

61

b) Deux deixis sont à distinguer : la première, positive et euphorique, comprenant les termes de /vie/ et de /non-mort/ peut être dénommée *Existence*, la seconde, négative et dysphorique, réunissant les termes de /mort/ et de /non-vie/, sera désignée comme *Non-Existence*.

c) La réunion des termes /vie/ et /non-mort/, constitutive de l'*Existence*, possède dans le texte un *hyponyme* représenté figurativement par la « buée aquatique »; de même, la *Non-Existence* a la « buée céleste » comme représentant hyponymique figuratif.

> *Remarque :* Les données relatives à la deixis négative nous font encore défaut et ne permettent pas d'examiner en détail cette *structure axiologique élémentaire*. Nous y reviendrons lors de l'analyse de la SQ VI.

5. LA DISTRIBUTION ACTANTIELLE

1. Si l'on peut dire que *Seg 4* et *Seg 5* constituent un micro-récit relatant le drame cosmique du Soleil, il ne faut pas perdre de vue que ce récit est un message adressé aux humains et, plus précisément, aux deux amis constitués en un seul actant-sujet; bien plus, il est intériorisé, mémorisé, et comporte les principaux éléments de la structure axiologique de ce Sujet, présentée sous une forme figurative. Or, une des raisons d'être de la position actantielle du *Destinateur* consiste justement à transformer une axiologie, donnée comme système de valeurs, en une syntagmatique opératoire. Le Soleil, incarnation du principe vital, apparaît donc comme chargé de la transmission de ces valeurs vitales et, dans une certaine mesure, du *savoir* sur la valeur des valeurs proposées.

2. Mais le micro-récit est bien plus que cela, il intègre dans son sein des positions actantielles où une place de sujet est prévue pour les deux amis. Aussi, si la « petite buée qui coule avec l'eau » résume en quelque sorte la conjonction des valeurs de /vie/ et de /non-mort/, comme une saisie possible de l'Existence sur le plan cosmique, « une bonne chaleur » est-elle transmise directement par le Soleil-destinateur comme un *don* adressé aux deux amis-destinataires. Or, la « chaleur » — qui revient d'ailleurs deux fois dans le texte (comme objet du programme intériorisé *virtuel* et comme objet du programme *réalisé*)

—, peut être considérée de deux façons différentes : c'est d'abord ce qui constitue le sujet en tant que /voulant-être/, c'est-à-dire en tant que sujet du vouloir susceptible d'exécuter un programme narratif (on verra, par exemple, le rôle que l'*absinthe* joue dans la séquence suivante); mais c'est aussi un /être-voulu/, une valeur, objet de la quête, dont l'intégration constitue le sujet en tant que /étant/.

3. Il n'est peut-être pas inutile de noter que l'action du Soleil-destinateur s'exerce par *derrière*, « dans le dos » ou « entre les épaules ». C'est de cette manière que doit d'ailleurs se comporter le destinateur du moment où l'on spatialise figurativement son action : il doit « pousser » le sujet-destinataire, en lui indiquant la direction de sa quête. Tout autre est l'attitude du sujet à l'égard du Ciel qu'il affronte, on l'a vu, par *devant*, en lui offrant son visage : il s'agit là d'un *Non-destinateur*, relevant d'une deixis ennemie. Telle semble être la position actantielle du Ciel, acteur principal du *Seg 5*.

Sans entrer dans le détail et sans anticiper les résultats de l'analyse, il semble opportun de proposer dès maintenant, et à titre d'hypothèse, une distribution actantielle des destinateurs, recouvrant l'ensemble du récit. L'expérience analytique — la nôtre et celle des autres sémioticiens — a bien montré que, pour rendre compte de textes tant soit peu complexes, il est nécessaire d'envisager la possibilité de l'éclatement de n'importe quel actant en au moins quatre positions actantielles, que l'on peut présenter, en se servant de la terminologie proposée par Jean-Claude Picard, comme :

Actant   Antactant

Négantactant   Négactant

En appliquant ce schéma au statut *proto-actantiel* du destinateur, on peut donc postuler l'existence, pour notre texte, de quatre types de destinateurs :

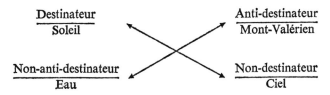

Destinateur	Anti-destinateur
Soleil	Mont-Valérien
Non-anti-destinateur	Non-destinateur
Eau	Ciel

A tenir compte de la structure polémique de la narration, les deux sujets narratifs — le sujet « deux amis » et l'anti-sujet « Prussiens » —

seraient ainsi dotés chacun d'un double destinateur. Nous aurons à examiner de plus près une telle situation au cours de notre analyse. On peut toutefois noter dès à présent que le dédoublement du destinateur, en ce qui concerne au moins le programme narratif du sujet « deux amis », correspond, selon le schéma proppien, à deux positions distinctes du destinateur dans la syntagmatique du récit : la première est celle du destinateur initial, donateur et mandateur à la fois, la seconde, celle du destinateur final, qui reçoit le programme réalisé du sujet et qui le sanctionne.

SÉQUENCE III

La promenade

Comme il se promenait tristement par un clair matin de janvier le long du boulevard extérieur, les mains dans les poches de sa culotte d'uniforme et le ventre vide, M. Morissot, horloger de son état et pantouflard par occasion, s'arrêta net devant un confrère qu'il reconnut pour un ami. C'était M. Sauvage, une connaissance du bord de l'eau.

. . . .

Dès qu'ils se furent reconnus, ils se serrèrent les mains énergiquement, tout émus de se retrouver en des circonstances si différentes. M. Sauvage, poussant un soupir, murmura : « En voilà des événements » Morissot, très morne, gémit : « Et quel temps! C'est aujourd'hui le premier beau jour de l'année. »
Le ciel était, en effet, tout bleu et plein de lumière.
Ils se mirent à marcher côte à côte, rêveurs et tristes, Morissot reprit: « Et la pêche? hein! quel bon souvenir! »
M. Sauvage demanda : « Quand y retournerons-nous? »
Ils entrèrent dans un petit café et burent ensemble une absinthe; puis ils se remirent à se promener sur les trottoirs.
Morissot s'arrêta soudain : « Une seconde verte, hein? » M. Sauvage y consentit : « A votre disposition. » Et ils pénétrèrent chez un autre marchand de vins.
Ils étaient fort étourdis en sortant, troublés comme des gens à jeun dont le ventre est plein d'alcool. Il faisait doux. Une brise caressante leur chatouillait le visage.
M. Sauvage, que l'air tiède achevait de griser, s'arrêta : « Si on y allait?
— Où ça?
— A la pêche, donc.
— Mais où?
— Mais à notre île. Les avant-postes français sont auprès de Colombes. Je connais le colonel Dumoulin; on nous laissera passer facilement. »
Morissot frémit de désir : « C'est dit. J'en suis. » Et ils se séparèrent pour prendre leurs instruments.
(Une heure après, ils marchaient côte à côte.)

65

1. LE STATUT ET L'ORGANISATION DE LA SÉQUENCE

1. *L'encadrement spatio-temporel.*

On notera tout d'abord que les critères habituels de la segmentation du texte et de l'encadrement de la séquence, à savoir les disjonctions spatiales et temporelles, ne sont applicables ici que très partiellement. En effet, sq iii se trouve située sur la même isotopie spatio-temporelle que sq i qui la précède : le récit qui est censé commencer avec l'avènement de cette séquence se déroulera dans le même espace englobé, Paris, intégré, aussi, dans le même *alors* narratif.

Si, par conséquent, rien ne démarque de ce point de vue le début de la séquence, sa fin, au contraire, est caractérisée par des disjonctions temporelles (« une heure après ») et spatiales (« sur la grand'route ») dont les démarcateurs inaugurent la séquence suivante. C'est à l'intérieur d'un espace-temps continu, qui constitue la toile de fond des sq i et sq iii, qu'il faut chercher à reconnaître les principes de l'organisation du discours.

2. *La promenade.*

1. En l'absence de critères spatio-temporels, c'est dans la discrimination des acteurs que l'on peut chercher les oppositions permettant de distinguer les deux séquences. En effet, sq i semble s'opposer à sq iii comme :

acteur collectif (Paris)   vs   *acteurs individuels* (deux amis).

De même, au niveau de la prédication générale de ces acteurs, une distinction encore plus nette apparaît, celle entre :

prédicats d'*état*   *vs*   prédicats de *faire intransitif.*

sq i est la présentation de l'acteur Paris considéré dans son être, tandis que sq iii introduit les acteurs qui se manifestent, à la surface, par un certain faire, la promenade.

2. La promenade, que nous avons interprétée, dans une première approximation, comme un faire intransitif, peut recevoir une représentation sémantique plus abstraite; considérée comme mouvement

dans l'espace, elle est formulable comme fonction proppienne de *déplacement*, dont le sujet et l'objet sont en état de syncrétisme, c'est-à-dire, représentés par un seul et même acteur. Il s'agit donc d'un *énoncé réfléchi* :

$$\text{F déplacement (S : A} \rightarrow \text{O : A)}$$

qui, à son tour, n'est que la *figuration spatiale* du vouloir du sujet.

On voit dès lors que

la promenade   vs   la quête

est une opposition qui met en présence, d'un côté, un *vouloir sans objet* et, de l'autre, un *vouloir avec objet*, en possession d'un programme narratif virtuel. C'est cette opposition qui, narrativement, distingue SQ III de SQ IV.

3. Notre démarche, on le voit, consiste à partir des acteurs qui se manifestent comme sujets discursifs dotés de prédicats pour atteindre les actants intégrables dans les énoncés narratifs et à rechercher ainsi une organisation narrative sous-jacente à la manifestation discursive, qui permettrait de rendre compte de l'articulation du texte à sa surface. Le comportement des *acteurs discursifs* peut alors servir à la segmentation du texte, tandis que la présence et l'absence, les apparitions et les disparitions d'acteurs et les changements significatifs de leurs prédicats peuvent être considérés comme des *démarcateurs* du texte, au même titre que les critères spatio-temporels.

Dès lors, la séquence de « la promenade » révèle une certaine organisation de surface que l'on peut représenter comme :

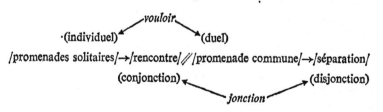

Au travers de la manifestation figurative de la promenade apparaît, on le voit, le projet narratif de l'énonciateur.

3. *Les marches et les arrêts.*

1. L'opposition que nous avons suggérée pour distinguer les deux séquences :

$$\frac{\text{SQ III}}{\text{SQ IV}} \simeq \frac{\text{Promenade}}{\text{Quête}}$$

se trouve confirmée par la reconnaissance de la récurrence d'un fragment phrastique les réunissant :

SQ III : « Ils se mirent à marcher côte à côte... »
SQ IV : « Ils marchaient côte à côte... »

Ce qui souligne : (*a*) l'identité du prédicat figuratif « marcher » et (*b*) la permanence, exprimée spatialement par « côte à côte », de l'actant duel « deux amis », afin de manifester, sur ce support sémantique commun, l'opposition entre les deux *faire*.

Or, la première mention de la « marche côte à côte », se situe au milieu de notre séquence, à l'endroit marqué sur le schéma ci-dessus par deux barres verticales, et la divise ainsi en deux parties qui correspondent à deux sous-programmes narratifs reconnaissables intuitivement : tout se passe comme si, dans la première partie, la promenade solitaire de deux amis avait pour but la rencontre et la constitution — ou la reconstitution — de l'actant duel et, dans la deuxième partie, la promenade « côte à côte » préparait, à son tour, les conditions nécessaires au déclenchement de la quête (la séparation étant destinée à se munir d'instruments de pêche).

On voit apparaître ici ce qu'on peut appeler la *fonction démarcative* de la récurrence : elle valorise et affiche le fragment phrastique réitéré; sans elle, il resterait un bout de phrase quelconque, ne possédant aucun rôle organisateur du texte.

2. Un deuxième phénomène de récurrence peut être observé dans la même séquence : c'est la répétition, par trois fois, du même verbe « s'arrêter », verbe qu'on ne rencontre nulle part ailleurs dans le texte. Or, tandis que le premier arrêt est justifié sur le plan pragmatique (la rencontre, en tant qu'événement décrit, des deux amis), les deux autres emplois du verbe sont suivis d'énoncés élocutifs et paraissent des substituts du verbe « dire ». Le dire, du fait de cette substitution et de l'insistance marquée par un arrêt somatique, devient un dire emphatique : il annonce, tout comme dans le premier cas, l'irruption de l'*incidence dans la permanence*, à cette différence près toutefois que la transformation narrative affichée se situe sur le *plan cognitif*, autrement dit, qu'elle prévient une décision.

La fonction démarcative de la récurrence apparaît donc de nouveau clairement : au premier arrêt, « pragmatique », inscrit dans la suite événementielle, s'opposent deux autres arrêts, « cognitifs ». Annonciateurs tous les trois de *progrès narratifs*, ils segmentent en même temps la séquence en question : tandis que le premier arrêt déclenche le récit de la reconstitution de l'actant duel — correspondant, par ses dimensions textuelles, à l'immobilité de la rencontre —, les deux autres, exécutés successivement à l'initiative d'abord de Morissot, ensuite de M. Sauvage, accentuent la deuxième partie de la séquence, en y découpant des segments qui correspondent respectivement à l'instauration du *vouloir-faire* et du *contrat* relatif à l'exécution du programme.

3. La multiplication des critères de la segmentation fait apparaître inévitablement le phénomène de non-concordance terme à terme entre les séquences textuelles et les syntagmes narratifs. Le contraire nous aurait d'ailleurs étonné.

Quant à notre séquence, son articulation ne s'en trouve pas moins établie dans ses grandes lignes : divisée en deux parties selon l' /immobilité/ *vs* le /mouvement/ des acteurs —, division confirmée par l'opposition de l'*arrêt* « pragmatique » et des *arrêts* « cognitifs », annonciateurs de progrès narratifs, la séquence nous est déjà apparue comme la couverture textuelle d'un programme narratif dont l'explicitation fera ressortir les sous-articulations dérivées.

2. L'AVÈNEMENT DE L'ÉVÉNEMENT

1. *Temporalisation et aspectualisation.*

1. La séquence que nous nous proposons d'examiner maintenant commence *ex abrupto*, sans aucun lien apparent avec ce qui la précède, par une longue phrase en expansion, bâtie sur l'opposition de deux temps verbaux français :

$$\frac{\text{imparfait}}{\text{« se promenait »}} \quad vs \quad \frac{\text{passé simple}}{\text{« s'arrêta »}}$$

Cette opposition, on le voit, ne repose pas seulement sur la discrimination des temps verbaux : l'examen des radicaux des deux verbes — auquel nous avons déjà procédé sommairement plus haut — montrerait qu'elle ne fait que manifester, de façon redondante, une opposition catégorielle déjà présente au niveau de la représentation sémantique de la phrase, opposition qui, de ce fait, transcende sa réalisation dans une langue naturelle particulière par des catégories grammaticales appropriées.

2. On sait que l'opposition *imparfait* vs *passé simple* n'est qu'une articulation aspectuelle située, en français, dans le cadre du système temporel secondaire, qu'on peut appeler le *système d'alors*, pour le distinguer du système primaire du *maintenant*. Il s'agit là de deux articulations de la temporalité, la première étant liée au *maintenant*, c'est-à-dire à la position temporelle du sujet de l'énonciation, la seconde se construisant à partir d'une position d'*alors*, c'est-à-dire, à partir d'un point quelconque choisi dans le continu temporel, situé soit dans un *avant* soit dans un *après* par rapport à la position de l'énonciateur.

Dans un cas comme dans l'autre, il s'agit du phénomène de *débrayage temporel*, car le temps de l'énoncé n'est jamais concomitant avec le temps de l'énonciation, et si l'illusion de l'identité des deux *maintenant*, celui de l'énonciation et celui de l'énoncé, peut être à la rigueur soutenue lorsqu'il s'agit de la communication orale, l'introduction du point de vue du lecteur inverse la situation : le temps de l'énoncé s'identifie alors avec celui de la lecture, tandis que le temps de l'énonciation se trouve relégué, « débrayé » dans le passé (dans notre cas, dans la période qui précède le 5 février 1883, date de la première publication du conte par Maupassant).

S'il en est ainsi, le problème de la *temporalisation* apparaît comme l'exploitation sélective, lors de la mise en discours d'une langue, de deux systèmes temporels distincts, dont la nature cependant n'est pas temporelle, mais logico-sémantique. Deux positions temporelles — /maintenant/et/alors/ — se trouvent postulées comme des *deixis de référence*, à partir desquelles des catégories temporelles et aspectuelles peuvent se déployer. Il n'en reste pas moins, évidemment, que ces deux deixis sont déterminées par leur relation avec la deixis de l'instance de l'énonciation et que c'est l'interprétation de cette relation, accompagnée parfois de la mise en place de nouvelles procédures, qui confère à l'un ou à l'autre des deux systèmes les rôles d'objectivation ou de subjectivation temporelle.

3. Dès lors, ce qu'on appelle parfois « le temps du récit » apparaît comme une sorte de *présent* identifié avec la deixis d'*alors*, un présent fictif à partir duquel un *passé* et un *futur* peuvent être projetés, correspondant à l'articulation :

/avant/   *vs*   /pendant/   *vs*   /après/

qui ne sont que des positions temporalisées — puisqu'elles ne correspondent à aucune temporalité réelle — d'une catégorie de relations logiques :

/antériorité/   *vs*   /concomitance/   *vs*   /postériorité/
(avec le point de
référence « alors »)

On voit que l'existence, en français, des temps verbaux (« se promen*ait* » *vs* « s'arrê*ta* »), réalisant ce présent narratif à l'aide des formes grammaticales institutionnalisées, a pour effet de sens d'*objectiver* le récit, et que l'effort d'un Bernanos, par exemple, de substituer, comme deixis de référence, un maintenant à un alors conventionnel, sans aller jusqu'à la « destruction » du récit, ne fait que le *subjectiver*.

4. Ce déploiement de catégories logico-sémantiques organisant la temporalité se combine et s'articule avec une nouvelle catégorie temporelle, celle de :

/permanence/   *vs*   /incidence/

qui n'est au fond que l'adaptation au temps de la catégorie :

/continu/   *vs*   /discontinu/

servant d'universel lors de l'interprétation du « monde naturel » phénoménal.

Du point de vue syntagmatique, selon la linéarité temporelle, le discours apparaît comme une succession de permanences et d'incidences, étant entendu qu'une incidence doit nécessairement s'intercaler entre deux permanences, pour que celles-ci puissent être saisies comme distinctes. Une telle succession se constitue dès lors en une organisation autonome introduisant les déterminations temporelles dans les suites (logiques) d'énoncés narratifs, de l'*état* et du *faire*.

Du point de vue paradigmatique, plusieurs récits parallèles et concomitants peuvent être conçus, conjoignant soit au moins deux permanences, soit une permanence et une incidence.

5. Tout ce dispositif temporel, pour être manifesté dans le discours, doit se soumettre d'abord à une articulation aspectuelle. L'*aspectualité* est en effet la forme de surface sous laquelle se présente à nous et peut être déchiffré le temps. Paradigmatiquement, cela est formulable ainsi :

$$\frac{/\text{permanence}/}{/\text{incidence}/} \simeq \frac{/\text{durativité}/\text{itérativité}/}{/\text{ponctualité}/}$$

Remarque : L'*itérativité* peut être définie provisoirement comme la durée remplie de ponctualités égales.

Mais on a vu aussi que, dans l'enchaînement syntagmatique, une suite de permanences et d'incidences, même si elle est réinterprétée aspectuellement comme succession de durées et de ponctualités, n'est susceptible d'être « dynamisée », c'est-à-dire conçue comme *procès*, que si la ponctualité est marquée comme commencement ou fin de celui-ci. Aux *transformations logiques*, au niveau profond, correspondent, on l'a vu, les *changements aspectuels* se manifestant à la surface discursive comme une suite :

$$/\text{inchoativité}/ \rightarrow /\text{durativité}/ \rightarrow /\text{terminativité}/$$

6. Les temporalités, finalement, sont susceptibles d'être dénommées et de recevoir de ce fait un certain nombre de déterminations sémantiques : on dira qu'une *période* est une permanence dénommée (l'hiver, la promenade) et, pareillement, qu'un *événement* est une incidence dénommée (la prise de la Bastille, l'arrêt).

2. *La focalisation de l'acteur-sujet.*

1. Pour en revenir à l'examen de notre séquence, on voit qu'elle commence par la mise en place d'une permanence temporelle dénommée « promenade ». En tant que *période*, elle se trouve encastrée dans une autre période, dénommée « un clair matin de janvier », dénomination hyponymique par rapport à une autre période, implicitement posée — par opposition à la période « printemps → automne » qui, sert de toile de fond à SQ II —, et qui n'est autre que « hiver ». Or, cette dernière s'intègre à son tour dans un espace temporel plus vaste, dénommé « guerre » (cf. le début de SQ II marqué « avant la guerre »).

Nous nous trouvons donc en présence d'une série d'*emboîtements temporels* qui constitue un quadruple dispositif de plans en profondeur, un fond temporel sur lequel pourront se dérouler les événements relatés. Mais, d'un autre côté, comme toutes ces périodes sont incluses les unes dans les autres, elles possèdent toutes certaines propriétés en commun et sont de ce fait susceptibles d'*homologation*. Ainsi, elles comportent toutes une connotation dysphorique, à l'exception toutefois d' « un clair matin » : mais c'est justement sa position équivoque qui permet de prévoir son caractère déceptif.

2. Si l'on considère maintenant les déterminations spatiales mises en parallèle avec les inscriptions temporelles :

> (a) « ... par un clair matin de janvier »
> (b) « le long du boulevard extérieur... »

on y reconnaît en gros le même principe d'emboîtement des espaces : ainsi, « le boulevard extérieur » constitue un espace hyponymique, englobé par rapport à l'espace /englobant/ Paris, décrit précédemment, les deux espaces possédant le sème /circularité/ en commun. A partir de là, l'espace « Paris » apparaît à son tour comme un espace /englobé/ par rapport à un / englobant/ plus vaste; d'un autre côté, l'espace « boulevard » est le lieu topique, humanisé par la présence des deux amis.

3. Les deux coordonnées — temporelle et spatiale — qui servent à inscrire et à cerner l'acteur humain qu'on cherche à présenter paraissent par conséquent susceptibles d'un certain dynamisme, d'une *focalisation* qui, par approches concentriques successives, en allant des deixis spatiales et temporelles les plus larges vers les deixis de plus en plus réduites, arrive à fixer l'objet visé par l'énonciateur.

Le même procédé se trouve d'ailleurs utilisé pour l'introduction de l'acteur Morissot lui-même. Le sujet de ce premier segment apparaît d'abord sous la forme d'un « il » anaphorique, comportant, par conséquent, un minimum de déterminations. Par rapport à la séquence précédente, ce « il » n'est autre chose que le prolongement du sujet « on » de la dernière phrase, tout en marquant évidemment le passage d'un « on » quelconque à un « il » individuel et singulier. Ce n'est qu'une fois recouvert d'un ensemble de déterminations figuratives, qu'il est présenté comme individu doté d'un nom propre, signe de son individuation et de son unicité.

4. Les déterminations figuratives qui précèdent la dénomination de M. Morissot sont :

a) les déterminations spatio-temporelles déjà examinées;

b) les déterminations de l'apparence extérieure de l'acteur : « les mains dans les poches de sa culotte d'uniforme »;

c) les déterminations de l'apparence « intérieure » : « et le ventre vide ».

Les déterminations qui précèdent l'anthroponyme s'opposent à celles qui le suivent : « horloger de son état et pantouflard par occasion », comme des caractéristiques *temporaires* à des caractéristiques *permanentes* et, départagées en qualifications *individuelles* et *sociales*, sont présentées dans le texte sous la forme d'un chiasme :

/*temporaire*/ : « les mains dans les poches » *vs* « de sa culotte d'uniforme »

/*permanent*/ : « horloger de son état »   *vs* « et pantouflard par occasion »
/social/   /individuel/

> *Remarque :* Il est à noter que l' « état » militaire des deux amis n'est signalé que deux fois dans le texte, au début et à la fin du récit : la « culotte » d'uniforme est ainsi mise en opposition à la « tunique ».

La notation « le ventre vide », simple anaphorisant de l'acteur collectif « Paris affamé », apparaît comme le représentant figuratif (se trouvant dans la relation de /contenant/ *vs* /contenu/) de l'intériorité de l'acteur. C'est ainsi que « le ventre *vide* » de notre segment s'opposera, dans la suite de la même séquence, au « ventre *plein d'alcool* », comparable, à son tour, au « ciel *plein de lumière* ».

Ainsi, l'approche concentrique, visant à obtenir la focalisation maximale de l'acteur-sujet, nous semble être le principe organisateur de ce premier segment.

3. *Le déclenchement de la narration.*

1. Cette présentation de l'acteur Morissot — celle de M. Sauvage enjambant la frontière entre les séquences et se poursuivant dans la séquence intercalaire — s'achève par la mise en place du prédicat « s'arrêta net ». Dans la mesure où la promenade le long du boulevard, ce « hic et nunc » imaginaire du récit, peut être considérée comme l'installation d'une permanence spatio-temporelle, l'*arrêt*, lui, est la marque de l'incidence, le signe emphatique annonciateur de l'événement contingent qui déclenchera la narration. Il ne s'agit pas là d'un simple arrêt dans l'espace de la promenade; le *Temps*, lui aussi, s'arrête momentanément pour permettre au temps mémorisé de se déverser dans le récit linéaire : il s'agit donc d'une rupture du discours, rupture qui l'institue comme narration.

2. L'incidence qui, lors de sa temporalisation, se manifeste comme /ponctualité/, lorsqu'elle se trouve inscrite dans l'enchaînement syntagmatique, est susceptible d'une double interprétation aspectuelle : ainsi, « l'arrêt » peut être traduit comme l'aspect /terminatif/ de la promenade solitaire, ou bien comme l'aspect /inchoatif/ d'une nou-

velle durée. Cette inchoation narrative est d'ailleurs confirmée sur le double plan du cycle des jours et des nuits et du cycle des saisons; le récit commence ainsi :

« par un clair matin de janvier » et
« le premier beau jour de l'année »

3. LA RECONSTITUTION DE L'ACTANT

1. *La reconnaissance.*

1. La reconnaissance, on le sait, occupe une place de choix dans la théorie narrative d'Aristote, où elle joue le rôle de *pivot* du récit, en transformant un état de /non-savoir/ (sur les êtres, les choses ou les événements) en un état de /savoir/ et en entraînant par ses conséquences, fâcheuses ou heureuses, la poursuite du récit. Tout en acceptant cette interprétation fonctionnelle de la *reconnaissance*, on peut la considérer comme une forme beaucoup plus générale de l'articulation discursive, faisant partie de la *dimension cognitive* autonome du discours : on dira qu'il s'agit en l'occurrence d'une mise en corrélation de deux états cognitifs disjoints et de la transformation de l'un dans l'autre. Selon les modalités qui surdéterminent les états cognitifs, la reconnaissance peut être simple, quand il s'agit, par exemple, du passage de /non-savoir/ à /savoir/, ou complexe et surdéterminée, lorsque, par exemple, le premier état, déterminé comme /mensonger/, cède sa place à un deuxième état, définissable comme /vrai/.

2. Dans notre cas, il s'agit d'une reconnaissance simple, portant sur l'actant-objet : la transformation qui se trouve opérée par le sujet Morissot est celle d'un

« *confrère* » (quelconque) ⇒ « *ami* ».

Les lexèmes « confrère » et « ami » désignent, on le sait, des *rôles thématiques* qui correspondent aux *rôles actantiels* définis par des modalités de /non-savoir/ et de /savoir/ ou, mieux, avec la restriction sémantique intervenant du fait qu'il s'agit uniquement d'actant-objet du savoir, par la catégorie disjonctive :

/inconnu/   *vs*   /connu/

75

En tant que *rôles thématiques*, « confrère » et « ami » sont susceptibles d'expansion et peuvent être développés — on l'a vu à propos du « pêcheur » — en programmes discursifs complets. Si « confrère » n'est pas exploité, du moins pour l'instant, de cette manière, il n'en va pas de même pour « ami » qui, spécifié comme « une connaissance du bord de l'eau », donne lieu à un développement discursif relatant l'histoire de cette amitié.

Nous avons suffisamment examiné les procédures d'intercalation pour n'avoir plus à y revenir. Ajoutons simplement que la *cataphorisation* des contenus de la séquence intercalaire se trouve accompagnée de la *syntagmatisation des rôles thématiques*, de telle sorte que :

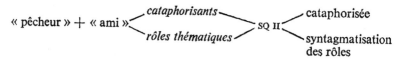

2. *Les retrouvailles.*

1. Étant donné que SQ II avait pour fonction l'instauration de l'actant duel, la présentification des contenus axiologiques qui s'opère lors de la reconnaissance peut être interprétée comme une nouvelle conjonction de deux acteurs qui, sur le plan cognitif, restaure l'ancien actant. Dès lors, la distinction :

« se reconnaître »   *vs*   « se retrouver »

marque seulement le dédoublement de la conjonction qui, effectuée d'abord sur le *plan cognitif*, l'est ensuite sur le *plan somatique*. Le texte attache d'ailleurs une importance particulière à cette relation *proxémique*, confirmée par deux fois et présentée sous la forme du chiasme :

$$\frac{/\text{mouvement/} : \text{« se serrer les mains »}}{/\text{immobilité/} : \text{« arrêt »}} \simeq \frac{/\text{immobilité/} : \text{« côte à côte »}}{/\text{mouvement/} : \text{« marche »}}$$

La conjonction figurative sanctionne, d'une certaine manière, le rétablissement de l'actant duel. Il n'empêche d'ailleurs pas que la description du comportement somatique soit immédiatement interprétée par une nouvelle homologation :

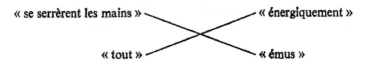

« se serrèrent les mains »   « énergiquement »

« tout »   « émus »

comme une agitation violente, comme une mise en mouvement sur le plan noologique.

> *Remarque :* Les deux amis se serrent par deux fois la main : lors de leur rencontre et dans la scène finale des adieux — preuve superfétatoire de l'organisation paradigmatique de la narration.

2. L' « émotion » des deux amis ne vient pas seulement — ou pas tellement — du plaisir de « se retrouver », mais de se retrouver « en des circonstances si différentes » : il s'agit donc de l'agitation intérieure provoquée par le contraste des contenus résultant de la comparaison des circonstances. Si l'on prend « les circonstances » dans leur sens grammatical, ce sont alors deux cadres spatio-temporels qui se trouvent opposés :

$$\frac{/englobant/}{(le\ bord\ de\ l'eau)} \quad vs \quad \frac{/englobé/}{(Paris)}$$

$$\frac{/jadis/}{(avant\ la\ guerre)} \quad vs \quad \frac{/maintenant/}{(pendant\ la\ guerre)}$$

$$\frac{/euphorie/}{(fête : dimanche)} \quad vs \quad \frac{/dysphorie/}{(quotidienneté)}$$

On voit que l'évocation des « circonstances » constitue un double cataphorique, renvoyant respectivement aux SQ II et SQ I, les « circonstances » tenant lieu du support catégorique commun permettant de convoquer, sous une opposition violente, les contenus axiologiques qui sont, on le sait :

$$[/vie/ + /non-mort/] \quad vs \quad [/\pm\ non-vie/ + /\pm\ mort/)]$$

3. *La virtualisation et l'actualisation des contenus.*

1. Par rapport aux contenus présentifiés grâce à la reconnaissance et qui ne sont que *virtuels,* les contenus présents et *actualisés* s'im-

posent en accentuant la dysphorie commune. Le mode de communication verbale des deux amis est en effet connoté comme suit :

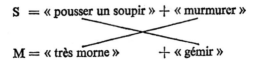

Malgré la possibilité d'homologation des répliques, un certain crescendo allant jusqu'au dédoublement d'intensité de l'état de dysphorie peut être observé, en passant d'un tour de parole à l'autre. En effet, « gémir » est intensif par rapport à « soupirer », tandis que la « tristesse morose allant… jusqu'au *mutisme* » *(Petit Robert)*, qu'exprime l'adjectif « morne », peut à son tour être considérée comme un intensif négatif de « murmurer ». Très grossièrement, on peut dénommer le premier état dysphorique « tristesse » et le second — « souffrance ».

2. Il est à remarquer que cette intensification de la dysphorie au niveau de l'*énonciation* (représentée) se trouve en corrélation avec l'apparition des contenus euphoriques au niveau de l'*énoncé*, de telle sorte que :

ENONCIATION		ÉNONCÉ
$\dfrac{\text{« tristesse »}}{\text{« souffrance »}}$	$\simeq$	$\dfrac{\text{dysphorie (« des événements »)}}{\text{euphorie (« quel temps ! »)}}$

Si l'on voulait syntagmatiser cette structure paradigmatique, on s'apercevrait, contrairement à l'attente, que ce sont les contenus énoncés qui sont logiquement antérieurs et conditionnent les transformations des contenus de l'énonciation : c'est parce que les contenus euphoriques apparaissent dans l'énoncé que l'état dysphorique se dédouble au niveau de l'énonciation.

Nous sommes par conséquent obligé de reconnaître l'existence d'un progrès narratif situé au niveau noologique *. Ce progrès vient du fait que, lors de l'énoncé précédent, au moment de la comparaison des « circonstances différentes », les contenus euphoriques étaient seulement mémorisés et *présentifiés* en vue de la comparaison, tandis que maintenant ils se trouvent en quelque sorte *présents* (le beau temps, directement perceptible). Autrement dit, et pour employer la terminologie déjà adoptée par ailleurs (cf. *Les objets de valeur*, in *Sémiotiques textuelles*, M. Arrivé et J.-C. Coquet, éditeurs), les

---

* Noologique en tant qu'opposé à cosmologique.

contenus axiologiques, d'abord *virtuels,* ont été *actualisés* et mis en corrélation avec des contenus de même nature, mais porteurs de signes de dénégation : c'est l'actualisation concomitante des contenus contradictoires qui a pour effet de dédoubler l'intensité de leur connotation dysphorique.

4. *L'instauration de l'illusion.*

1. La présence des contenus euphoriques se trouve notée deux fois dans le texte : d'abord par le constat verbalisé que nous venons d'examiner; ensuite, par la phrase justificative qui le suit :

« Le ciel était, *en effet,* tout bleu et plein de lumière. »

La première remarque que nous sommes amené à faire, porte sur la non-concordance de la linéarité textuelle avec l'organisation logique des énoncés; l'exclamation : « quel temps! » présuppose, en effet, la connaissance de l'état du ciel, et non inversement. Contrairement à ce qui se passe dans la SQ II (*Seg 4* et *Seg 5*), où les énoncés figuratifs sont suivis de commentaires verbaux, la constatation verbale précède ici une « description » cosmologique que nous avons le droit de considérer comme l'expression figurative des contenus verbalisés : une certaine équivalence peut dès lors être présumée entre ces deux manifestations.

2. Nous avons déjà postulé que le Ciel devait être considéré, sur le plan de l'organisation des valeurs investies dans le texte, comme le terme /non-vie/ de la structure figurative de la signification. Si notre interprétation générale est correcte, le fait que le sujet du message euphorique soit le Ciel — et non le Soleil — le rend déjà suspect.

Le Ciel, il est vrai, est paré de couleur et de lumière. Une distinction nette doit cependant être établie entre les deux attributions : « bleu » et « plein de lumière », la première étant une détermination constante et la seconde, accidentelle.

a) Le Ciel, nous l'avons noté en examinant la SQ II, n'est un acteur agissant que dans la mesure où il transmet aux humains le message qui y est inscrit par le Soleil. Dire que le Ciel est « plein de lumière » ne le qualifie pas comme objet lumineux, mais comme un *lieu vide,* rempli occasionnellement de lumière, tout comme le ventre *vide* des acteurs humains devient, grâce à l'absinthe, le ventre *plein d'alcool.* La lumière, de son côté, est un attribut du Soleil, mais, par rapport à un autre de ses attributs, la chaleur, elle se situe, on l'a vu, comme :

$$\frac{/chaleur/}{/lumière/} \simeq \frac{/être/}{/paraître/}$$

Le message du Ciel n'est, dès lors, que celui du paraître du Soleil.

b) Le Ciel est, d'autre part, « tout bleu », et le bleu semble en effet être son attribut propre. Or, il faut noter, non sans quelque étonnement, que le spectre chromatique de Maupassant, du moins dans le texte étudié, est extrêmement pauvre et se résume pour l'essentiel, comme par hasard, à la triple notation *bleu-blanc-rouge*. Il faut ajouter, d'un autre côté, que la coloration des choses y est présentée comme aspect superficiel et décepteur. On y reconnaît, il est vrai, la catégorie chromatique :

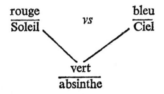

homologable avec les termes Soleil et Ciel, à condition toutefois qu'elle soit interprétée comme étant située sur le plan du *paraître*.

3. Dès lors, se pose la question du statut de la vérité de l'énoncé comportant le message « céleste ». Que signifie-t-il au juste, pour qui signifie-t-il, comment sa véridiction est-elle assumée?

Nous dirons que le problème de la *véridiction* relève essentiellement de la *dimension cognitive* de la narration et qu'elle s'y trouve relativisée du fait de la constitution et de la distribution, par le sujet de l'énonciation, des *espaces cognitifs* particuliers.

a) Le premier de ces espaces est l'*espace global* institué, sous la forme d'un contrat implicite — d'une sorte de complicité tacite — entre les deux actants transnarratifs : l'énonciateur et l'énonciataire (ou le lecteur) et qui est caractérisé par un *savoir généralisé* sur les événements textuels. Dans notre cas, ce savoir est total — il peut en être autrement — et le système axiologique que l'énonciateur inscrit, de manière plus ou moins affichée dans le texte, constitue une grille de lecture permettant de savoir ce que sont « réellement » les objets textuels : les êtres et les choses. C'est à ce genre de déchiffrement que nous venons de nous livrer en reconnaissant que toutes les manifestations de l'acteur Ciel sont situées sur le plan du paraître.

b) D'un autre côté, l'énonciateur est capable de déléguer un certain savoir et de le conférer à tel ou tel actant narratif, en constituant ainsi, à l'intérieur du récit, un ou plusieurs *espaces cognitifs partiels*, qui ne sont pas nécessairement conformes à l'espace cognitif global (cf. la reconnaissance aristotélicienne). Cependant, les *sujets cognitifs* ainsi instaurés ne sont pas seulement caractérisés comme des possesseurs du savoir, ils peuvent en être également des manipulateurs. C'est ainsi que, par-dessus « l'espace du regard », s'instaure un « espace du faire » et qu'apparaît une *dimension cognitive autonome* de la narration, lieu des événements qui ne sont plus pragmatiques ou somatiques, mais cognitifs. Deux types de *faire cognitif* peuvent y être distingués :

le faire persuasif vs *le faire interprétatif*

fondateurs, par leurs expansions, de deux grandes classes de discours.

On voit que ces deux sortes de faire correspondent, *grosso modo*, aux deux positions actantielles : celle du destinateur et celle du destinataire, le premier cherchant à faire accepter son savoir par le destinataire, le second tendant à le déchiffrer selon son propre code modal.

c) C'est justement une telle structure cognitive que nous rencontrons dans la séquence que nous avons à examiner. Le Ciel, dans son rôle actantiel de destinateur (de non-destinateur, selon le schéma ci-dessus, p. 63) exerce un *faire persuasif*, en cherchant à faire accepter par le destinataire (les deux amis) comme vraies les déterminations constitutives de son être, déterminations qui sont en réalité, on l'a vu, mensongères. Si l'on se réfère au carré sémiotique de la véridiction :

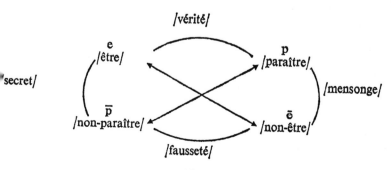

on voit que le *faire persuasif* du Ciel consiste à transformer, par des manipulations cognitives (= « bleu » et « plein de lumière ») :

$$/p + \bar{e}/ \Rightarrow /p + e/$$

soit : présenter ce qui *paraît et n'est pas* comme ce qui *paraît et est* à la fois. C'est la définition même du *mensonge en tant que faire* (du « mentir »).

d) Le destinataire (les deux amis) exerce, à son tour, son faire interprétatif, et il l'exerce mal (mais ce n'est qu'un cas d'espèce parmi d'autres interprétations possibles), en acceptant comme *vrai* (c'est-à-dire comme paraissant et étant à la fois) ce qui est *mensonger* (ce qui n'est qu'apparence) en réalité. Ce qui est *mensonge* du point de vue de la persuasion devient *illusion* du point de vue de l'interprétation.

4. On peut s'interroger sur les raisons de la faiblesse du faire interprétatif des deux amis, sur la facilité avec laquelle ils acceptent de tomber dans le piège de l'illusion. L'explication nous semble résider dans la pseudo-équivalence que nous avons rencontrée entre la représentation figurative de l'univers axiologique et sa dénotation verbale. Devant le ciel « tout bleu et plein de lumière », la réaction de Morissot est en effet : « c'est ... le premier *beau* jour de l'année », tout comme devant la tragédie cosmique de la mort du Soleil, l'exclamation de M. Sauvage (dans la SQ II) était « Quel spectacle! ». Autrement dit, le paraître de ce qui n'est axiologiquement que /non-vie/ ou /± non-vie/ se trouve interprété dans les deux cas dans le cadre des catégories esthétiques et identifié avec le terme /beau/, la *beauté*, à son tour, étant postulée comme l'équivalent de la *vérité*. Le message du sujet de l'énonciation dit Maupassant, qui se situe, par conséquent, dans l'espace cognitif global, semble être le suivant : la beauté, camouflage de /non-vie/, est créatrice d'illusion.

L'évaluation de l'état du Ciel inaugure donc un espace cognitif partiel caractérisé par le *savoir illusoire* qui est celui des deux amis en quête de la vérité.

4. LA COMPÉTENCE DU SUJET

1. *L'actualisation du vouloir-faire.*

1. La reconstitution de l'actant qui inaugure le récit se manifeste essentiellement, on l'a vu, par l'actualisation de l'univers axiologique

des deux amis, actualisation qui est accompagnée de leur *faire* interprétatif, installant un espace cognitif particulier, placé sous le signe de l'*illusion*. Ce sont là des conditions préalables, d'une part, à l'apparition du programme narratif qui régira le texte, et de l'autre, à l'établissement de la compétence de l'actant, en vue de l'exécution de ce programme. C'est à la mise en place de ce syntagme narratif que se trouve consacrée la deuxième partie de notre séquence.

La séquence elle-même est coupée en deux, selon l'opposition /immobilité/ *vs* /mouvement/ : à l'arrêt fixant la rencontre des deux amis succède la reprise de la promenade en commun. La promenade, déplacement sans but, s'oppose à la quête qui lui fera suite : elle apparaît comme la manifestation figurative de la tension antérieure à la réalisation du programme qui, correspondant à un vide événementiel, marque au contraire le trop-plein caractérisant la mise en place des mécanismes narratifs virtuels.

2. Ainsi, le premier segment de cette deuxième partie semble destiné à la *re-actualisation* du programme de la pêche qui venait d'émerger, sous sa forme *virtuelle*, lors du processus de la reconnaissance. Dès lors, on peut dire que le *progrès narratif*, reconnaissable dans cette séquence, porte sur l'articulation de deux catégories distinctes :

a) il est marqué, d'une part, par le passage du *virtuel* à l'*actuel ;*

b) il révèle, d'autre part, deux modes d'existence — *paradigmatique* et *syntagmatique* — des contenus valorisés, modes que nous avons distingués en opposant les *axiologies* aux *idéologies*.

C'est ainsi que la partie de la séquence étudiée jusqu'à maintenant se présente comme une suite d'énoncés narratifs :

EN_1 = virtualisation de l'axiologie
(reconnaissance de l'univers figuratif de SQ II);

EN_2 = actualisation de l'axiologie
(présence du « beau temps »);

EN_3 = virtualisation de l'idéologie
(reconnaissance du programme « pêche » de SQ II);

EN_4 = actualisation de l'idéologie (nostalgie de la pêche).

3. Ce schéma narratif ne tient compte toutefois que des contenus euphoriques qui se trouvent ainsi manipulés. Or, notre analyse a révélé qu'il s'agissait, dès l'instant de la reconnaissance, de la mise en corrélation ou en contradiction de ces contenus vitaux avec les contenus mortels concomitants. On comprend alors que le segment envisagé oppose à son tour, le caractère à la fois :

« *rêveur* »   vs   « *triste* »

83

des deux amis, le premier terme actualisant le programme idéologique que nous avons désigné par ailleurs comme le *rêve d'évasion*, tandis que le second lui fait contre-poids, en se référant à la dysphorie ambiante.

4. Si le rêve se trouve ensuite repris sous la forme de « quel bon souvenir », exprimant à la fois l'actualisation du programme de la pêche et la virtualisation du /vouloir/ situé encore dans le passé, la réplique de M. Sauvage : « Quand y retournerons-nous ? » constitue un nouveau progrès narratif. En effet, cette interrogation rhétorique, qui équivaut à une exclamation, présentifie le /vouloir-faire/ et, par conséquent, l'actualise, tout en envisageant l'impossibilité de sa réalisation. On dira donc que, outre l'actualisation du programme narratif, le segment étudié comporte, sur le plan de la *modalisation de l'actant collectif* :

    (a)   l'assertion du /vouloir-faire/ et
    (b)   l'assertion du /non-pouvoir-faire/,

qui constituent un état déterminé du programme narratif du récit et, plus précisément, de la composante de ce programme consistant dans l'*acquisition de la compétence par le sujet narratif*.

2. *Un pouvoir-faire illusoire.*

1. La deuxième partie de SQ III est fortement rythmée, nous l'avons déjà noté, par la récurrence du verbe « s'arrêter », introduisant la discontinuité dans la promenade. Ces deux arrêts sont énonciatifs et non somatiques, même si l'on peut admettre qu'un arrêt du mouvement accompagne ces ruptures d'états narratifs : on voit bien qu'ils ne sont pas comparables avec deux autres arrêts, effectifs ceux-là, chez le marchand de vin (absorption de l'absinthe), où seule la conjonction avec l'absinthe, et non l'arrêt, est pertinente.

Tenant compte de l'endroit où nous nous trouvons du point de vue du déroulement du récit et des modèles de prévisibilité narratifs dont nous disposons, nous pouvons nous attendre que les deux temps forts marqués par les arrêts correspondent à l'*acquisition du pouvoir-faire*, dont la défaillance a été notée dans le segment précédent et ceci selon les deux modes d'existence :

Arrêt 1 ≃ acquisition du /pouvoir-faire virtuel/
Arrêt 2 ≃ acquisition du /pouvoir-faire actualisé/

le passage du *virtuel* à *l'actuel* étant en corrélation avec l'action exercée sur le sujet duel par deux agents extérieurs : « l'absinthe » et « l'air tiède ».

2. Avant d'aller plus loin, il faut d'abord enregistrer l'existence d'une relation paradigmatique entre, d'une part, SQ III et, de l'autre, les deux derniers segments — révélateurs du système de valeurs mis en place — de SQ II. En effet, si, dans SQ II, les manifestations du plan cosmologique sont groupées en deux états, interprétées successivement par « douceur » et « spectacle », SQ III, tout en manipulant les deux états — « le premier *beau* jour » et « il faisait *doux* » —, opère leur permutation syntagmatique, de telle sorte que :

$$\text{SQ II} = /\text{douceur}/ \longrightarrow /\text{beauté}/$$
$$\text{SQ III} = /\text{beauté}/ \longrightarrow /\text{douceur}/$$

Il en résulte une différence notable dans la lecture des deux séquences : si, dans le premier cas, l'ensemble de valeurs dénommées par « douceur » sont présentées comme authentiques et l'apparition du beau « spectacle » ne manque pas de poser le problème de l'inconscience et du non-savoir des deux amis, dans le second cas, au contraire, l'installation préalable des valeurs connotées par « beauté » (qui, on le sait, n'est qu'apparence) confère à la suite de valeurs marquées par « douceur » le statut d'inauthenticité, de l'illusion.

Il est évident, dans ces conditions, que le /pouvoir-faire/, d'abord virtuel, ensuite actualisé, acquis par le sujet duel, sera d'avance surdéterminé et modalisé comme le *pouvoir-faire illusoire*.

3. *Les décepteurs.*

1. On a déjà noté que les agents externes ou, plutôt, les acteurs figuratifs dont l'action provoque les arrêts significatifs, sont au nombre de deux : l' « absinthe » et l' « air tiède ». En les considérant comme sujets discursifs dotés de prédicats, on s'aperçoit que leurs fonctions manifestées sont identiques :

Sujet	Prédicat
« absinthe » $\longrightarrow$	« étourdir » + « troubler »
« air » + « tiède » $\longrightarrow$	« griser »

Sans s'arrêter sur le procédé, déjà rencontré, de la dissymétrisation de la symétrie, qui est un des automatismes de l'écriture de

Maupassant, on peut relever les définitions suivantes des prédicats *(Petit Robert)* :

étourdir — faire perdre à demi connaissance
troubler — modifier, en altérant, la clarté, la transparence
griser — étourdir légèrement (donc : « achever de griser » = étourdir)

On voit que l'action des acteurs figuratifs, située sur le plan cognitif, a pour fonction de modifier le mécanisme de la connaissance du sujet et de rendre inefficace son faire interprétatif, créant ainsi un espace cognitif de l'illusion. On peut donc dire, dans une première approche, que les deux acteurs figuratifs apparaissent comme investis d'un certain *rôle actantiel* définissable sur le plan de la véridiction et que l'on désigne généralement sous le nom de *décepteur (trickster)*.

2. Le décepteur — *rôle actantiel* important et dont la typologie reste à faire — se définit trivialement comme quelqu'un qui se fait passer pour un autre : outre les fonctions narratives qu'il exerce et qui sont, dans notre cas, manifestées par des prédicats discursifs, c'est, par conséquent, en même temps un personnage qui porte un *masque*. Autrement dit, l' « absinthe » et l' « air tiède » sont des acteurs masqués, c'est-à-dire des *rôles thématiques* destinés à manifester, au niveau du *paraître*, l'*être* d'un autre acteur pour lequel ils veulent se faire passer. Ainsi, par exemple, un conte indien présente un chat qui s'est affublé d'un chapelet pour se faire passer pour un moine bouddhiste. L'opération à laquelle nous devons procéder est cependant inverse : dans le cas du conte indien, nous savons qu'il s'agit en réalité d'un chat, bien qu'il porte le masque du moine; dans notre cas, c'est le moine bouddhiste ($\simeq$ l' « absinthe » et l' « air tiède ») qui nous est donné, il nous reste à découvrir qui est, en l'occurrence, le chat, pour qui nos décepteurs désirent se faire passer.

3. La connaissance des modèles narratifs vient de nouveau à notre secours : dans la position narrative où nous nous trouvons, l'actant sujet est caractérisé par un manque, celui du /pouvoir-faire/. Le décepteur qui apparaît en ce moment est celui qui se fait passer pour le *destinateur* susceptible de doter le sujet-destinataire, par une opération de transfert, de la modalité du /pouvoir-faire/. Le *statut du décepteur*, tel qu'il se présente dans notre récit, peut donc être précisé :

a) sur le mode du *mensonge* (p + ē), il se présente comme *destinateur* (cf. le moine bouddhiste);

b) sur le mode du *secret* ($\overline{\text{p}}$ + e), il est un *anti-destinateur* (cf. le chat);

c) sur le mode du *faire* (non plus de l'*être*), il est un *sujet transformateur* capable de présenter le mensonge comme vérité (c'est-à-dire « étourdir », « troubler », « griser »).

4. Les deux figures du décepteur.

1. Ayant ainsi défini le décepteur comme un syncrétisme de rôles actantiels, nous devons encore tenir compte du fait qu'il est un *acteur figuratif*, c'est-à-dire qu'il est investi d'un ensemble de contenus axiologiques de caractère figuratif. C'est à les préciser qu'il faut maintenant s'employer.

Si l'on examine d'abord l'« absinthe », on voit qu'elle se présente, à première vue, en sa qualité d' « eau-de-vie », comme le *terme complexe* réunissant les valeurs d'*eau* et de *soleil*, que nous avons reconnues comme représentatives, sur le plan figuratif, de deux destinateurs situés sur la deixis positive : du *destinateur* (Soleil) et du *non-anti-destinateur* (Eau). Toutefois, si l' « absinthe » apparaît bien sous la forme /liquide/, elle n'est pas notée dans le texte, comme on aurait pu s'y attendre, comme porteuse de /chaleur-vie/. Il s'agit donc d'un terme complexe dont l'un des pôles (le pôle solaire) reste occulté.

Bien au contraire, l' « absinthe », lorsqu'elle apparaît dans le texte au moment critique, celui de l'arrêt soudain de Morissot annonçant l'acquisition du /pouvoir-faire/, se trouve désignée comme une « verte », c'est-à-dire, sur le plan solaire, par la valeur chromatique du / paraître / et non plus par celle de l' /être/, qui est d'ordre thermique. Or, le /vert/ se situe à l'intérieur de la catégorie chromatique :

$$\frac{/rouge/}{(Soleil)} \longrightarrow /vert/ \longleftarrow \frac{/bleu/}{(Ciel)}$$

comme un terme complexe, réunissant les valeurs du Soleil et du Ciel. Les deux couleurs présentes dans notre séquence sont cependant le /bleu/ et le /vert/, tandis que le / rouge /, nécessaire pour la constitution du / vert/, y est absent. Tout se passe donc comme si le décepteur, incapable de reproduire la figure solaire, ne procédait que de manière allusive : les termes complexes dont il s'affuble, sous-entendent bien la présence du destinateur Soleil, tout en restant à *dominance négative* et montrant le véritable visage de l'anti-destinateur Ciel. Seul l'esprit « troublé » des deux amis pouvait alors l'accepter comme destinateur virtualisant le / pouvoir-faire/ du sujet.

2. Ceci explique qu'au moment de l'*actualisation* de la modalité du /pouvoir-faire/ le décepteur se présente sous une autre figure, celle de l' « air tiède ». On peut aisément accepter l' « air » comme l'équivalent, sinon l'hyponyme, du Ciel. On a vu, en effet, que l'univers individuel du narrateur se présentait comme une déformation de l'axiologie sociolectale, sous la pression de la connotation de la catégorie /haut/ *vs* /bas/, comme :

$$\frac{/\text{haut}/}{/\text{dysphorique}/} \quad vs \quad \frac{/\text{bas}/}{/\text{euphorique}/},$$

obligeant le Soleil-feu à exercer son activité dans l'espace d'en-bas et, au contraire, situant la deixis négative, composée des termes : Mont-Valérien-terre et Ciel-air, dans l'espace d'en-haut. Nous trouverons bientôt d'autres confirmations de ce dispositif.

On comprend dès lors que l'apparition de l'*air* (équivalent du Ciel), dans l'espace d'en-bas, réservé au Soleil, constitue un premier élément de la déception.

A cette illusion spatiale s'ajoute une autre : le Ciel-air se qualifie par la « tiédeur ». Or, la / tiédeur/ est de nouveau un terme composite, situé en quelque sorte à mi-chemin entre la / chaleur/ et le / froid/. On serait tenté de le considérer comme un *terme complexe*, si l'on n'était pas obligé de tenir compte de la scène finale de l'immersion, où les deux termes de la catégorie thermique apparaissent sous la forme disjointe et qualifiant non plus l'Air, mais l'Eau :

« L'eau rejaillit, *bouillonna, frissonna,* puis se calma... »

Dès lors — et sans interpréter prématurément la scène finale — on peut proposer l'articulation suivante de la catégorie thermique :

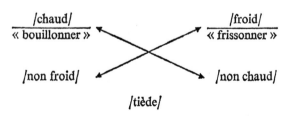

où /tiédeur/ serait interprétée comme un *terme neutre*, correspondant à l'état caractérisé comme ni chaud, ni froid.

Tout se passe comme si l'*air*, acteur délégué du Ciel et homologable de ce fait avec le terme /non-chaud/, cherchait à s'affubler, grâce à la tiédeur, des déterminations complémentaires de l'Eau /non-froid/ pour représenter, sur le mode de l'illusion, un autre destinateur convaincant.

5. Le non-destinateur.

1. Cet essai d'analyse thématique qui, s'il pouvait s'appuyer sur un corpus un peu plus large, aurait besoin d'être affiné, confirme néanmoins une des caractéristiques du décepteur : sa préférence pour des investissements articulés en *termes complexes*.

D'un autre côté, la présence de deux acteurs figuratifs, assumant des rôles actantiels comparables de décepteur, ne peut être expliquée que si l'on peut les différencier d'après la nature du destinateur pour lequel chacun d'eux essaie de se faire passer. Ainsi, l'« absinthe » paraît bien être le représentant simulateur du Soleil : non seulement elle implique, par sa participation aux deux termes complexes, la présence occultée de la chaleur et de la rougeur du Soleil, mais la fausse équivalence à laquelle elle aspire se trouve manifestée d'une autre manière, par le parallélisme affiché de deux constructions grammaticales auquel nous avons déjà fait allusion :

« (ciel) plein de *lumière* » $\simeq$ « (ventre) plein *d'alcool* »

reposant sur une double vacuité initiale, cosmologique et noologique.

2. Seule cette homologation autorise, si l'on suit à la lettre le déroulement du texte, le passage d'une isotopie à l'autre, en faisant apparaître, à la place de l'acteur « absinthe », un non-destinateur cosmologique, sous la forme de « brise ».

A ce moment du texte, un nouveau rapprochement paradigmatique s'impose, en effet, entre deux fragments phrastiques, dont le premier a pour sujet le destinateur et le second, son contradictoire :

    (a) « ... le soleil... versait une bonne chaleur... dans le dos... »
    (b) « ... Une brise caressante... chatouillait... le visage... »

Examinons brièvement, un à un, les termes de cette comparaison :
a) On a déjà vu que le destinateur Soleil, agissant « dans le dos » du sujet, en le poussant en avant, lui imprimait, figurativement, une destination, voire un sens de son activité. Le non-destinateur, repré-

sentant de la deixis opposée, apparaît, au contraire, de face et agit sur son « visage ». Deux actants contradictoires voient ainsi leur activité inscrite, figurativement, sur l'axe spatial :

/derrière/ *vs* /devant/

b) Les deux prédicats, comparables par la sensation euphorique qu'ils sont censés reproduire, se distinguent toutefois par l'aboutissement spatial de leur faire : tandis que la « chaleur », dans le premier cas, est « versée » et pénètre l'intériorité du sujet, le « chatouillement » se présente comme un attouchement situé à l'extérieur. Il s'agit, donc d'une opposition de l'*intériorité* et de l'*extériorité*, identifiable à la catégorie :

l'/être/ *vs* le /paraître/

c) La « brise caressante », finalement, bien qu'hyponyme du Ciel-air, porte le masque de non-violence et de tendresse superficielle. En tant que non-destinateur camouflé, mais *présent*, elle est susceptible d'actualiser le /pouvoir-faire/ du sujet.

3. C'est, en fin de compte, « l'air tiède » qui parachève la persuasion du sujet (« achève de le griser »), en créant l'illusion d'un /pouvoir-faire/ susceptible de passer à l'exécution. Le non-destinateur délégué — ou le « faux destinateur », si l'on veut s'en tenir à la terminologie ancienne, mieux motivée, mais moins précise — qu'est la « brise » se trouve ainsi entouré et secouru par des décepteurs. Si leur rôle actantiel et leurs positions syntaxiques nous paraissent suffisamment claires, nous n'avons pas épuisé pour autant leurs ambiguïtés sémantiques : le dernier avatar, et non le moindre, de leur camouflage figuratif à multiples facettes est le plus paradoxal en apparence. En effet, l' « absinthe », qui est un liquide, est la représentation déceptive du Soleil, tandis que la « tiédeur » de l'air, qui semblerait se référer d'abord à la chaleur du Soleil, est une allusion à la non-froideur de l'Eau.

Quoi qu'il en soit, la quête illusoire qu'ils vont maintenant entreprendre, mènera les deux amis vers le Soleil et vers l'Eau.

6. *Le passage à l'acte.*

L'existence de l'actant duel oblige l'énonciateur à utiliser le procédé des « tours de rôle », ou des « tours de parole », pour maintenir l'équilibre entre les deux acteurs. C'est ainsi que, le premier arrêt « cognitif » étant le fait de Morissot, c'est à M. Sauvage qu'il revient maintenant d'exécuter le sien : son arrêt marquera un nouveau progrès narratif, faisant suite au /pouvoir-faire/ illusoire, récemment acquis, et consistera dans le passage à l'acte; lorsque le récit développe, au-dessus de son faire pragmatique, une dimension cognitive autonome, ce passage à l'acte se décompose en un *faire décisionnel* et un *faire exécutif.* Aussi le dernier segment de la séquence recouvre-t-il les deux moments de ce passage à l'acte : la procédure de la décision commence avec le « Si l'on y allait? » de M. Sauvage et s'achève par la séparation somatique des deux amis, qui marque le début de l'exécution.

La décision, qu'il s'agit de prendre à deux, ne peut qu'emprunter la forme du dialogue et s'achever par un accord. Toutefois, étant donné que les deux amis « s'entendaient admirablement sans rien dire », et que le même /pouvoir-faire/ les anime, le dialogue se développera de manière *cataphorique* et servira davantage à actualiser le programme narratif prévu qu'à obtenir le consentement contractuel de Morissot : le « rêve d'évasion » se transforme ainsi en programme d'auxiliation (la traversée des avant-postes).

Car le *contrat*, tel qu'il faut l'inscrire ici, ne se fait pas entre les deux amis, à l'intérieur d'un actant sujet déjà institué, mais entre le destinateur déceptif qui, sous des formes variées que nous avons pu examiner, le suggère et l'impose finalement, et le sujet qui est progressivement installé dans l'espace d'un savoir et d'un pouvoir illusoires. La proposition de M. Sauvage et l'accord de Morissot constituent donc ensemble l'acceptation de ce contrat.

SÉQUENCE IV

La quête

Une heure après, ils marchaient côte à côte sur la grand'route. Puis ils gagnè-
rent la villa qu'occupait le colonel. Il sourit de leur demande et consentit à
leur fantaisie. Ils se remirent en marche, munis d'un laissez-passer.
Bientôt ils franchirent les avant-postes, traversèrent Colombes abandonné,
et se trouvèrent au bord des petits champs de vigne qui descendent vers la
Seine. Il était environ onze heures.
En face, le village d'Argenteuil semblait mort. Les hauteurs d'Orgemont
et de Sannois dominaient tout le pays. La grande plaine qui va jusqu'à Nan-
terre était vide, toute vide, avec ses cerisiers nus et ses terres grises.
M. Sauvage, montrant du doigt les sommets, murmura : « Les Prussiens
sont là-haut! » Et une inquiétude paralysait les deux amis devant ce pays
désert.
Les Prussiens! Ils n'en avaient jamais aperçu mais ils les sentaient là depuis
des mois, autour de Paris, ruinant la France, pillant, massacrant, affamant,
invisibles et tout-puissants. Et une sorte de terreur superstitieuse s'ajoutait
à la haine qu'ils avaient pour ce peuple inconnu et victorieux.
Morissot balbutia : « Hein! si nous allions en rencontrer? »
M. Sauvage répondit, avec cette gouaillerie parisienne reparaissant malgré
tout : « Nous leur offririons une friture. »
Mais ils hésitaient à s'aventurer dans la campagne, intimidés par le silence
de tout l'horizon.
A la fin, M. Sauvage se décida : « Allons, en route mais avec précaution. »
Et ils descendirent dans un champ de vigne, courbés en deux, rampant, pro-
fitant des buissons pour se couvrir, l'œil inquiet, l'oreille tendue.
Une bande de terre nue restait à traverser pour gagner le bord du fleuve. Ils
se mirent à courir; et dès qu'ils eurent atteint la berge, ils se blottirent dans
les roseaux secs.
Morissot colla sa joue par terre pour écouter si on ne marchait pas dans les
environs. Il n'entendit rien. Ils étaient bien seuls, tout seuls.

1. SEGMENTATION PROVISOIRE

Une première segmentation permettant de démarquer les limites de la séquence et de dégager les grandes lignes de son organisation interne, peut être effectuée selon les critères spatiaux. Elle tiendra compte, d'une part, de la distribution générale des espaces, opérée par l'énonciateur lors de la production du texte, et de l'autre, de l'inscription des acteurs dans ces espaces, telle qu'elle se manifeste par leur déplacement.

1. On a déjà vu l'importance qu'il fallait attribuer à la *récurrence* en tant que marque de segmentation : la répétition du fragment textuel « marcher côte à côte », nous a ainsi permis de reconnaître deux sortes de déplacements, le déplacement-promenade caractérisant SQ III et le dépacement-quête, SQ IV. C'est la réitération du fragment en question qui constitue la limite qui sépare SQ IV du texte qui la précède.

A l'intérieur de la séquence, le déplacement du sujet duel se décompose en une suite :

déplacement 1 → arrêt 1 → déplacement 2 → arrêt 2

Les deux arrêts s'y trouvent marqués par la récurrence du lexème « bord », signalant à chaque fois une limite spatiale :

$$\frac{\text{arrêt 1}}{\text{arrêt 2}} \simeq \frac{\text{« au } bord \text{ des champs de vigne »}}{\text{« le } bord \text{ du fleuve »}}$$

2. Les deux déplacements peuvent à leur tour être distingués, en prenant en considération la nature des espaces traversés. En nous tenant provisoirement aux dénominations proppiennes, nous dirons :

$$\frac{\text{déplacement 1}}{\text{déplacement 2}} \simeq \frac{\text{espace « familier »}}{\text{espace « étranger »}}$$

Chacun des arrêts au « bord » d'un nouvel espace est suivi de son exploration visuelle par le sujet cognitif. Il s'agit d'une double exploration, marquée par la récurrence du déictique spatial « en face » : sa première mention correspond à la division de la séquence en deux parties, caractérisées par les deux sortes d'espaces déjà dénommés, tandis que la seconde marque la fin de SQ IV et annonce l'apparition d'un nouvel espace.

3. Deux segmentations différentes sont possibles, selon que l'on considère l'arrêt comme l'aspect terminatif du déplacement qui le précède ou comme l'aspect inchoatif du déplacement qui le suit. Pour mieux tenir compte de l'organisation spatiale de l'ensemble du récit et, par conséquent, pour faire converger les deux critères utilisés, nous prenons le parti de considérer l'arrêt comme une inchoativité, comme une première prise de possession, *cognitive*, de l'espace par le sujet, suivie chaque fois d'une seconde prise de possession, de caractère *somatique*.

2. L'ESPACE FAMILIER

1. *Le laissez-passer.*

1. La quête des deux amis commence par le déplacement, interrompu un moment par la nécessité d'obtenir un laissez-passer.

Ce moment narratif correspond à première vue, si l'on s'en tient à l'enchaînement syntagmatique des fonctions proppiennes, à l'*épreuve qualifiante* prévue après le départ du sujet, et ayant pour conséquence l'acquisition d'un adjuvant. Le « laissez-passer » serait alors cet adjuvant accordé au sujet par le donateur (= le colonel Dumoulin), délégué lui-même du destinateur de la quête.

Or, en réalité, les choses sont plus complexes. Tout d'abord, l'adjuvant, pour être qualifié comme tel, doit être investi d'un contenu modal qui rend le sujet compétent à réaliser, au moins en partie, le programme narratif projeté. Rien de tel dans notre cas où le « laissez-passer » n'est pas en relation directe avec le PN « pêche » : tout au plus aide-t-il à réaliser le PN « évasion », en permettant de quitter l'espace dysphorique pour un autre espace, supposé euphorique. Le départ du sujet, d'autre part, n'est pas non plus un véritable départ, car le /déplacement/, en tant que fonction proppienne, ne se situe qu'après la sortie du sujet de son espace familier; c'est-à-dire, dans notre cas, après le franchissement des avant-postes. La position syntagmatique de l'acquisition du « laissez-passer », que nous examinons en ce moment sur le plan narratif, apparaît par conséquent comme un chaînon antérieur à l'épreuve qualifiante et l'obtention du laissez-passer s'inscrit dès lors dans la problématique du *contrat*.

2. Le contrat se présente, dans sa forme simplifiée, comme une suite de deux énoncés symétriques, reliés entre eux par une relation de présupposition logique :

$$EN_1 = F \text{ prescription/interdiction (Dr} \rightarrow \text{Dre)}$$
$$EN_2 = F \text{ acceptation/refus (Dre} \rightarrow \text{Dr)}$$

Nous dirons qu'il s'agit là d'un *contrat injonctif*, le destinateur communiquant, grâce au cadre ainsi constitué, son /vouloir/ au destinataire que celui-ci est capable d'accepter ou de refuser, /vouloir/ qui, s'il est accepté, prend la forme du /devoir/.

Il n'en va pas de même dans notre cas, qui est caractérisé, d'abord, par la permutation syntagmatique des deux énoncés : c'est le destinataire (les deux amis) qui exprime le premier son / vouloir/, accepté ensuite par le destinateur (le colonel). Ce syntagme narratif peut être formulé de la manière suivante :

$$EN_1 = F \text{ demande (Dre} \rightarrow \text{Dr)}$$
$$EN_2 = F \text{ permission/empêchement (Dr} \rightarrow \text{Dre)}$$

Cette formulation ne rend que très imparfaitement compte de l'ensemble du mécanisme qui se trouve mis en jeu : en effet, tandis que, dans le premier cas, il s'agit d'un /vouloir/ *premier* du destinateur, qui le transmet et l'insuffle en quelque sorte au destinataire, dans le second cas, au contraire, le destinataire se trouve déjà en possession et de son programme narratif et du /vouloir-faire/ qui l'organise. Le destinateur, en présence de ce projet, ne fait qu'exercer un /vouloir/ *second*, en sanctionnant, positivement ou négativement, le /vouloir/ déjà installé du sujet. Nous dirons qu'il s'agit dans ce cas d'un *contrat permissif*, qui ne fait que sanctionner le *contrat injonctif* antérieur.

3. Le récit que nous analysons met donc en évidence l'existence de deux instances contractuelles; le premier contrat fait état d'un *destinateur individuel* et le second, du *destinateur social*, le premier institue le sujet compétent, le second ne fait que l'approuver ou, comme cela peut arriver aussi, s'oppose au /vouloir/ individuel, pour empêcher la réalisation de son programme, et se transforme ainsi en anti-destinateur.

4. La reconnaissance de deux types de contrats et de deux niveaux de destination a pour conséquence le dédoublement de la *structure polémique* de la narration. Si S_1 (les deux amis) se trouve en situation polémique avec S_2 (l'ennemi qu'il va rencontrer), on peut supposer que les deux sujets relèvent chacun à la fois d'un *destinateur individuel*

(représenté dans le récit par des figurations cosmiques) et d'un *destinateur social* (leurs sociétés respectives, dont le colonel Dumoulin et l'officier prussien ne sont que des *délégués*). On peut dire dès lors, en anticipant, que le destinateur social du S_1 représente une *société permissive*, tandis que celui du S_2 est l'émanation d'une *société prescriptive* (l'officier prussien n'opérant que par une succession de commandements).

Le caractère permissif du destinateur social est nettement manifesté dans le texte par le fait qu'il qualifie de « fantaisie » le PN du sujet : la fantaisie, à s'en tenir à la définition courante des dictionnaires, dénote en effet un désir « qui ne correspond pas à un besoin véritable ». Le destinateur n'exige donc pas que le programme individuel soit conforme au PN social du destinateur, il lui suffit qu'il ne soit pas *contradictoire* par rapport à ce programme.

On aurait cependant tort de considérer que le contrat permissif n'entraîne pas d'obligations de la part du destinataire : la suite du récit prouvera le contraire, car le « laissez-passer », devenu un objet de valeur détenu par le sujet et requis par l'anti-sujet y jouera le rôle fondamental. En partant de ce destinateur social, une nouvelle isotopie narrative se constitue et traverse le récit d'un bout à l'autre.

5. Le « laissez-passer » n'en reste pas moins un objet ambigu. Émanation du contrat établi avec le représentant d'une société détenant le pouvoir, il apparaît comme une délégation du /pouvoir-faire/ : la dénomination de « mot d'ordre », dont il est affublé dans la deuxième partie du récit, montre bien qu'il s'agit là d'un adjuvant investi de la modalité du /pouvoir/. Cependant, tout en relevant de ce fait du PN « guerre », il joue un rôle supplémentaire dans le PN « pêche », ménageant ainsi le passage, prévu par l'énonciateur, mais imprévisible pour le sujet installé et pour l'énonciataire, d'une isotopie à l'autre.

D'un autre côté, cet adjuvant investi du /pouvoir-faire/ se présente sous la forme d'un *objet de savoir* qui, du fait de sa communicabilité, est susceptible de devenir un *objet du vouloir* de l'anti-sujet. Nous aurons donc à reprendre plus tard l'examen de ses transformations.

2. *L'organisation spatiale du récit.*

2. 1. *Le franchissement.*

Du point de vue narratif, la « remise en marche » du sujet muni d'un « laissez-passer » annonce le commencement de la quête et apparaît comme un des temps forts du récit. En effet :

a) le franchissement des avant-postes que comporte ce déplacement marque la séparation définitive du sujet avec le destinateur social Paris, soulignée encore par l'expiration des effets du contrat permissif — du fait de l'utilisation du « laissez-passer » — qui les lient;

b) l'arrêt « au bord » des petits champs de vigne constitue une double marque — en tant qu'arrêt en général et en tant qu'arrêt au bord d'un espace — de la disjonction spatiale fondamentale en train de s'effectuer. Une notation temporelle narrativement non pertinente : « Il était environ onze heure » s'y ajoute comme un *indice* d'historicité et de l'unicité de l'événement.

Cependant, ce franchissement de la frontière qui sépare ces deux espaces — l'espace englobé et l'espace englobant — n'est qu'un cas d'espèce de l'articulation générale de l'espace narratif qu'il faut examiner ici.

2.2. *L'espace du conte merveilleux.*

En restant fidèles à la tradition proppienne, les sémioticiens russes, tels que E. Meletinsky et son équipe, considèrent que le départ du héros correspond à la disjonction :

espace familier   vs   *espace étranger*

marquant la séparation du héros de son « chez soi » habituel et sa pénétration dans un « ailleurs » étranger et ennemi.

Sans être fausse, une telle interprétation semble ne correspondre toutefois qu'à une certaine classe de récits — comprenant notamment les contes merveilleux russes — et suppose le concours d'un certain nombre de traits structurels :

a) Une relation de conformité semble être posée entre le destinateur et le destinataire-sujet, conformité caractérisée par la possession en commun d'un même système de valeurs (qui, plus tard, est soit rejeté soit reconnu par le héros).

b) Cette conformité axiologique se trouve consolidée, lors du processus de spatialisation de la structure narrative, par l'attribution aux deux actants ainsi liés d'un espace commun qui sera dit « le leur propre » et que nous traduisons imparfaitement par le terme de « familier ». Par opposition à celui-ci, le « vaste monde » où s'aventure le héros est considéré comme un espace « étranger ».

c) On voit que l'adjectif *possessif*, par lequel les sémioticiens soviétiques cherchent à rendre compte de l'attribution aux deux actants — destinateur et sujet — d'un certain espace narratif commun, exprime parfaitement l'intervention du narrateur qui prend sur lui d'identifier l'espace de l'énonciation (l'*ici* de la narration) avec un certain espace partiel du récit énoncé (l'*ici* du narré), qui est celui du destinateur social. On voit aussi qu'une telle identification ne fonctionne de manière, pour ainsi dire, naturelle, que lorsque le narrateur lui-même est considéré comme *narrateur social*, faisant partie, sociologiquement, de la société du destinateur dont il représente le point de vue. On peut, par conséquent, s'interroger si la distribution topologique, telle qu'elle est proposée pour rendre compte des récits merveilleux russes, n'est pas caractéristique de l'ethno-littérature en général.

Encore le terme d'ethno-littérature n'est peut-être pas suffisamment large, car l'organisation topologique que nous examinons semble recouvrir également certaines narrations appartenant à la « socio-littérature » de nos sociétés développées. Ainsi, à côté des récits dans lesquels le destinateur social projette hors de lui, dans un espace « étranger », le sujet-héros qui en est originaire, on peut ranger de très nombreux westerns où l'Étranger (héros inconnu, non révélé) arrive dans la ville, espace « familier » du destinateur social : conjonction spatiale qui, du fait de la conformité axiologique reconnue, aboutit à l'intégration du sujet-héros.

2.3. *Débrayage et embrayage spatiaux.*

Ce qui permet ainsi de circonscrire et de définir une classe de récits comme caractéristiques du *discours social* (et, en spécifiant davantage, comme relevant de la littérature orale) et d'en exclure éventuellement les objets narratifs propres au *discours individuel*, c'est, on l'a vu, un certain type d'*embrayage spatial*, opéré par le sujet de l'énonciation, qui consiste à reprendre en charge l'organisation topologique du récit-énoncé (résultat d'un *débrayage* initial), pour le rapprocher à nouveau de l'instance de l'énonciation, en identifiant l'espace du destinateur social avec celui du narrateur.

Un tel schéma, très simple, pertinent pour le conte populaire, ne s'applique pas au conte de Maupassant. Ainsi, dans un de ses contes les plus connus, *la Ficelle*, Maître Hauchecorne, alors même qu'il possède son espace familier (sa ferme), lieu de sa mort solitaire, s'en sépare pour se conjoindre avec l'espace du destinateur social, le village. L'existence de deux espaces, également « familiers » ne fait que souligner la contradiction du héros qui se reconnaît à la fois dans deux destinateurs axiologiquement incompatibles : individuel et social.

Il en est de même dans le conte que nous essayons de lire : le dédoublement des destinateurs (sociaux et individuels) y fait éclater le schéma spatial proppien : l'espace « familier » du sujet (deux amis), conforme à celui du destinateur individuel, se trouve figurativement situé « au bord de l'eau », tandis que l'espace « Paris » est, au contraire, commun au sujet et au destinateur social.

Voici les raisons qui nous ont amené, depuis un certain temps déjà, à récuser l'interprétation proppienne comme trop particulière et à proposer, en séparant les deux procédures de *débrayage* et d'*embrayage*, de traiter d'abord l'organisation spatiale du récit-énoncé *stricto sensu*, relevant du débrayage spatial qui objective la spatialité représentée, quitte à envisager ensuite, séparément, les infléchissements de la narration obtenus par les interventions caractéristiques de l'énonciateur.

2.4. *L'espace énoncé.*

La description de la spatialité discursive objectivée peut être conçue comme une distribution topologique, conforme à la définition du récit lui-même et parallèle à son déroulement. En effet, si l'on s'en tient à la définition du récit comme une transformation logique située entre deux états narratifs stables, on peut considérer, comme *espace topique*, le lieu où se trouve manifestée syntaxiquement la transformation en question et, comme *espaces hétérotopiques*, les lieux qui l'englobent, en le précédant et/ou en le suivant. Il est évident que le terme de récit est trop vague et que la définition proposée ne s'applique rigoureusement qu'à un seul programme narratif, en établissant la conformité entre le sujet de ce programme et l'espace qui lui est attribué. Ainsi, lorsqu'il s'agit d'un récit dédoublé, qui croise deux PN autonomes — comme c'est le cas notamment du conte merveilleux russe —, deux espaces topiques peuvent être reconnus : si celui du sujet-héros est situé dans un ailleurs ennemi, l'espace de l'anti-sujet (le « traître ») s'identifie avec celui du destinateur social du héros. Il en sera de même lorsque le récit comporte, comme c'est le cas du conte que nous examinons, deux programmes narratifs enchaînés, programmes dont les actants-sujets sont incarnés dans un seul acteur (deux amis) : l'espace topique, dans la première partie du récit, est représenté par « le bord de l'eau » et, dans la deuxième partie, par « l'île Marante ».

Une sous-articulation de l'espace topique paraît, d'autre part, souvent nécessaire : en délimitant avec précision un *espace utopique*, lieu fondamental où le *faire* de l'homme peut triompher de la permanence de l'être, le descripteur se ménage la possibilité de le distinguer des *espaces paratopiques*, emplacement des épreuves préparatoires ou qualifiantes, sortes de lieux médiateurs entre les pôles de la catégorisation spatiale. Ceci admis, l'articulation de l'espace énoncé apparaît comme la projection objectivante du dispositif des déictiques spatiaux, originairement rattaché à l'instance temporelle de l'énonciation :

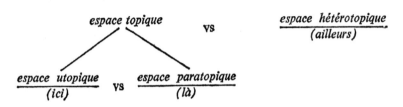

Pour revenir à notre texte, on voit que le franchissement des avantpostes inaugure l'articulation topologique du récit : dénotant l'abandon de l'espace hétérotopique représenté par l'englobé « Paris », il est en même temps l'ouverture sur l'espace paratopique, lieu médiateur qu'il faut traverser pour retrouver, dans le cadre de la quête entreprise par les deux amis, l'espace utopique qui est pour S_1 « le lieu de ses rêves ».

3. L'ESPACE TOPIQUE

1. *Nouvelle segmentation.*

1. A l'instar du sujet de l'énonciation, le lecteur peut, lui aussi, marquer ici un temps d'arrêt, ne serait-ce que pour récapituler l'acquis de sa lecture. On se souviendra qu'en commençant l'examen de cette séquence, nous avions proposé une segmentation provisoire du texte en l'organisant, selon le critère pragmatique, comme dédoublement d'un arrêt suivi d'un déplacement, effectués par S_1. Arrivé à ce point du récit, nous sommes en mesure d'interpréter la première partie de la séquence en homologuant les marques de la segmentation, relevées sur le plan discursif, avec le déroulement figuratif et proprement narratif du texte :

100

plan discursif	arrêt	déplacement
plan figuratif	obtention du laissez-passer	franchissement
plan narratif	syntagme contractuel	énoncé disjonctif

Cette partie du PN étant située dans l'espace hétérotopique, il nous reste donc à analyser la deuxième partie de la séquence, comportant le PN lié à l'espace topique.

2. Une nouvelle marque de segmentation apparaît alors sous la forme du déictique « en face » qui, en se répétant, englobe la deuxième partie de la séquence, qui se divise, on l'a vu, selon la catégorie :

arrêt vs *déplacement*

la limite en étant désignée par « Allons, en route! ».

Pour consolider cette dernière division, on peut lui reconnaître une opposition paradigmatique : s'agissant, dans les deux cas, d'une exploration, d'une appropriation de l'espace, celle-ci est, dans le premier cas, statique et visuelle et, dans le second cas, dynamique et kinésique. Parallèlement à l'articulation pragmatique du récit qui oppose l' /immobilité/ au /mouvement/, une nouvelle dimension, cognitive, de la narration apparaît ainsi et se superpose à la dimension proprement événementielle. Car, du point de vue de la narrativité événementielle, l'ensemble du texte, tel qu'il est entouré par les deux déictiques « en face », ne comporte qu'un seul énoncé narratif, celui qui dénote le déplacement du S_1 d'un espace à l'autre. Le *faire cognitif* se substitue alors au faire pragmatique et se déploie le long du texte, en l'articulant, selon qu'il s'agit du :

faire interprétatif vs *faire persuasif*

en deux sous-programmes déjà reconnus grâce à d'autres critères. Nous y reviendrons. En attendant, et pour pouvoir poursuivre l'analyse, nous distinguerons, à l'intérieur de cette deuxième partie de la séquence, deux *segments complexes*, dénommés arbitrairement :

arrêt interprétatif vs *déplacement persuasif*

101

2. Arrêt interprétatif.

Ce segment complexe se compose en apparence — bien que les limites textuelles en soient parfois difficiles à tracer — de quatre segments que l'on peut brièvement résumer ainsi :

Seg 1 : description de l'espace topique
Seg 2 : notification de la suspension de la quête
Seg 3 : présentation de l'actant collectif « Les Prussiens »
Seg 4 : évocation de l'éventualité de la rencontre

Nous allons donc examiner le texte selon ce schéma qui n'est aucunement justifié.

2.1. *L'exploration de l'espace topique.*

1. La pénétration de S_1 dans l'espace topique est accompagnée, on l'a vu, d'un *arrêt* de celui-ci lui permettant son exploration visuelle. Le résultat de cette exploration, à regarder d'un peu plus près le texte, provoque à son tour une « *paralysie* » de S_1, c'est-à-dire l'incapacité d'agir dans le sens du PN prévu. Entre l'arrêt voulu et l'immobilité forcée, il s'est donc passé quelque chose produisant une transformation dans le *contenu modal* de S_1 et, plus précisément, au niveau de la modalité du /pouvoir/, qui se trouve déniée comme :

$$/\text{pouvoir-faire}/ \quad \Rightarrow \quad /\text{non-pouvoir-faire}/$$

Étant donné que l'événement qui précède cette perte du pouvoir est une exploration cognitive de l'espace, c'est donc une transformation au niveau du /savoir/ de S_1 qui conditionne son nouvel état de /non-pouvoir-faire/. Autrement dit, le segment que nous avons désigné comme « description de l'espace topique » doit être lu comme une *opération cognitive* aboutissant à l'acquisition d'un certain savoir : loin d'être un « morceau descriptif » qui nous serait directement offert par le sujet de l'énonciation — et malgré l'illusion référentielle forte qu'il cherche à produire, en peuplant le texte d'un grand nombre de toponymes —, le segment rend compte, au contraire, du faire cognitif (de caractère interprétatif) du sujet installé dans le récit-énoncé. Ainsi, la phrase inaugurale : « le village d'Argenteuil *semblait* mort » a pour sujet sémantique S_1 (les deux amis).

2. A ne prendre en considération, pour commencer, que le déictique « en face », on s'aperçoit qu'au lieu d'être un simple indicateur

de deixis, il est en réalité ce que nous avons appelé ailleurs un *topolo-gique*, c'est-à-dire un élément relationnel organisateur de l'espace. En effet, « en face » non seulement présuppose un sujet situé sur l'axe horizontal et se trouvant dans une position de *prospectivité*, mais il renvoie en même temps à « ce qui est en face », à un objet d'exploration, situé sur le même axe. Pour peu qu'on anthropomor-phise cet objet, l' « en face » se change en un « face à face », situation qui correspond à l'énoncé narratif marquant la *confrontation* de deux sujets. Sans trop solliciter ce topologique qui ne fait que mettre en place un schéma relationnel prévoyant une position actantielle pour un éventuel anti-sujet, on peut dire toutefois, dans la mesure où la suite de l'analyse le confirme, qu'il est susceptible de fonctionner comme un *cataphorique* discursif annonçant, sans les nommer, à la fois, un certain lieu personnifié et une présence humaine.

3. Examinons d'abord le *signifiant* spatial. A côté de la *dimension horizontale* sur laquelle est situé le village d'Argenteuil, dimension introduite par « en face », l'espace topique exploré en comporte une autre, la *dimension verticale*, reconnaissable par l'opposition des « hauteurs », « des sommets » d'Orgemont et de Sannois et de « la grande plaine (qui va jusqu'à Nanterre) ». Cette articulation de l'espace en dimensions comporte également le plan du *signifié*, dont certains termes seulement sont précisés par des attributions qualifiantes. Ainsi, sur la dimension horizontale prospective, seul le terme /devant/, représenté par Argenteuil, est connoté comme « mort », tandis que, sur la dimension verticale, c'est le terme /bas/ qui porte les qualifi-cations « vide », « nu », deux interprétations spatiales *dysphoriques* s'il en est.

Or, la figuration spatiale de la quête projetée implique justement une *avancée* sur le plan horizontal et une *descente* (soulignée par l'ité-ration du verbe « descendre ») sur le plan vertical. Si l'on considère que la quête était envisagée comme un déplacement *euphorique*, on voit que le supplément d'information apporté par l'interprétation cognitive — car c'est de cela qu'il s'agit — de l'espace ne fait que mettre brusquement en présence deux estimations contraires de celle-ci : la quête, euphorique en tant qu'espérée, devient dysphorique en tant qu'attendue. Une vision prémonitoire résulte de cette explo-ration de l'espace topique : le point d'aboutissement du projet, exprimé dans le « langage spatial », connote (en surimpression) « le lieu des rêves », à la fois par des termes de « mort » et de « vide ». Il suffit, en effet, de rapprocher deux phrases à structure syntaxique identique, situées au commencement et à la fin de notre sous-séquence :

103

« (La grande plaine) était *vide*, toute vide... »

et

« (Ils) étaient bien *seuls, tout seuls* »

pour pouvoir homologuer l'espace et l'acteur qui en est le possesseur, comme se trouvant dans un rapport d'englobant à englobé :

$$\frac{/englobant/}{/englobé/} \simeq \frac{\text{« viduité » »}}{\text{« solitude}}$$

et annonçant la mort solitaire des deux amis.

4. On remarquera cependant que le terme /haut/, de la dimension verticale, est traité, à la surface, de manière quelque peu différente des autres : tandis que les termes spatiaux /devant/ et /bas/ portent des qualifications qui leur sont attribuées dans le cadre d'énoncés d'état, le terme /haut/ se présente comme le sujet d'un énoncé de faire :

« les *hauteurs* d'Orgemont et de Sannois *dominaient* tout le pays. »

L'analyse sémantique montrerait pourtant que, malgré sa forme transitive de surface, la structure de l'énoncé est en réalité, au niveau plus profond, celle d'un énoncé d'état, comparable, par exemple, à celle de « Jean est plus grand que Pierre ». Un tel énoncé d'état, bien connu des logiciens, se distingue des autres par deux traits spécifiques : (*a*) il comporte deux actants au lieu d'un seul et (*b*) la relation-fonction qui les relie est orientée et va d'un actant à l'autre (ce qui explique la forme d'énoncé de faire qu'il prend à la surface).

On voit dès lors que, dans la mesure où l'investissement sémantique peut porter soit sur les termes actantiels soit sur la fonction, nous disposons de deux manières pour représenter cet ensemble relationnel :

soit : $F (A_1 : \text{supérativité} \rightarrow A_2 : \text{inférativité})$
soit : $F \text{ « domination » } (A_1 \rightarrow A_2)$

cette dernière formulation ouvrant la possibilité de transfert de la structure relationnelle d'un champ sémantique à l'autre et expliquant ainsi son fonctionnement comme une catégorie de « logique concrète ». Ainsi, dans le cas qui nous préoccupe, la /domination/ fonctionne comme une expression spatiale de la modalité du /pouvoir-être/ attribuée à un éventuel espace ennemi. Sur le plan prémonitoire, l'exploration de l'espace qui avait déjà laissé prévoir, grâce à la présence du topologique « en face », un affrontement probable, insinue maintenant, par la présence du terme /dominant/, l'éventualité d'un état de /dominé/. Sur le plan figuratif, le terme spatial de /dominant/, par le truchement de la catégorie /contenant/ *vs* /contenu/ prépare l'apparition d'un anti-sujet *puissant*.

2.2. *Le faire interprétatif.*

L'examen attentif du *Seg 1* nous a permis de reconstruire, d'une certaine manière, le modèle dimensionnel de l'espace placé en représentation devant S_1. Cette analyse du signifiant spatial a mis en évidence, d'autre part, l'existence d'un signifié spatial, corrélé terme à terme aux catégories du signifiant. Il nous reste maintenant à étudier de plus près les procédures d'aperception de cet espace, c'est-à-dire, en somme, les voies et moyens par lesquels le sujet l'appréhende et l'interprète sur le plan cognitif. Il est bien entendu qu'il s'agit là des procédures situées sur le plan de l'imaginaire et mises en place par le sujet de l'énonciation et que notre analyse ne peut chercher qu'à construire le simulacre d'une telle représentation.

2.2.1. *Variations d'isotopies.*
Considérons la première phrase de ce segment :

« En face, le village d'Argenteuil semblait mort. »

Le topologique « en face », on l'a vu, présuppose l'existence d'un sujet confronté avec un objet sur la nature duquel il est appelé à se prononcer :

(1) F topologique (S : deux amis → O : village d'Argenteuil)

A la suite de cet examen visuel, le sujet portera sur l'objet un jugement d'existence qui pourra avoir la forme d'un énoncé qualificatif :

(2) Q mort (A : village d'Argenteuil)

Une telle formulation qui cherche à rendre compt۰ du phénomène linguistique de surface, n'est pas correcte, car il ne s'agit ni de la vie ni de la mort du village d'Argenteuil, mais d'un espace dénommé

« Argenteuil », que le sujet considère comme un /englobant/ susceptible de comporter un /englobé/ sur lequel, en réalité, se trouve porté
le jugement « mort ». Il nous faut donc, en procédant à la lecture de
l'objet, représenté par l'acteur figuratif « village d'Argenteuil »,
opérer la substitution de l' /englobant/ par l' /englobé/.

(3)   A /englobant/ ⇒ A /englobé/

Il s'agit là de la procédure de *conversion* qui permet le passage d'une
isotopie sémantique à l'autre : nous dirons que la catégorie /englo-
bant/ *vs* /englobé/ est un *connecteur d'isotopies*. En effet, la conversion ne se situe pas à l'intérieur du seul acteur « village d'Argenteuil »,
la nouvelle isotopie de lecture s'applique à l'ensemble du segment.
Le terme /englobé/ se trouve, d'autre part, qualifié de « mort » : on
peut dire que la catégorie sémique /mort/ *vs* /vivant/ est une catégorie
contextuelle qui est sous-tendue non seulement au prédicat mais
aussi à l'actant-sujet de l'énoncé. L'objet de l'appréhension cognitive comporte donc en apparence, outre le sème/ englobé/, un des
termes de la catégorie /mort/ *vs* /vivant/ :

(4)   A = /englobé/ + /mort *vs* vivant/

Cependant cette interprétation sémantique ne permet pas encore
de donner une formulation définitive à l'énoncé qualificatif (2), parce
que la catégorie /mort/ *vs* /vivant/ n'est que l'expression figurative de
la catégorie abstraite /absent/ *vs* /présent/, obtenue par une conversion qui utilise le *connecteur métaphorique*, permettant le passage
d'une isotopie à l'autre, grâce à l'existence d'au moins un sème commun, situé sur les deux isotopies à la fois. On peut même tenter
d'expliquer le choix du terme « mort », comme substitut d' /absent/,
par le fait que « mort », comportant à la fois le sème /absent/ et le
sème /dysphorie/, était acceptable pour manifester syncrétiquement
les deux structures se réalisant dans le même segment textuel : la
structure de la dimensionnalité spatiale, déjà examinée, dont il
connote le terme /horizontal + prospectif/, et la structure cognitive
que nous sommes en train d'étudier. Nous sommes ainsi en mesure
de rendre compte de la conversion :

(5)   A /figuratif/ ⇒ A /abstrait/

permettant de réécrire l'énoncé (2) de la manière suivante :

(6)   Q absence [A : /englobé/ + /vivant/]

106

Cette analyse minutieuse — et qui peut paraître tâtillonne à certains — a un double but : il s'agit de montrer, d'une part, par un exemple concret, la distance considérable, comportant des parcours structurels multiples, qui sépare la manifestation d'un texte dans une langue naturelle de sa *représentation sémantique*; d'autre part, de rendre évidente en même temps l'existence d'un niveau de lecture cognitif se détachant sur le fond de la spatialité, déjà signifiante par elle-même.

2.2.2. *La relation fiduciaire.*

1. On voit bien que le regard du sujet qui explore l'espace ne cherche qu'à détecter, par des indices que celui-ci lui offre, la présence — ou l'absence — humaine et que les attributions conférées successivement aux différents termes spatiaux portent, sur le plan figuratif, la marque de ces préoccupations. Ainsi, la présence éventuelle d'un anti-sujet est examinée et évaluée dans les trois positions spatiales :

/horizontalité prospective/	→ /verticalité supérative/	→ /verticalité inférative/
« mort »	« dominaient »	« vide »
/absence/	/absence/ ou /présence/	/absence/

Pour deux positions spatiales sur trois, la présence humaine se trouve niée et le jugement d'existence qui y est porté se transforme donc en un jugement de non-existence. On peut noter, dans ces cas, le résultat de l'exploration cognitive comme le constat de non-existence de l'objet visé, et le savoir acquis par le sujet comme portant sur la non-existence que nous avons pris l'habitude de désigner par :

$$\text{savoir } (\bar{e} + p)$$

étant entendu que ce savoir est relatif aux deux « plages » — prospective et inférative — de l'espace exploré.

2. A cet endroit, il faut insister sur le fait que le savoir ainsi acquis n'est pas un donné immédiat, mais le résultat d'une interprétation. En effet, « le village d'Argenteuil *semblait* mort » aux yeux des spectateurs qui savent que, de l'espace examiné, ils ne perçoivent que des apparences, qu'il leur faut, à partir de ce plan du /paraître/ inférer le plan de l' /être/. Si l'on désigne le plan du paraître comme le *plan phénoménal* et celui de l'être comme le *plan nouménal*, — tout en gardant à ces deux termes le sens d'existence sémiotique — on dira que le faire interprétatif consiste à passer d'un plan à l'autre, à établir, en assertant successivement l'un et l'autre des deux modes d'exis-

tence, une *relation fiduciaire* entre les deux plans. C'est cette relation, en effet, qui, diversement articulée, est constitutive d'un champ de *valeurs fiduciaires*, lexicalisées en français comme : « certitude », « conviction » « doute », « hypothèse », etc., champ de surdéterminations modales, dont il est difficile encore d'imaginer l'économie.

3. Le résultat tangible de ce premier examen théorique est d'abord la méfiance que doivent nous inspirer les diverses lexicalisations dénotant les formes d'existence phénoménale, telles que « sembler », « paraître », « passer pour », etc., ne serait-ce que parce qu'elles recouvrent souvent l'ensemble du schéma représentant le *faire* interprétatif qui est, on l'a vu :

$$Ph \longrightarrow rf \longrightarrow No,$$

où

$$
\begin{aligned}
Ph &= \text{mode d'existence phénoménal} \\
No &= \text{mode d'existence nouménal} \\
rf &= \text{relation fiduciaire}
\end{aligned}
$$

Ainsi, dans le cas du village d'Argenteuil qui « *semblait* mort », l'exploration cognitive part, manifestement, du plan phénoménal. Mais, lorsqu'il s'agira de procéder de la même façon en parlant de « la grande plaine », on se contentera de dire qu'elle « *était* vide, toute vide... », etc.; le verbe « être », tout en manifestant le plan nouménal, rend compte en premier lieu de la relation fiduciaire. Ce qui est changé ici par rapport à Argenteuil qui « semble » mort, c'est le degré de certitude portant sur le « vide » de la grande plaine, et non le processus interprétatif lui-même.

Ne disposant pas de la catégorisation assurée des valeurs fiduciaires, nous ne savons pas très bien comment noter cette variation de « degrés de certitude » permettant de distinguer les deux *faires* interprétatifs. Aussi nous contenterons-nous d'indiquer séparément, en utilisant les mêmes symboles *e* et *p*, les modes d'existence d'abord phénoménale, ensuite, nouménale. Ainsi, le savoir du sujet peut être décrit relativement à la présence humaine :

1. Dans la position prospective :

$$\text{savoir } (p) \longrightarrow (\bar{e} + \bar{p})$$

2. Dans la position inférative :

$$\text{savoir } (e) \longrightarrow (\bar{e} + \bar{p})$$

2.2.3. *Actualisation de l'antactant.*

1. En parlant de la position supérative (« les hauteurs d'Orgemont et de Sannois »), nous avons noté par /absence/ ou /présence/ la *suspension* du *faire cognitif* qui la caractérisait. Le procédé de l'énonciateur, qui consiste à laisser ainsi une case vide, peut être considéré comme un des « ressorts dramatiques », créateur de tension, relevant de l'écriture de surface. Rien d'étonnant à ce que cette position soit reprise un peu plus loin par un parasynonyme lexical (« les hauteurs » → « les sommets ») et qu'une interprétation nouvelle et définitive lui soit conférée avec insistance (accompagnée d'un geste déictique). La transcription en est simple, le savoir du sujet étant :

$$\text{savoir (e)} \implies (\bar{e} + \bar{p})$$

ce qui exprime, d'un côté, la /certitude/, au niveau fiduciaire, et la /présence/ cachée, de l'autre.

2. Le sens global du segment apparaît maintenant avec netteté. Placé à l'intérieur de la séquence que nous avons dénommée, non sans raison, *la Quête*, le segment, situé sur le plan cognitif, se présente comme une sorte de contre-quête, comme une recherche de l'anti-sujet. L'exploration visuelle du paysage postulait implicitement une présence humaine *virtuelle*, présence qui, étant donné les connotations dysphoriques des dimensions spatiales, ne pouvait être qu'*hostile*, mais que le *faire cognitif* avait réussi à dénier. Un emplacement disponible, marqué par la catégorie de la /domination/, n'était d'abord donné que comme une *virtualité de présence*, pour être transformé en une *présence actualisée*. L'antactant, doté d'abord, figurativement, de la modalité du /pouvoir-être/, se trouve revêtu d'un nom propre et devient un acteur.

3. Sur le plan de l'actualisation, le sujet S_1 se trouve donc confronté avec un anti-sujet, S_2, ou plutôt avec un anti-destinateur social dont émanera plus tard, par délégation, un anti-sujet *réalisé*. Cette confrontation laisse toutefois prévoir, par anticipation, l'éventualité d'une épreuve que S_1 aura à surmonter. Nous verrons ce qu'il en est.

2.3. *L'anti-destinateur social.*

1. Une interprétation verbalisée : « Les Prussiens sont là-haut ! » sert de *cataphorique* pour introduire un segment intercalaire, annoncé par la reprise du nom propre, qui peut être considéré comme une définition en expansion de la dénomination « Prussiens ». Toutefois, il s'agit là en même temps du passage de la *dimension pragmatique* de la

narrativité — qui comprend, évidemment, à la fois la gestualité et le comportement verbal — à sa *dimension cognitive et volitive*, où se trouvent situés les « états d'âme » et les événements « intérieurs ». Nous n'insisterons pas sur les caractéristiques de ce « langage intérieur » : d'autres avant nous ont étudié ce qu'il est convenu d'appeler le « discours indirect libre »; on voit qu'il s'agit là d'une procédure particulière, assez complexe, de *débrayage*, qui consiste, de la part du sujet de l'énonciation, à déléguer d'abord la parole à un sujet de l'énoncé installé dans le discours, et à la reprendre ensuite, en l'embrayant, pour parler en son nom, mais comme s'il s'agissait non plus d'un « je », mais d'un « il » quelconque, c'est-à-dire en maintenant le *débrayage actantiel*.

2. Il nous paraît, au contraire, intéressant de relever que le segment intercalaire se présente, en même temps que la définition des « Prussiens », comme l'expansion d'un autre *cataphorique*, l' « inquiétude ». Tout se passe, en effet, comme si l'antagoniste — l'*antidonateur*, dirions-nous, en inversant la terminologie de Propp — dont la présence n'est qu'actualisée, et non réelle, était susceptible d'exercer un faire sur S_1, dont le résultat manifeste était cette « inquiétude paralysante ». Ce fait explique alors les raisons pour lesquelles le segment intercalaire se présente comme un *micro-récit* autonome.

3. Pour résumer brièvement ce micro-récit, il suffira peut-être d'en énumérer les principales caractéristiques :

a) Il comporte la confrontation de deux acteurs collectifs : « les Prussiens » et « Paris », déterminée spatialement par la catégorie /englobant/ *vs* /englobé/ (cf. « autour de Paris »).

b) Il reprend à son compte la relation /dominant/ *vs* /dominé/ et effectue l'homologation :

| Les hauteurs | : | dominaient | : | tout le pays |
| Les Prussiens | : | ruinaient | : | la France |

en transformant toutefois un /pouvoir-être/ en un /pouvoir-faire/, ce qui a pour effet de narrativiser un état statique.

c) Il reprend aussi les qualifications dysphoriques de l'espace (« mort », « vide », « désert »), pour les transformer en fonctions-prédicats décrivant un faire : « pillant, massacrant, affamant ».

d) Il présente le savoir de S_1 sur cet ennemi comme :

$$\text{savoir (p)} \implies (\bar{p} + e) :$$
« Ils n'en avaient jamais *aperçu* mais ils les *sentaient là*. »

110

e) A la suite de ce faire destructeur, un actant s'institue dans son être, à la manière d'une « image de marque » : c'est le moment de la reconnaissance proppienne, de la glorification du héros. Et, en effet, les Prussiens sont reconnus comme « invisibles et tout-puissants ». On voit immédiatement que ces caractéristiques, comparables aux attributs de Dieu, confèrent à l'anti-destinateur une dimension du sacré, et la « terreur superstitieuse » n'est que le contre-don de la reconnaissance glorifiante du héros.

Nous voilà donc revenus à notre point de départ, à l' « inquiétude » qui paralyse les deux amis.

2.4. *L'épreuve qualifiante.*

Après avoir admis que la fonction discursive du segment intercalaire était l'interprétation de l' « inquiétude » provoquée par les Prussiens, et que le segment pouvait par conséquent être remis dans l'emplacement textuel réservé à ce lexème, le reste de la sous-séquence, que nous avons intitulée « Arrêt interprétatif », constitue une suite d'énoncés que l'on peut présenter, en résumé, comme :

(1) « inquiétude »
(2) « gouaillerie »
(3) « hésitation »

Essayons de les analyser un à un.

2.4.1. *L'inquiétude.*

Le contenu d' « inquiétude », tel qu'il se trouve explicité dans le segment intercalaire, apparaît comme un *état complexe*. Il est composé de :

a) la *haine* « qu'ils avaient pour ce peuple inconnu et victorieux » et
b) la *terreur superstitieuse* (qu'ils éprouvaient devant les Prussiens « invisibles et tout-puissants »).

Ce sont là deux « sentiments » dotés d'une *intensité* extrême, en contradiction affichée avec la douceur impliquée par le PN « pêche » : seul le changement de programme narratif, le passage du PN « pêche » au PN « guerre », dû à l'apparition, qui n'est qu'actualisée, des Prussiens, peut en rendre compte. En s'adressant aux dictionnaires, on peut noter que, si la *terreur* est « une peur extrême », la *haine*, elle, est « une vive inimitié qui porte à souhaiter ou à faire du mal à quelqu'un ». Si l'on cherche ensuite à reconnaître le minimum de traits pertinents permettant d'opposer ces deux lexèmes, on s'aperçoit qu'ils peuvent être inscrits, chacun à son tour, en tant que prédicats, dans des énoncés à deux actants, et qu'ils établissent ainsi une relation *orientée* entre eux, la « haine » allant de S_1 à S_2, tandis que la « terreur » a sa source dans S_2 et affecte S_1 :

$$E_1 = F \text{ haine } (S_1 \longrightarrow S_2)$$
$$E_2 = F \text{ terreur } (S_1 \longleftarrow S_2)$$

On notera, d'autre part, que « haine » et « terreur » relèvent, l'un comme l'autre, de la modalité du /vouloir/ et que, après réduction sémique, les deux termes paraissent s'opposer, en tant que prédicats, comme :

$$/\text{désirer}/ \quad vs \quad /\text{craindre}/$$

Si /désirer/ peut être considéré comme une certaine lexicalisation de *vouloir*, /craindre/ n'est pas un *non-vouloir*, mais un *vouloir contraire* qui ne s'interprète, on l'a vu, qu'à l'intérieur d'une structure syntaxique postulant la réciprocité des sujets antagonistes. Dès lors, on peut dire qu'à la suite de l'actualisation de l'anti-sujet, notre S_1 se trouve investi, de manière concomitante, de deux *vouloirs contraires*, qui constituent un terme complexe — ou un terme neutre — de l'*état volitif* du sujet.

Si l'analyse narrative a montré que le *désir* pouvait être homologué, sur le plan figuratif, avec le *déplacement prospectif*, il est normal de proposer l'homologation de la *crainte* avec le *déplacement rétrospectif*, de telle sorte que :

$$\frac{/\text{désir}/}{\text{avance}} \quad \begin{array}{c} vs \\ vs \end{array} \quad \frac{/\text{crainte}/}{\text{fuite}}$$

Il est facile de comprendre dès lors que l' « inquiétude », qui subsume cet état volitif complexe, provoque, sur le plan somatique, la « paralysie » (le verbe « paralyser » signifiant « immobiliser », « rendre incapable d'agir »).

Tel est le premier résultat de la présence agressive de l'anti-sujet.

2.4.2. *La gouaillerie.*

1. La réponse à cette agression se manifeste sous la forme de la « gouaillerie parisienne » : pour faire face à l'*anti-destinateur social*, le *destinateur social* (introduit à l'aide de l'adjectif « parisien ») fait son

apparition. La production verbale dont se charge M. Sauvage peut bien être individualisée quant à son contenu, elle n'en reste pas moins une « attitude mentale », c'est-à-dire une forme idéologique propre au destinateur collectif.

Cette intervention se situe, ne l'oublions pas, au moment même où la quête faisant partie du PN « pêche » se trouve brutalement suspendue du fait de l'apparition de l'anti-sujet qui actualise un autre programme, complètement différent, le PN « guerre », les deux programmes s'opposant, malgré leur véridiction différente, comme :

paix vs guerre

C'est l'acceptation de ce nouveau PN et, du même coup, d'une nouvelle isotopie sémantique que signale l'exclamation de Morissot : « Hein! si nous allions en rencontrer? » La réponse de M. Sauvage constitue, au contraire, le passage, commandé par la « gouaillerie parisienne », d'une isotopie à l'autre, effectué à l'aide du *connecteur antiphrastique* qui consiste à offrir à la manifestation les termes contraires à ceux qui sont attendus sur l'isotopie première, à opérer les substitutions :

> guerre ⟶ paix;
> inimitié ⟶ amitié;
> affrontement ⟶ rencontre amicale;
> appropriation ⟶ don, etc.

Remarque : On verra que le *don*, terme *antiphrastique*, sera repris par la suite et aura une réalisation *antithétique*. Ce n'est qu'un trait de plus à ajouter au caractère prémonitoire du texte de Maupassant.

2. Cette gouaillerie parisienne ressemble d'ailleurs d'assez près à l'« esprit français » du XVIIIe siècle qui était, lui aussi, de nature antiphrastique, consistant à n'attribuer, en paroles, aucune importance aux choses graves, et inversement. Ce qui nous intéresse, c'est l'endroit précis du texte où elle est introduite. Or, nous avons déjà noté qu'elle se présentait comme la réponse de « Paris » à l'attaque des « Prusiens ». L'agression de l'*anti-destinateur* ayant eu pour effet de produire la « terreur superstitieuse », la réplique du *destinateur* « Paris » consiste à *désacraliser* l'image de l'ennemi « invisible et tout-puissant » : l'humour n'est pas seulement le meilleur antidote contre la peur, il est chargé ici d'une fonction narrative précise : en déniant le vouloir

contraire hypostasié, il restitue au S_1 son /vouloir-faire/ premier, son désir de poursuivre la quête.

2.4.3. *L'hésitation.*

1. La preuve que quelque chose s'était passé à cet endroit sur le plan narratif est fournie par l'apparition du disjonctif « mais », dont la signification est à peu près la suivante : « (ils étaient prêts à poursuivre leur avance), mais ils hésitaient... ». Cette transformation est d'ailleurs visible si l'on compare les deux « états d'âme », celui qui précède et celui qui suit la « gouaillerie » :

« *paralysie* »	vs	« *hésitation* »
« *inquiétude* »	vs	« (état de celui qui est) *intimidé* »
« devant le pays *désert* »	vs	« par le *silence* de tout l'horizon »

On notera facilement l'affaiblissement général des termes utilisés dans la deuxième phrase, dû à la disparition du sème/intensité/ sous l'action de la démystification opérée, la « terreur » cède la place à la peur normalement ressentie devant la présence supposée de l'ennemi : l'appréhension *visuelle* de l'espace (« ce pays désert ») qu avait amené le sujet à lui reconnaître l'attribut sacré d' « invisible » est remplacée par l'exploration *auditive* de celui-ci (« le silence de tout l'horizon ») qui, partant du savoir acquis que l'ennemi *est* et *ne paraît pas* /e + p̄/, cherchera les marques de sa présence sur un autre plan; à la « paralysie », finalement, qui est une « incapacité d'agir », se trouve substituée l' « hésitation », qui n'est qu'une « suspension d'action ».

2. En somme, on peut dire que ce qui caractérisait le premier état c'était la suspension du /vouloir-faire/ du sujet, que l'intervention du destinateur parisien a permis de rétablir; ce qui caractérise le deuxième état, c'est la suspension du /pouvoir-faire/ conditionné par l'état cognitif, par le /savoir/ pesant le pour et le contre. C'est cette modalité du /pouvoir-faire/, actualisée mais inopérante, qui passera à l'état de *réalisation* lors de l'acte de *décision* qui apparaît ainsi comme un faire transformateur, situé sur la dimension cognitive.

3. Ainsi, cette victoire sur la peur apparaît comme une véritable épreuve qualifiante : située sur l'isotopie de la « guerre », elle a insti tué le sujet en tant que « héros », dont les performances ne seront man festées que dans la deuxième partie du récit. Bien que située sur l dimension noologique, à la fois cognitive et volitive, l'épreuve n'en occupe pas moins sa place dans l'espace paratopique, conformément par conséquent, aux prévisions du schéma proppien. La difficulté

LA QUÊTE

que nous avons éprouvée à dénommer l'actant antagoniste — anti-sujet confronté au sujet, anti-destinateur par rapport au destinateur parisien, — se trouve en même temps résolue : l'antagoniste joue le rôle actantiel d'*anti-donateur*, permettant au sujet de surmonter, sur le plan de l'*actualisation*, les épreuves auxquelles il aura à faire face plus tard, sur le plan de la *réalisation*.

Malgré la complexité du conte littéraire, comparé au conte oral, malgré l'introduction de nombreuses variables nouvelles, la stabilité du schéma narratif général est étonnante.

3. *Le déplacement persuasif.*

3.1. *Le programme pragmatique.*

1. C'est avec un « Allons, en route! » que commence l'exécution du programme primitif, suspendu dès le début à cause des problèmes de la compétence que le sujet était amené à résoudre auparavant. Cette quête est, avons-nous dit, une *descente*, avec toute l'ambiguïté de ce terme : parce que le lieu /bas/ est le lieu euphorique rêvé, mais aussi parce que c'est un lieu *vide* et menaçant, dominé qu'il est par l'anti-destinateur.

Le déplacement se déroule par conséquent sur les deux isotopies à la fois : sur celle de la *paix*, car son objet est la pêche et sur celle de la *guerre*, car il s'effectue « avec précaution », c'est-à-dire, littéralement, (d'après les indications des dictionnaires), « selon l'art de la guerre ».

2. L'espace topique, en effet, est rempli de présences supposées et soupçonnées : le comportement somatique de S_1 s'en trouve dédoublé. C'est, d'une part, une pratique signifiante, une activité dont la *signification* relève du *sujet* et lui est destinée; mais c'est aussi un comportement qui est organisé en vue de la *communication* avec l'anti-sujet. Sur le programme du *faire pragmatique* se greffe ainsi un programme du *faire cognitif*.

3. Le programme pragmatique est simple : il s'agit en fait de la spatialisation de l'énoncé narratif visant la conjonction de S_1 avec O_1, l'objet de valeur qui est à l'origine de la quête :

$$F \text{ trans } [S_1 \longrightarrow (S_1 \cap O)]$$

le faire transformateur du sujet étant représenté figurativement comme le parcours de l'espace paratopique déterminé par deux limites que le texte désigne en utilisant le lexème « bord » :

115

— le « *bord* des petits champs de vigne » est la limite de l'espace hétérotopique;

— le « *bord* du fleuve », celle de l'espace utopique.

La sous-séquence que nous examinons reproduit, d'autre part, de manière itérative, les divisions spatiales établies précédemment : la prise de possession cognitive de l'espace est suivie d'une appropriation somatique, prévoyant ainsi deux étapes distinctes de parcours auxquelles correspondent deux paragraphes du texte :

$$\frac{\text{parcours visuel}}{\text{parcours somatique}} \simeq \frac{\text{« petits champs de vigne »}}{\text{« un champ de vigne »}} \simeq$$

$$\frac{\text{« plaine... avec ses cerisiers nus et ses terres grises »}}{\text{« une bande de terre nue »}}$$

Un dernier paragraphe, enfin, est consacré à l'enregistrement des résultats du parcours.

3.2. *Le programme cognitif.*

1. A ce programme pragmatique, qui fait suite à l'exploration de l'espace par le regard du S_1, se superpose, disions-nous, un deuxième programme, cognitif, qui est censé se dérouler sous le regard de S_2, invisible sur le plan du paraître, mais dont l'existence nouménale est assertée comme $/e + \overline{p}/$.

Une structure de communication se trouve donc sous-tendue au parcours spatial à effectuer, même si celui-ci vise à nier la communication, à obtenir, par un brouillage de l'émission, au lieu d'un /faire-savoir/, un /non-faire-savoir/. Or, ce brouillage constitue justement — et malgré sa forme inversée — ce que nous entendons par *faire persuasif* : il s'agit, pour S_1, d'exercer un *faire persuasif* portant sur sa propre *existence* (sur la vérité de celle-ci), de telle sorte que le *faire interprétatif* de S_2, situé à l'autre bout du canal de transmission, conclue à l'*inexistence* de S_1 (= à un constat faux sur son existence).

Le *faire persuasif* consistera donc à préparer ce que nous avons appelé le plan phénoménal — et qui est celui offert à la lecture de S_2 — de telle sorte que seule l'inexistence $/\overline{e} + \overline{p}/$ puisse y être lue. La persuasion est, dans notre cas, une opération faisant passer S_1 de :

$$/e + p/ \Longrightarrow /e + \overline{p}/$$

pération représentable sur le carré sémiotique comme ci-dessous :

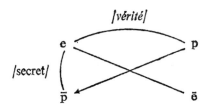

2. Elle consiste par conséquent à dénier le terme /paraître/ pour ire surgir le terme /non-paraître/, opération que nous désignerons, ir le plan figuratif, comme *camouflage*. On voit bien que c'est de la ussite ou de l'échec de cette opération que dépendra le type de *elation fiduciaire* (r. f.) qui s'établit entre les plans nouménal (No) phénoménal (Ph) :

$$[/e + p/ \xrightarrow{\quad No \xrightarrow{r. f.} Ph \quad} /e + \bar{p}/] \Longrightarrow /\bar{e} + \bar{p}/$$

On peut dès lors reconnaître, sur le plan figuratif, deux formes de *faire persuasif* particulier auxquelles correspondent les deux para-raphes de la sous-séquence. On peut ainsi opposer :

/camouflage spatial/ *vs* /camouflage temporel/

s deux consistant à être vus le moins possible, mais le premier en xposant le moins d'endroits visibles et le second, en s'exposant le oins de temps possible.

3. A y regarder de près, et en tenant compte du fait que le faire ersuasif dont il s'agit ici se présente comme une opération logique ⇒ $\bar{p}$/, ce qui est la définition même, au niveau des structures pro-ndes, de la *transformation narrative*, on est obligé de reconnaître 'on a affaire à une *épreuve* située sur la dimension cognitive du cit. On peut donc dire, en résumant, que la deuxième partie de la quence étudiée sous le nom de quête, comporte en réalité *deux reuves* dont la première relève de la composante narrative de la *mpétence* et consiste dans l'acquisition d'un nouveau /pouvoir-uloir-faire/, et la seconde, appartenant à la composante de la *rformance*, est censée éprouver S_1 en tant que sujet, selon son /savoir-ire/. Autrement dit, le PN individuel de S_1 se poursuit, malgré pposition que lui manifeste le PN social de S_2 (la « guerre ») : les

117

deux épreuves consistent à surmonter les obstacles dressés devant S_1 par S_2.

4. Le tout est de savoir si l'épreuve « camouflage » est une réussite ou un échec. C'est à cela que s'emploie Morissot dans le troisième paragraphe de notre sous-séquence, en collant sa joue par terre, « pour écouter si on ne marchait pas dans les environs ». Le résultat de son exploration — qui relève du *faire interprétatif* — est négatif : sur le plan phénoménal du paraître, l'épreuve semble réussie.

Cependant ce *faire interprétatif* peut être considéré de deux façons : ou bien comme l'*aspect terminatif* de la temporalité durative, qui marque la séquence qui précède, ou bien comme l'*aspect inchoactif* d'un nouveau faire temporalisé, qui s'annonce avec la séquence qui suit. Aussi pouvons-nous reléguer son examen à la SQ V.

La paix

Ils se rassurèrent et se mirent à pêcher.
En face d'eux, l'île Marante abandonnée les cachait à l'autre berge. La petite maison du restaurant était close, semblait délaissée depuis des années. M. Sauvage prit le premier goujon. Morissot attrapa le second, et d'instant en instant ils levaient leurs lignes avec une petite bête argentée frétillant au bout du fil; une vraie pêche miraculeuse.
Ils introduisaient délicatement les poissons dans une poche de filet à mailles très serrées, qui trempait à leurs pieds, et une joie délicieuse les pénétrait, cette joie qui vous saisit quand on retrouve un plaisir aimé dont on est privé depuis longtemps.
Le bon soleil leur coulait sa chaleur entre les épaules; ils n'écoutaient plus rien; ils ne pensaient plus à rien; ils ignoraient le reste du monde; ils pêchaient.

1. PROBLÈMES DE SEGMENTATION

1. Si l'on s'en tient aux critères spatiaux de la segmentation générale du récit, une macro-séquence se dégage, relatant les événements situés dans l'espace utopique (« au bord de l'eau »), délimitée par l'arrivée et le départ de S_1 de ce lieu. Cette délimitation purement spatiale se trouve à son tour consolidée par la récurrence du *faire interprétatif* qui, au début et à la fin, porte sur le même objet à explorer :

(a) « La petite *maison* ... semblait *délaissée* ... »
(b) « ... la *maison* qu'ils avaient crue *abandonnée* ... »

2. A l'intérieur de cette macro-séquence, un nouveau découpage peut être opéré selon la présence ou l'absence de l'anti-sujet dans ce lieu utopique et une nouvelle récurrence peut être reconnue :

(a) « ... pour écouter si *on* ne *marchait* pas dans les environs. »
(b) « ... sentant bien qu'*on* venait de *marcher* derrière eux; ... »

119

Marque de segmentation, cette récurrence se trouve confirmée par la présence du *disjonctif logique* « mais », qui détache définitivement du corps de la macro-séquence, une séquence autonome que nous désignerons comme SQ VII, *La Capture*.

3. Le reste de la macro-séquence peut, à son tour, se diviser en deux parties, selon l'opposition /silence/ *vs* /bruit/, fortement marquée dans :

« *Mais* soudain, un *bruit* sourd... »,

où le disjonctif « mais », accompagné de l'adverbe ponctuel « soudain », produit une véritable rupture du texte. En homologuant :

$$\frac{\text{silence}}{\text{/paix/}} \simeq \frac{\text{bruit}}{\text{/guerre/}}$$

nous distinguerons dès lors SQ V, *La Paix*, de SQ VI, *La Guerre*, dénominations, comme toujours, arbitraires.

4. L'organisation interne de la séquence ainsi dégagée semble épouser la forme, déjà rencontrée précédemment, du partage entre le *faire cognitif* et le *faire pragmatique* qui le suit.

2. LA CONSTRUCTION DE L'ESPACE COGNITIF

1. L'espace utopique, lieu des épreuves décisives, n'est défini jusqu'à présent qu'objectivement — comme la projection des articulations spatiales sur le texte-énoncé — et négativement, dans la mesure où à l'intérieur de l'espace topique, il s'oppose à l'espace paratopique (périphérique). A cet espace peut se superposer un espace cognitif, espace intérieur que le sujet se construit pour lui-même et qui, de par ce fait, n'est signifiant que pour lui, composé qu'il est de parcelles du savoir qu'il a réussi à acquérir.

Un tel espace dont nous allons essayer d'expliciter les procédures de construction, comprend les deux séquences V et VI et s'étend jusqu'à la capture des deux amis. Il consiste, en gros, dans l'idée qu'ils se font de leur solitude.

2. L'établissement de cet espace comporte deux phases distinctes dont la première est caractérisée par le faire d'*ordre auditif*, cherchant à détecter la présence humaine dans l'espace utopique considéré comme une surface *englobante* (« dans les environs »), tandis que la seconde

est d'*ordre visuel* et se contente d'explorer, sur le plan dimensionnel, l'espace ennemi (« en face »). D'autre part, la première phase est *active*, dotée de comportements ponctuels notés au passé simple (il « colla sa joue »), tandis que la seconde est *passive*, faite d'enregistrements d'états notés à l'imparfait (« cachait », « semblait »).

1. *La quête de la solitude.*

1. La première phase comporte d'abord un aspect *informatif* (ou réceptif) : le sujet cognitif, représenté par l'acteur Morissot, exerce un certain *faire somatique* (« coller sa joue par terre »), cherchant à obtenir une information (« pour écouter ») : le résultat de ce faire est négatif (« Il n'entendit rien »). On voit que cette quête d'informations, bien que manifestée de façon condensée, n'en contient pas moins les éléments principaux d'un *programme narratif canonique* :

a) l'existence d'un sujet compétent, doté du /vouloir-savoir/;

b) l'existence d'un *faire cognitif réceptif* (qui consiste à acquérir, et non à dispenser — comme ce serait le cas lors d'un *faire émissif* — le savoir);

c) l'existence d'une *conséquence* de ce faire (qui est, dans ce cas précis, négative, caractérisée par la non-acquisition du savoir, ou plutôt, par l'acquisition du savoir sur la non-existence de l'objet de ce savoir).

2. Le deuxième aspect de ce faire est *interprétatif* : il consiste, en partant du constat de /non-entendu/, situé sur le plan *phénoménal* du paraître, à inférer le /non-être/, c'est-à-dire la non-existence *nouménale* de l'objet visé, telle qu'elle se trouve exprimée par :

« Ils étaient bien seuls, tout seuls »

Le *faire interprétatif*, on l'a déjà vu, n'est pas une implication logique de

$$/\text{non-paraître}/ \longrightarrow /\text{non-être}/$$

car il n'y a rien de logiquement nécessaire dans une telle inférence, mais l'établissement d'une *relation fiduciaire*, dont le sujet connaissant seul est reponsable.

3. Il est évident dès lors que la phrase : « Ils étaient bien seuls », dans laquelle se trouve formulé ce constat fiduciaire, comporte, en passant à la manifestation de surface, une inversion et qu'elle corres-

pond, au niveau de la représentation sémantique, à quelque chose comme :

« Il n'y avait personne d'autre »,

bien plus, qu'elle est dotée implicitement de la modalité fiduciaire :

« (Nous étions convaincus que) il n'y avait personne d'autre »

On voit qu'une telle formulation, même approximative, est incorrecte et exige des explications supplémentaires :

a) On notera d'abord qu'en passant de l'état *informatif* à l'état *interprétatif*, la manifestation de surface substitue au sujet « Morissot » le sujet duel « ils » : tandis que le faire informatif est le fait d'un seul acteur, l'interprétation est assumée par l'actant duel « deux amis ». Dans l'espace vide entre les deux faires s'est institué un nouveau sujet ayant pour prédicat la modalité du /croire/, un sujet qui se comporte comme s'il était un véritable sujet de l'énonciation, promulguant sa véridiction.

b) On est amené ainsi à reconnaître que, contrairement à ce qui se passe lorsqu'il s'agit de l'espace topique dit objectif, qui est défini par sa relation avec le *sujet de l'énoncé*, l'espace cognitif ne peut être compris que si on lui postule un *sujet de l'énonciation délégué*, qui énonce sa propre conviction et établit des valeurs de vérité « personnelle ».

4. Dès lors, l'énoncé constatif : « Ils étaient bien seuls » n'est pas un énoncé produit par le sujet de l'énonciation (« Maupassant »), à l'aide de la procédure de *simple débrayage* permettant d'obtenir des énoncés avec des sujets quelconques (comme, par exemple, « la terre est ronde »), mais le résultat d'opérations relativement complexes :

a) La première opération consiste dans ce que l'on peut appeler le *débrayage énonciatif*, par opposition au *débrayage énoncif* dont nous venons de parler : un énoncé se trouve produit par la projection, par l'énonciateur, hors de lui et dans le discours-énoncé, de la structure même de l'énonciation, par exemple :

« je crois que... »

C'est cette structure qui prend alors en charge son énoncé-objet :

« ... il n'y a personne d'autre »

b) La deuxième opération consiste dans l'*embrayage cognitif :* ayant reconnu, dans la construction qu'il vient d'effectuer, la dimension cognitive du discours, le sujet de l'énonciation suspend la production de l'énoncé prévu et le prend à sa charge.

c) La troisième étape, enfin, consiste à utiliser le *débrayage énoncif implicitant* qui, sous la forme de l'énoncé constatif : « Ils étaient bien seuls », réussit à occulter le parcours génératif antérieur et à retirer fictivement la délégation de l'énonciation confiée d'abord à un sujet de l'énoncé quelconque.

Nous ne prétendons pas avoir mis à jour, dans sa totalité, ce mécanisme fort complexe : comme le texte s'y prêtait bien, nous n'avons voulu qu'élucider certaines phases du fonctionnement de la structure de l'énonciation dont la connaissance, très rudimentaire à l'heure actuelle, est fondamentale pour toute théorie du discours. Nous aurions tout aussi bien pu nous contenter de rapprocher la production de ce genre d'énoncés pseudo-constatifs du fonctionnement du « discours indirect libre ».

5. L'établissement d'un espace cognitif autonome, différent de l'espace de l'énonciateur (omniscient par définition) et de celui de l'énonciataire, qui participe à la fois au savoir du sujet de l'énoncé et à celui du sujet de l'énonciation (ne serait-ce que parce que celui-ci installe, tout le long de son discours, des marques prémonitoires), a des répercussions sur un autre niveau du discours, notamment sur sa *dimension volitive.* Ainsi, l'acquisition du savoir sur la non-existence de l'anti-sujet a pour conséquence la transformation de l'état volitif du sujet :

« Ils se rassurèrent... »

marque l'abolition du *vouloir contraire,* de la « crainte » qui constituait, dans la séquence précédente, à côté du « désir », un des éléments définissant le terme complexe de son « intériorité ».

« Libéré de ses craintes » — définition donnée par les dictionnaires du sujet « rassuré » —, confiant dans sa solitude, le sujet se trouve ainsi prêt à entreprendre l'expérience du bonheur.

2. *L'absence de l'anti-sujet.*

1. L'installation, par le sujet de l'énonciation, du sujet cognitif délégué, doté de compétence énonciative — même si elle n'est souvent qu'implicite — répond, partiellement, à la question « qui parle ? »

qu'est obligée de se poser à tout instant l'analyse textuelle. Sa reconnaissance facilite, en tout cas, la lecture du deuxième segment qui porte sur le *faire interprétatif* d'ordre visuel. Il est évident, en effet, que la phrase :

« En face d'eux, l'île Marante abandonnée... »

doit être lue en lui sous-tendant la véridiction déjà établie précédemment :

« (ils étaient convaincus que) l'île Marante... »,

lecture qui se trouve confirmée par la reprise partielle de la même phrase à la fin de la macro-séquence :

« Et derrière la maison qu'ils *avaient crue* abandonnée... »,

qui explicite ainsi, après coup, la relation fiduciaire établie.

On n'a plus besoin de reprendre ici le raisonnement appliqué précédemment sur la valeur du topologique « en face » ni sur la relation de confrontation virtuelle qu'il institue sur l'axe horizontal : la position de S_2 correspond au terme prospectif de cette dimension et se trouve notée par « l'île Marante » et « la maison du restaurant ». Les deux objets visés étant qualifiés d' « abandonnés » et de « délaissés » il est évident que c'est la présence de S_2 qui y est recherchée visuellement, et non la connaissance des objets eux-mêmes. Cette présence humaine étant jugée inexistante, le savoir nouménal de S_1 sur S_2 peut être noté comme suit :

$$\text{savoir } [/\bar{e} + \bar{p}/ \ S_2]$$

2. Cependant, S_1 ne se contente pas de la reconnaissance du statut véridictoire de S_2, il cherche à évaluer en même temps sa propre position dans la mesure où elle peut être soumise au *faire interprétatif* de S_2. Il constate alors que l'île Marante « *les cache* » (à l'ennemi probable situé « à l'autre berge »). A côté du savoir sur S_2, S_1 possède donc, à la suite de cette exploration, un savoir complémentaire sur le savoir supposé de S_2, relatif au statut existentiel de S_1. Il s'agit là d'un *méta-savoir* que nous avons décrit par ailleurs *. Par souci de symétrie

---

* A. J. Greimas et F. Nef, *Essai sur la vie sentimentale des hippopotames*, in *Grammars and Descriptions*, 1976, Berlin, J. Petöfi, éd.

notons simplement ce savoir nouménal de S_1 sur son propre statut cognitif :

$$savoir\ [/e + \bar{p}/\ S_1]$$

Cette deuxième exploration cognitive aboutit donc à statuer sur l'existence secrète de S_1 et la non-existence de S_2.

3. LA PERFORMANCE DU HÉROS

1. *Analyse textuelle et narrative.*

1. Installés, grâce à leur *faire cognitif,* dans une solitude rassurante, blottis dans leur secret, les deux amis peuvent maintenant se consacrer au *faire pragmatique,* but de leur quête : la pêche.

En effet, l'organisation superficielle de la sous-séquence que nous examinons se présente comme la description de la pêche; elle commence par :

« (ils) se mirent à pêcher »

et se termine par :

« (ils) pêchaient »

2. Sur le plan de la manifestation temporelle, l'aspect inchoatif du comportement, à peine marqué, se développe en une permanence *itérative* à laquelle un paragraphe entier se trouve consacré : deux passés simples, « prit » et « attrapa », attribués successivement à chacun des deux acteurs — pour nous rappeler, une fois de plus, qu'il ne s'agit en réalité que d'un seul actant — sont suivis d'un imparfait, « levaient leurs lignes », synonyme des deux premiers verbes, qui marque à la fois l'aspect itératif du faire et régit une phrase qui n'est autre chose que l'expansion figurative des premières notations : « prendre, attraper un goujon ». Cette itérativité du faire, soulignée par l'expression « d'instant en instant », est, de plus, surdéterminée par l'aspect intensif : « une vraie pêche miraculeuse ». Elle a pour effet de *transformer un faire récurrent en un état permanent :* « ils pêchaient » n'est plus une activité, mais une façon de vivre.

3. Cependant, si, sous cette couverture temporelle du récit, on cherche à reconnaître les éléments de son organisation narrative, on constate un certain nombre de choses curieuses. Selon les modèles de prévisibilité que nous offrent les analyses précédentes des structures narratives, le récit se déroule jusqu'à présent comme un programme narratif attendu, comportant une quête et visant l'espace utopique où une épreuve décisive doit se situer. Or, si le *faire pragmatique* que nous examinons met bien en évidence un objet de valeur présent sous diverses formes figuratives de « poisson » et s'exerce comme la conjonction du sujet S_1 avec l'objet de valeur O, ce faire ne peut pas être considéré comme constituant une « épreuve », ne serait-ce que parce que celle-ci présuppose l'existence d'un anti-sujet S_2. La conjonction avec l'objet de valeur n'est donc pas la conséquence d'une péreuve, mais d'un *don*, et le sujet effectuant le don ne peut être un S_2, mais un destinateur. Or, ce destinateur, nous le connaissons déjà pour l'avoir rencontré dans SQ II : il s'agit de la figure actorielle *Eau*, que nous avons définie comme le *Non-antidestinateur* et que nous proposons maintenant de noter, pour plus de commodité, comme un $\overline{\text{Dr 2}}$, en réservant le symbole Dr 1 au destinateur initial (Soleil).

4. Le texte confirme d'ailleurs notre interprétation selon laquelle l'acquisition des poissons est un don du destinateur $\overline{\text{Dr 2}}$: le paragraphe examiné se termine par la constatation — dont le sujet n'est pas l'énonciateur, mais le sujet de l'énonciation délégué (deux amis) — que la pêche est « une vraie pêche miraculeuse ». Or, le miracle, selon le *Petit Robert*, est « un fait extraordinaire où l'on *croit* reconnaître une *intervention* divine bienveillante » : la définition, on le voit, est conforme à notre analyse, elle prévoit non seulement l'établissement de la relation fiduciaire (« on croit »), à la suite du *faire interprétatif* (« reconnaître »), elle postule en même temps le don (« intervention ») du destinateur (« divine ») situé sur la deixis positive (« bienveillante »).

> *Remarque :* On pourrait peut-être formuler, en cette occasion, une règle pratique de la lecture de Maupassant : chaque fois qu'il rencontre dans le texte un *lieu commun*, le lecteur est invité à le considérer comme le temps fort du récit et à y chercher un « sens profond ».

5. La reconnaissance du *don* nous permet dès lors de lire plus facilement la suite du texte : en effet, les poissons, une fois attrapés, sont introduits dans un filet et remis de nouveau dans l'eau. L'acquisition de poissons est loin d'être définitive : tout comme la fille

du roi, que le héros proppien réussit à sauver en l'enlevant au traître, ne devient pas la propriété du héros, mais est rendue à son père, le poisson, objet de valeur, n'est pas conjoint avec S_1, mais rendu au Dr 2. Cette opération de disjonction par laquelle le sujet se sépare, sur le plan de la *réalisation*, de l'objet de valeur, tout en le gardant sur le plan de l'*actualisation*, correspond exactement à la définition que nous avons donnée de ce type de communication axiologique sous le nom de *renonciation*.

6. Le faire qui constitue la performance décisive de S_1 n'est pas une épreuve, il consiste dans un don, suivi d'un contre-don, ce qui est une forme de *communication participative* entre le sujet et son destinateur.

2. *Analyse sémantique.*

2.1. *Une petite bête argentée.*

1. Assez curieusement, une relation paradigmatique s'établit entre les séquences v et vi, dénommées respectivement *La Paix* et *La Guerre*, ou, plus précisément, entre le faire des deux pêcheurs et l'action du Mont-Valérien. La ressemblance, à première vue superficielle, se trouve dans la description cherchant à présenter l'itérativité : deux expressions parasynonymes :

« d'instant en instant »   *vs*   « de moment en moment »

l'une se rapportant aux gestes des pêcheurs, l'autre au Mont-Valérien, jetant « son haleine de mort », permettent ce rapprochement, d'autant plus que ces événements ponctuels, constitués en séries ordinales, débutent dans les deux cas de la même manière, par l'énumération du premier, du second, etc. A ceci on peut ajouter encore que les deux opérations parallèles se situent sur l'axe vertical et, surtout, que les séries ordinales ainsi constituées tendent vers l'infini. En effet :

« la pêche miraculeuse »   *vs*   « une montagne de fumée »

constituent toutes les deux des totalisations, la première — des poissons fournis, la seconde — des « jets de fumée » crachés par le Mont-Valérien.

2. Le fait que cette description de l'activité du Mont-Valérien accompagne celle de la mort des deux amis projette une certaine lumière sur la grille de ressemblances que nous venons de proposer, en permettant de mieux y reconnaître les différences. Reproduisons,

pour mémoire, le carré sémiotique sur lequel nous avons situé les destinateurs reconnus lors de l'analyse de la séquence II :

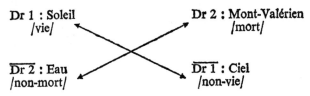

Dr 1 : Soleil
/vie/

Dr 2 : Mont-Valérien
/mort/

D̄r 2̄ : Eau
/non-mort/

D̄r 1̄ : Ciel
/non-vie/

Étant donné que nous avons déjà reconnu dans la pêche le *don* effectué par D̄r 2̄, nous voyons que la canonnade, telle qu'elle est décrite par le narrateur, se présente parallèlement comme le « don » de Dr 2; d'autre part, le Dr 2 étant investi du contenu /mort/, « les vapeurs laiteuses », qui ne sont que son métonyme figuratif, supportent le contenu /mort/ de la même manière que le métonyme « petite bête argentée », don de D̄r 2̄, est porteur du contenu /non-mort/. En effet, les poissons, bien que retirés une première fois de l'eau, ne sont pas morts, ils seront d'ailleurs notés dans la suite du texte, par deux fois, comme « poissons qui s'agitent encore », comme « encore vivants »; leur mort suivra de près celle des deux amis. Cette opposition sémantique se trouve de plus consolidée, sur le plan figuratif, par celle de la qualité de la couleur des deux objets de valeur :

$$\frac{\text{« petite bête } \textit{argentée} \text{ »}}{\text{/brillant/}} \quad vs \quad \frac{\text{« vapeurs } \textit{laiteuses} \text{ »}}{\text{/mat/}}$$

2.2. *La joie.*

1. Le paragraphe qui suit et qui constitue un des noyaux du récit est d'une interprétation plus délicate.

A première vue, les deux phrases coordonnées qui le composent présentent un certain parallélisme sémantique. Ainsi, l' « *introduction* » des poissons dans l'eau peut être rapprochée de la « *pénétration* » de la joie (dans l'intériorité des deux amis).

Dans les deux cas, en effet, le faire exercé aboutit à des énoncés d'état, dénotant la conjonction d'un sujet et d'un objet de valeur :

— introduction ⟶ (Eau ∩ poissons), c'est-à-dire (D̄r 2̄ ∩ poissons)
— pénétration ⟶ (Deux amis ∩ joie), c'est-à-dire (S_1 ∩ joie)

Ces énoncés d'état présupposent, on le sait, chacun un énoncé de faire dont ils sont les aboutissements. Dans le premier cas, le sujet de ce faire est explicite, il s'agit de deux amis : l'énoncé complet peut donc s'écrire comme :

$$F \text{ faire } [S_1 \longrightarrow \overline{(\text{Dr } 2} \cap 0 : \text{poissons})]$$

Dans le second cas, tout se passe comme si « joie » était à la fois l'objet de valeur avec lequel le sujet se trouve conjoint et le destinateur-sujet du faire qui opère cette conjonction ; on peut formuler ainsi cette situation :

$$F \text{ faire } [\overline{\text{Dr } 2} : \text{joie} \longrightarrow (S_1 \cap 0 : \text{joie})]$$

2. Le statut d'un tel énoncé complet nous poserait un sérieux problème si auparavant nous n'avions pas reconnu un type particulier de communication d'objets de valeur, dite communication participative, lors de laquelle le sujet, tout en transférant une valeur, ne s'en sépare pas pour autant. Nous en donnions même comme exemple la reine d'Angleterre qui, tout en déléguant pratiquement tous les pouvoirs aux représentants de son peuple, reste néanmoins, selon la théorie du droit constitutionnel, le monarque tout-puissant. Rien n'empêche, par conséquent, que le destinateur, défini comme « joie délicieuse », dispense de la joie autour de lui, en « pénétrant » dans le cœur des hommes.

3. Dès lors, nous sommes obligés de reconnaître que « joie » n'est qu'une dénomination noologique de $\overline{\text{Dr } 2}$, homologable de ce fait avec sa dénomination cosmologique, qui est « Eau », et que ces deux dénominations recouvrent une seule et même définition /non-mort/, située sur le plan de la représentation sémantique du texte. Mais ceci nous permet de reconnaître, dans SQ VI, l'équivalent opposé de « joie » ; l'action du Mont-Valérien y est décrite ainsi :

> « *ouvrant* en des *cœurs* de femmes, *en des cœurs* de filles, *en des cœurs* de mères... des *souffrances* qui ne finiraient plus ».

« Ouvrir des souffrances infinies en des cœurs humains » nous semble une présentation figurative évidente du terme contradictoire de celui qui est manifesté par la « pénétration de la joie » : nous garderons arbitrairement, sans les analyser pour l'instant, les lexèmes « joie » et « souffrance », pour représenter les contenus des deux destinateurs contradictoires en les décrivant comme :

$$\frac{\mathrm{Dr}\ 2}{\overline{\mathrm{Dr}\ 2}} \simeq \frac{/\text{mort}/}{/\text{non-mort}/} \simeq \frac{\text{Mont-Valérien}}{\text{Eau}} \simeq \frac{\text{« souffrance »}}{\text{« joie »}}$$

4. Que cet avènement de la « joie » ne puisse pas être confondu avec le « plaisir » ou avec un état euphorique quelconque montre bien la suite de la phrase : dans une sorte de raccourci, c'est-à-dire sous la forme d'un micro-récit, s'y trouve racontée toute l'histoire du « plaisir ».

La « joie » apparaît, y lit-on « quand on retrouve un plaisir aimé dont on est privé depuis longtemps ».

Cette phrase peut se décomposer sommairement ainsi :

(a) « plaisir aimé » (dans le passé) = S ∩ O (valeur réalisée)
(b) « dont on est privé » = S ∪ O (valeur virtualisée)
(c) « depuis longtemps » = intensité du /vouloir/
(d) « on retrouve le plaisir aimé » = S ∩ O (valeur réalisée)

On voit bien que la « joie » ne se définit pas narrativement comme la conjonction du sujet avec l'objet de valeur « plaisir », mais qu'elle est une valeur en soi, quelque chose qui vient après coup, qui se surajoute au « plaisir », bien que les retrouvailles en soient la condition nécessaire, car elles impliquent non seulement la reproduction du « plaisir », mais aussi un *savoir* du sujet sur le plaisir, en le transformant, partiellement du moins, en un *état cognitif*.

5. On approche ainsi, petit à petit, d'une meilleure compréhension de la « joie ». Une première fois, la « joie » qui pénètre est caractérisée comme étant « délicieuse » (les dictionnaires traduisent naïvement : « qui ravit, qui transporte ») et qui, pour nous, signifie narrativement l'état de *transcendance* qui résulte de la communication avec le destinateur, de la participation du sujet à l'être du destinateur. Ceci est d'autant plus remarquable que le lexème « délicieux » ne se retrouve que deux fois dans le texte et que la seconde fois il est placé dans la bouche de l'officier prussien, se trouvant, comme ici, en relation avec les poissons, et qui s'attend à « être ravi » par leur consommation, c'est-à-dire, par la destruction et la mort.

La deuxième fois, la « joie » ne se contente plus de pénétrer le sujet, en y remplissant toute son intériorité, elle « saisit » le sujet, en prenant entièrement possession de lui : le sujet cesse donc d'être un sujet pour se transformer en objet conjoint avec le destinateur ; sujet de cette « saisie », il n'existe plus, figurativement, que comme acteur à la fois, hypotaxique (du point de vue syntaxique) et hyponymique (du point de vue sémantique), qu'en tant qu'objet « joie ».

130

6. On voit que ce serait à une analyse comparable que nous aurions à procéder si nous avions devant nous le texte produit d'un mystique et, par conséquent, que Maupassant en est un, à sa façon. Rien d'étonnant dès lors si, pour rendre un tel état transcendant, l'énonciateur renonce, pour une fois, à la fameuse description objective, pour introduire dans le texte-énoncé la structure de l'*énonciation* qu'il reprend à son compte :

« cette joie qui *vous* saisit quand... »

Malgré le procédé, déjà reconnu, de Maupassant, qui se couvre pudiquement d'un lieu commun — d'une construction syntaxique familière — chaque fois qu'il a quelque chose d'important à dire, il s'agit là d'une véritable transgression des règles de son écriture. La procédure employée consiste à prendre directement à témoin, à l'aide de « vous », le lecteur, lui conférant implicitement la capacité d'éprouver, avec la même intensité, la « joie » qu'il attribue au sujet de l'énoncé : le débrayage de ce genre cache un des aspects du *faire persuasif*, cherchant à établir la complicité de l'énonciateur et de l'énonciataire. Mais la complicité n'est possible qu'à deux, et la projection de « vous » dans le texte, présuppose l'existence d'un « je » énonciateur tout aussi compétent. Le débrayage est donc suivi d'un *embrayage*, qui consiste dans la reprise, à son propre compte, par l'énonciateur, de la signification qu'il vient à peine de produire. La troisième phase, finalement, comporte un nouveau *débrayage énoncif*, projetant comme sujet de l'énoncé un « on » qui, incluant le « je » et le « vous », désigne l'ensemble des humains, généreusement dotés par Maupassant de la compétence d'être les destinataires de la « joie ».

2.3. *La chaleur.*

Le dernier paragraphe de la séquence marque l'apparition, attendue, du second destinateur de S_1, le *Soleil*. En effet, elle est prévisible selon le principe d'*orientation* des opérateurs logico-sémantiques situés sur le carré sémiotique :

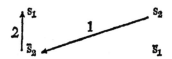

où l'assertion du terme $\bar{s}_2$ présuppose l'existence et l'apparition du terme s_1; elle est attendue, car seule la réunion des termes :

$$|\text{non-mort}| + |\text{vie}|$$

peut être considérée comme l'expression de la plénitude de l'existence.

Nous n'avons plus à revenir sur l'interprétation du Soleil comme destinateur vital du sujet : son rôle est apparu avec évidence lors de l'analyse de SQ II, où nous avons fait le rapprochement entre deux phrases, l'une située au niveau du projet (SQ II), l'autre, au niveau de la réalisation (SQ V) :

(1) « le soleil... versait dans le dos... une bonne chaleur de saison nouvelle »
(2) « Le bon soleil leur coulait sa chaleur entre les épaules »

La correspondance terme à terme des deux phrases est évidente et le seul élément nouveau qui apparaît dans la phrase (2) est le possessif « *sa* chaleur » : il ne s'agit donc plus de la « bonne chaleur *de saison nouvelle* », mais de la chaleur qui est l'attribut essentiel du destinateur qu'il partage, sans s'en priver, avec le sujet-destinataire. La *communication participative* s'établit donc de nouveau, mais cette fois sur le plan de la participation de l'homme à la vie cosmique dont il partage, dans son corps même, la chaleur.

2.4. *Conditions de bonne pêche.*

Il nous reste encore à examiner la définition de la « pêche » — ou plutôt les conditions de la « bonne pêche » — que comporte ce paragraphe qui ressemble étrangement — est-ce de l'intertextualité? — à la description classique que donne Rousseau d'un « état d'âme » lui ayant permis de « sentir avec plaisir son existence ».

Ces conditions sont au nombre de trois, et elles sont toutes négatives :

(1) « ils n'écoutaient plus rien »
(2) « ils ne pensaient plus à rien »
(3) « ils ignoraient le reste du monde »

Les deux premières propositions peuvent être réunies ensemble : elles se présentent toutes les deux comme des *négations de l'activité du sujet.* Elles s'opposent pourtant quant à l'objet de cette activité : la première nie le *faire extéro-ceptif,* la seconde, le *faire intéro-ceptif,* les deux ensemble cherchant à exclure toute communication avec ce qui

est autre chose que l'*être* même du sujet. Dès lors, cette double négation du *faire cognitif*, cette absence du faire produit un état de *non-
savoir* sur le « reste du monde ». Si « le reste du monde » peut être
dénommé /englobant/ et le sujet qui l'exclut /englobé/, on voit que les
contenus qu'ils subsument se partagent en :

$$\frac{/englobant/}{\text{contenus extéro- et intéro-ceptifs}} \quad vs \quad \frac{/englobé/}{\text{contenus proprio-ceptifs}}$$

Ces contenus, de leur côté, peuvent être objets du faire cognitif
et produire un *savoir* (ou un non-savoir) du sujet. Dans le premier
cas, le savoir sera dit *savoir transitif* et dans le second, *savoir réfléchi*.
On peut dès lors proposer une interprétation sémantique de la dernière phrase de la séquence :

« ils pêchaient »,

comme le résultat des transformations narratives, situées sur le plan
cognitif et consistant dans :

(a)   la négation du savoir transitif et
(b)   l'assertion du savoir réfléchi
(c)   portant sur les contenus proprio-ceptifs du sujet

Une bonne « pêche » se présente ainsi comme l'équivalent, sur le
plan figuratif, de la « joie », qui est joie et conscience de la joie en
même temps ; la quête, entreprise par les deux amis, aboutit à la
connaissance de ce qu'est l'existence : participation à la vie universelle.

La guerre

Mais soudain un bruit sourd qui semblait venir de sous terre fit trembler le sol. Le canon se remettait à tonner.

Morissot tourna la tête, et par-dessus la berge il aperçut, là-bas, sur la gauche, la grande silhouette du Mont-Valérien, qui portait au front une aigrette blanche, une buée de poudre qu'il venait de cracher.

Et aussitôt un second jet de fumée partit du sommet de la forteresse; et quelques instants après une nouvelle détonation gronda.

Puis d'autres suivirent, et de moment en moment, la montagne jetait son haleine de mort, soufflait ses vapeurs laiteuses qui s'élevaient lentement dans le ciel calme, faisaient un nuage au-dessus d'elle.

M. Sauvage haussa les épaules : « Voilà qu'ils recommencent », dit-il.

Morissot, qui regardait anxieusement plonger coup sur coup la plume de son flotteur, fut pris soudain d'une colère d'homme paisible contre ces enragés qui se battaient ainsi, et il grommela : « Faut-il être stupide pour se tuer comme ça! »

M. Sauvage reprit : « C'est pis que des bêtes. »

Et Morissot qui venait de saisir une ablette, déclara : « Et dire que ce sera toujours ainsi tant qu'il y aura des gouvernements. »

M. Sauvage l'arrêta : « La République n'aurait pas déclaré la guerre... »

Morissot l'interrompit : « Avec les rois on a la guerre au dehors; avec la République on a la guerre au dedans. »

Et tranquillement ils se mirent à discuter, débrouillant les grands problèmes politiques avec une raison saine d'hommes doux et bornés, tombant d'accord sur ce point, qu'on ne serait jamais libres. Et le Mont-Valérien tonnait sans repos, démolissant à coups de boulet des maisons françaises, broyant des vies, écrasant des êtres, mettant fin à bien des rêves, à bien des joies attendues, à bien des bonheurs espérés, ouvrant en des cœurs de femmes, en des cœurs de filles, en des cœurs de mères, là-bas, en d'autres pays, des souffrances qui ne finiraient plus.

« C'est la vie », déclara M. Sauvage.

« Dites plutôt que c'est la mort », reprit en riant Morissot.

(Mais...)

1. ORGANISATION TEXTUELLE

1. La séquence VI, bien encadrée par deux *disjonctifs logiques* « mais », apparaît comme la continuation et la transformation de la séquence qui la précède. Elle en est la continuation, parce que les événements qui y sont décrits se déroulent dans le même espace utopique; et ces événements, considérés sur le plan du faire pragmatique, consistent dans l'itération de la pêche.

Mais les transformations, situées sur cette toile de fond commune, sont tout aussi nettes :

a) l'*euphorie* qui connote SQ V se trouve transformée en *dysphorie*;

b) le refus du *faire extéro-ceptif*, tel qu'il était signalé par « ils n'écoutaient plus rien », se trouve remplacé par l'exercice de ce faire, imposé par l'apparition du « bruit »;

c) l'exclusion du *faire intéro-ceptif*, résumée par « ils ne pensaient plus à rien », est déniée par la reprise de la conversation, manifestation verbale de la « pensée » d'un actant duel portant sur les événements du monde extérieur.

Sous cet angle, et sans préjuger des contenus acquis par le sujet lors de l'expérience de la « joie », on peut dire que celle-ci se trouve interrompue « soudain », car les conditions de son exercice sont transformées, l'attention du sujet de l'énonciation — et du sujet de l'énoncé — effectuant désormais le passage :

$$\overline{\text{SQ V}}$$
$$\text{/englobé/ + /individuel/ + /euphorique/}$$
$$\Longrightarrow \overline{\text{SQ VI}}$$
$$\text{/englobant/ + /social/ + /dysphorique/}$$

2. En tenant compte de ces changements, il est possible de proposer une première segmentation de SQ VI, en y opposant les passages consacrés au faire extéro-ceptif et à la description de l'englobant extérieur aux passages traitant du faire intéro-ceptif et des jugements portés sur le monde. Ainsi, la séquence se présente comme une suite de quatre sous-séquences :

(1) Description 1
(2) Commentaire 1
(3) Description 2
(4) Commentaire 2

135

Ce n'est là évidemment qu'un découpage provisoire, basé sur les traits superficiels du texte, tels que /discours continu/ *vs* /dialogue/, qui relèvent des formes du *débrayage* utilisées par l'énonciateur.

3. D'un autre côté, SQ VI présente un certain parallélisme avec SQ II qui comporte, on s'en souvient, la description de l'univers axiologique ayant présidé au PN réalisé dans SQ V et SQ VI. Or, cette description consistait dans la mise en place, à partir d'un *proto-destinateur*, d'un système de destinateurs articulé en quatre termes. Trois de ces termes, étant installés dans SQ II, laissaient une position actantielle vide pour un anti-destinateur (Dr 2) :

C'est au remplissage de cette case vide que se trouve consacrée, en grande partie, SQ VI : l'installation de l'anti-destinateur (Dr 2), sous sa forme figurative du Mont-Valérien, apparaît comme la « fonction » narrative de cette séquence, facilitée par la présence, dans SQ V, des deux destinateurs de la deixis positive. Ainsi, les deux séquences, SQ V et SQ VI, s'opposent de nouveau comme :

$$\underset{\text{/Soleil/ + /Eau/}}{\text{Deixis positive}} \quad vs \quad \underset{\text{/Mont-Valérien/ + /Ciel/}}{\text{Deixis négative}}$$

2. LE MONT-VALÉRIEN

1. *Le bruit et le silence.*

1. La rupture entre les deux séquences que nous avons opposées par des dénominations *La Paix* vs *La Guerre* est marquée de manière particulièrement insistante. L'introduction du discontinu, qui met fin à la continuité euphorique de la pêche, annoncée par le disjonctif « mais », imposée par le ponctuel temporel « soudain », se manifeste sur le plan sensoriel auditif par l'apparition d'un « bruit sourd » qui se présente à la fois :

— comme un *signal émis* par un destinateur inconnu qui s'annonce ainsi (le « bruit », sujet de la phrase, « vient de » quelque part) et

— comme un *signal reçu* par le destinataire — S_1 qui l'interprète aussitôt (« qui semblait venir de sous terre »).

Il s'agit donc d'un acte de communication complet : accompagné d'un faire moteur (« le tremblement du sol »), il impose la présence du destinateur ; reçu par le destinataire, le signal est soumis à un double *faire interprétatif,* car si, auditivement, il semble d'origine souterraine /bas/, la vérification visuelle lui attribue une autre source, située en /haut/ et à /gauche/. Nous aurons à revenir sur cette interprétation hésitante de S_1.

2. Le *bruit* constitue, d'autre part, la rupture du *silence* qui entourait les deux amis lors de leur expérience mystique. En effet, la séquence V est délimitée, de ce point de vue, par l' « écoute » de Morissot qui précède la pêche et le bruit qui se fait « entendre » pour l'interrompre. On pourrait en donner le schéma suivant :

[écouter → non-entendre] => [non-entendre → non-écouter] => [non-écouter → entendre]

(par*terre*)   *silence*   (venant de « sous-*terre* »)

3. Le *silence* qui, thématiquement et sur un autre plan, joue dans le récit le rôle comparable à celui de l'*eau,* se trouve dorénavant conjugué avec le *bruit,* sourd et ininterrompu, connotant itérativement la suite du texte ; en effet, le Mont-Valérien « tonnait sans repos », « tonnait toujours », « ne cessait de gronder », manifestant ainsi sa présence de dieu dominateur et guerrier.

2. *La figure anthropomorphe.*

Cependant, c'est encore le faire cognitif d'ordre visuel (faisant suite à « apercevoir ») qui permet de se représenter en détail la *figure anthropomorphe* de l'anti-destinateur, qui s'était annoncé par le bruit et le tremblement du sol. Contrairement au destinateur (Soleil) qui n'est apparu comme un acteur figuratif que grâce aux prédicats qui l'animaient (« verser », « couler », « ensanglanter »), l'anti-destinateur (Mont-Valérien) nous est présenté sous des traits anthropomorphes accusés :

a) son apparence est anthropomorphe :

        — il possède une « grande silhouette »
        — il porte « au front une aigrette blanche »
        (c'est, on le voit, la figure de l'officier)

b) son comportement est généralement anthropomorphe :

— il « *crache* »
— il « jette son *haleine* de mort »
— il « *souffle* ses vapeurs laiteuses ».

c) son faire, tel qu'il est décrit dans la description 2, est rendu par des prédicats comportant le sème /animé/ :

— il « démolit »
— il « broie »
— il « écrase »

Quant à son faire — que nous avons déjà évoqué à deux reprises, sollicité par des relations paradigmatiques que le texte semble afficher — il peut être examiné d'un double point de vue :

1. Il consiste, d'abord, dans l'*émission* d'une « buée de poudre », émission qui est figurativement rendue par les verbes « cracher », « jeter son haleine », « souffler ses vapeurs » (grâce auxquels le « canon » se convertit en « bouche » de la montagne) ; la « buée » est représentée successivement par une classe de parasynonymes tels que « aigrette blanche », « jet de fumée », « haleine de mort », « vapeurs laiteuses », « nuage », pour se transformer enfin en une « montagne de fumée ».

Cette action se situe dans le Ciel et, par rapport aux événements cosmiques décrits dans SQ II, l'affecte de deux manières :

a) elle rappelle l'action du Soleil qui, se conjoignant avec l'Eau, produit, au raz de l'eau, une « buée » aquatique : par opposition à la conjonction des deux termes de la deixis positive, on peut parler ici de la conjonction du Mont-Valérien et du Ciel, relevant tous deux de la deixis négative, génératrice de la « buée » céleste.

b) elle fait penser, d'autre part, au Soleil automnal qui ensanglante le Ciel et, en s'y répandant, le choisit comme lieu de sa mort : l'expansion de la buée qui devient progressivement une « montagne de fumée » fait du Ciel, de manière comparable, le lieu mortel.

2. Cependant, la construction textuelle de ce morceau descriptif, situant les événements ponctuels (les émissions de « buée ») sur l'axe vertical et les organisant, à partir d'une inchoation, en une série ordinale itérative qui se termine par la totalisation des productions ponctuelles en un objet compact (une « montagne de fumée »), se présente comme la reproduction conforme de l'activité des pêcheurs

de la séquence précédente; dès lors, il est possible de proposer l'homologation suivante :

$$\frac{\text{Eau}}{\text{Mont-Valérien}} \simeq \frac{\text{« pêche miraculeuse »}}{\text{« montagne de fumée »}} \simeq \frac{\text{/non-mort/}}{\text{/mort/}}$$

l'apparition de la « montagne de fumée » étant, en effet, concomitante avec la mort des deux amis.

3. L'univers sociolectal et l'univers idiolectal.

1. Grâce à ces rappels et à ces rapprochements, il nous est possible maintenant de nous interroger sur l'*axiologie figurative* qui domine l'ensemble du texte et de poser le problème des relations qui peuvent exister, à ce niveau, entre l'*univers idiolectal* du sujet de l'énonciation — nommé Maupassant — et l'*univers sociolectal* qui se situe, à première vue, dans le contexte culturel français du XIXᵉ siècle mais qui recouvre certainement des espaces et des périodes historiques beaucoup plus vastes.

La sémiotique d'aujourd'hui se sert généralement de deux types de modèles susceptibles de rendre compte des articulations *élémentaires* d'*univers sémantiques*, modèles construits et ne correspondant donc *a priori* à aucune réalité sociologique ou psychologique :

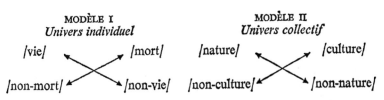

MODÈLE I	MODÈLE II
Univers individuel	*Univers collectif*

Ces modèles peuvent être considérés comme des *structures axiologiques élémentaires*, situées au niveau *abstrait* (profond et non-figuratif), permettant de saisir les premières articulations d'univers sémantiques (mais évidemment, n'ayant aucun rapport avec les lexicalisations particulières des termes utilisés dans des langues naturelles, quelles qu'elles soient).

Les modèles sémantiques abstraits peuvent, à leur tour, être mis en corrélation avec des *structures figuratives élémentaires*, sortes de stéréotypes culturels, dont l'universalité n'est pas prouvée, mais dont la généralité — dans le cadre historique et géographique de l'Ancien

Monde du moins — est évidente. Nous pensons notamment à la structure des quatre Éléments constitutifs de la Nature :

MODÈLE III
Univers figuratif

Remarque : Nous ne pouvons préjuger pour l'instant de la canonicité de la disposition des quatre termes sur le carré sémiotique.

Il arrive souvent que, lors de la *figurativisation du discours*, la structure axiologique abstraite (correspondant au modèle I ou au modèle II) soit homologuée avec la structure figurative élémentaire : il en résulte une valorisation (= une « axiologisation ») des termes figuratifs qui accèdent de ce fait à la dignité de « symboles », les deux modèles superposés constituant alors une *structure axiologique figurative*. Ainsi, le modèle I figurativisé aura, par exemple, la forme :

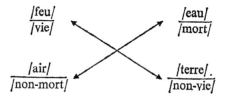

Une telle structure peut être reprise à son compte soit par une collectivité soit par un individu : l'*univers individuel figuratif* sera, dans le premier cas, *sociolectal*, correspondant aux « représentations collectives » des valeurs individuelles et, dans le second cas, *idiolectal*, rendant compte de l'organisation personnelle de son système de valeurs individuelles.

L'homologation du même type peut être effectuée en dotant l'univers collectif (modèle II) d'une représentation figurative : l'*univers collectif figuratif*, qui sera ainsi constitué, pourra également être considéré soit comme *sociolectal* (correspondant, par exemple, aux représentations mythologiques), soit comme *idiolectal* (n'étant qu'une interprétation individuelle des valeurs collectives).

2. La mise en place de ce dispositif, à la fois théorique et termino-

logique, permet maintenant d'examiner, comme un cas particulier, l'univers sémantique idiolectal de Maupassant. Un certain nombre de particularités peuvent y être relevées :

a) L'univers figuratif de Maupassant se présente généralement comme étant homologué avec le modèle I, c'est-à-dire avec la représentation abstraite de l'*univers individuel* (/vie/ *vs* /mort/); ce n'est que rarement que son homologation avec l'*univers collectif* (modèle II), s'articulant selon l'opposition /nature/ *vs* /culture/ peut être reconnue (V. *infra*).

b) Le mode d'homologation des deux structures, figurative et abstraite, lui est particulier. Bien que ne pouvant pas nous prononcer sur ce qui doit être considéré comme la disposition canonique des éléments figuratifs sur le carré sémiotique — et n'étant pas en mesure, de ce fait, de définir l'organisation figurative de Maupassant comme une *déformation significative* de ce canon (cf. Merleau-Ponty), nous pouvons nous rendre compte des *variations idiolectales* situées à ce niveau en comparant, par exemple, la disposition figurative de Maupassant à celle de Bernanos (v. notre *Sémantique Structurale*) :

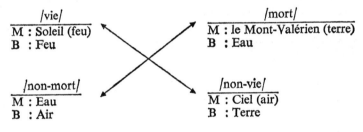

/vie/
M : Soleil (feu)
B : Feu

/mort/
M : le Mont-Valérien (terre)
B : Eau

/non-mort/
M : Eau
B : Air

/non-vie/
M : Ciel (air)
B : Terre

c) Les lexicalisations choisies par Maupassant pour dénommer les éléments figuratifs constituent, à leur tour, un écart idiolectal appréciable : en effet, seul l'élément *Eau* conserve, en passant de l'univers sociolectal à l'univers idiolectal, sa dénomination première, tandis que les autres éléments, reçoivent, lors de cette *conversion*, des noms nouveaux.

3. Bien que l'interprétation de ce phénomène soit ardue, nous sommes en mesure de suggérer une hypothèse qui nous paraît satisfaisante. A regarder les choses de près, on notera que, si la distance qui sépare :

$$/feu/ \longleftrightarrow Soleil$$
$$/air/ \longleftrightarrow Ciel$$

n'est pas importante et peut être interprétée à la rigueur en termes de conversion rhétorique, la relation :

$$/\text{terre}/ \longrightarrow \text{Mont-Valérien}$$

ne paraît pas tout aussi « naturelle » et ne s'inscrit pas dans le tracé de la stéréotypie culturelle prévisible. Si l'on ajoute que le Mont-Valérien est le seul élément figuratif à posséder une couverture toponymique individualisée, on a l'impression que c'est dans sa lexicalisation spécifique qu'on peut trouver la clef de la solution du problème qui nous intéresse.

En effet, si l'on considère l'homologation des termes figuratifs et abstraits, telle qu'elle est opérée par l'énonciateur et représentée sur le carré sémiotique, on s'aperçoit que les termes :

$$[/\text{mort}/ \simeq /\text{terre}/] \ + \ [/\text{non-vie}/ \simeq /\text{air}/]$$

constituent la deixis négative de ce carré et portent, de ce fait, une *connotation dysphorique*. D'un autre côté, on se souvient que, lors de l'appropriation cognitive de l'espace (SQ IV), les deux amis établissent une autre catégorie figurative d'ordre spatial, à fortes *connotations phoriques*;

$$\frac{/\text{haut}/}{/\text{bas}/} \simeq \frac{/\text{dysphorique}/}{/\text{euphorique}/}$$

Dès lors, si l'on tient compte que les éléments figuratifs constitutifs de l'univers axiologique, tels que /terre/ ou /eau/, sont susceptibles d'être traités en même temps comme des termes *spatiaux*, on comprend que le terme /terre/, pour satisfaire l'exigence de la *dysphorie* qu'il doit connoter, ne peut être situé que dans l'*espace d'en-haut* : la dénomination de Mont-Valérien est le résultat de la convergence, dans une position donnée, de deux structures figuratives à la fois, le compromis permettant de situer en /haut/ la terre, dont l'emplacement canonique, sociolectal, serait plutôt le /bas/.

La solution convenable étant ainsi trouvée, une nouvelle homologation devient possible : elle consiste à identifier l'opposition des deixis positive et négative avec les termes /bas/ et /haut/ de la catégorie spatiale de la verticalité, de telle sorte que :

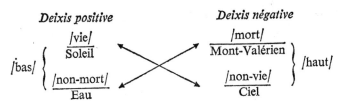

On comprend maintenant pourquoi la conjonction du Soleil et de l'Eau (sq ii et v) se fait dans la position euphorique du /bas/, et la conjonction du Mont-Valérien avec le Ciel, dans la position dysphorique du /haut/.

4. Une telle distribution des valeurs figuratives se maintient rigoureusement tant que subsiste la convergence des deux catégories qui la fonde, mais elle peut être suspendue par l'entrée en jeu d'autres catégories du même ordre. Le premier cas qui se présente dans le texte est celui de l'apparition de la dimension horizontale sur laquelle se situe la confrontation narrative; deux espaces utopiques — positif et négatif — sont alors homologués comme :

espace positif	*vs*	espace négatif
« bord de l'eau » = /Eau/		« île Marante » = /Terre/

Un deuxième cas de suspension de l'articulation primitive est consécutif à l'apparition de la catégorie :

/cosmologique/ *vs* /anthropologique/

selon laquelle toutes les activités qui ne concernent pas les humains se trouvent situées en /haut/ (par exemple : la mort du Soleil dans sq ii) et qu'au contraire, celles qui les concernent voient leurs destinateurs se rapprocher des humains et agir en /bas/ (par exemple : le faire déceptif du Ciel-Air dans sq iii; le faire destructeur du Mont-Valérien dans sq vi).

5. Finalement, le caractère unique de l'action du Mont-Valérien est indiqué par l'introduction du terme /gauche/, fortement dysphorique, mais auquel ne correspond, du moins dans notre texte, assez peu étendu, aucun terme opposé.

6. Les dimensions d'un seul texte bref, mais aussi la méconnaissance du mode d'existence des structures figuratives sociolectales ne nous permettent pas d'aller plus loin et de proposer le modèle du fonctionnement de l'univers idiolectal qui rendrait compte à la fois de son articulation d'ensemble et des règles de conversion qui permettent

de le produire à partir du modèle sociolectal. Nos observations sont destinées, entre autres, à suggérer une approche possible de la définition du concept d'*originalité sémantique.*

4. *Le faire mortel.*

Pour des raisons de commodité, nous passerons maintenant directement à l'examen du deuxième passage descriptif du Mont-Valérien, quitte à le replacer ensuite par rapport aux commentaires qui l'accompagnent.

Ce passage n'est composé, à vrai dire; que d'une seule période, son organisation de surface étant, en même temps, du point de vue formel, tellement affichée, qu'une transcription mettant en évidence ses articulations syntaxiques supplée déjà à moitié l'analyse proprement dite.

(1)   Et le Mont-Valérien tonnait *sans repos*
(2)   (a)   démolissant à coups de boulet des maisons *françaises*
       (b)   broyant des vies,
       (c)   écrasant des êtres,
(3)   mettant fin
              (a)   à bien des rêves,
              (b)   à bien des joies attendues,
              (c)   à bien des bonheurs espérés,
(4)   ouvrant
              (a)   en des cœurs de femmes,
              (b)   en des cœurs de filles
              (c)   en des cœurs de mères
                           là-bas, *en d'autres pays*
(5)   des souffrances *qui ne finiraient plus*

1. La première proposition de la période se présente, du point de vue textuel, comme une *anaphore* qui reprend, après le passage représentant le *faire verbalisé* de S₁, la description en expansion du Mont-Valérien. Elle constitue ainsi le pivot textuel permettant de rassembler et d'opposer deux sortes d'activités du Mont-Valérien : celles d'*en-haut*, qui se trouvent invoquées, et celles d'*en-bas*, qui seront développées à partir de là.

2. Le passage entier est placé sous le signe de l'*itérativité*, qui tend vers l'infini, représentant de ce fait la guerre comme un mal absolu. Deux marques d'itération, inscrites dans (1) et (5), encadrent la période :

$$\frac{/\text{cosmologique}/}{\text{« sans repos »}} \simeq \frac{/\text{anthropologique}/}{\text{« (souffrances) qui ne finiraient plus »}}$$

La trame même de la période ainsi encadrée se déroule, d'autre part, sur le *rythme ternaire* dont la fonction est double : il rend compte de la durée répétitive du *faire destructeur*; son caractère ternaire signale, selon le symbolisme narratif quasi-universel, une « grande quantité » d'événements itératifs. On voit dès lors que la structure de la période est constituée prosodiquement, en mettant à part les segments introductif et terminatif (1) et (5), de trois « strophes » : (2), (3) et (4), comportant chacune trois « vers » : (a), (b) et (c).

3. La segmentation du corps de la période paraît également aisée : si la strophe (2) décrit le faire destructeur du Mont-Valérien, les strophes (3) et (4) en développent les conséquences; si (2) établit le faire dans ses aspects *duratif et fréquentatif,* (3) développe l'aspectualité *terminative* et (4) l'aspectualité *inchoative.*

Ce sont là des manifestations qui instituent le texte dans sa temporalité : on se rend facilement compte qu'il ne s'agit ici que des phénomènes de surface, des procédures de *temporalisation* des structures narratives sous-jacentes. La période se présente comme un *micro-récit* autonome : le Mont-Valérien, agissant en sa qualité de sujet compétent, accomplit ses performances (2), qui correspondent à deux sortes de transformations, distribuées en (3) et (4), que l'on peut formuler ainsi :

$$EN_1 = F \text{ trans } [Dr \, 2 \longrightarrow (S : \text{hommes} \cup O : \text{joie})]$$
$$EN_2 = F \text{ trans } [Dr \, 2 \longrightarrow (S : \text{hommes} \cap O : \text{souffrance})]$$

Il ne nous semblait pas utile d'effectuer en cet endroit une analyse plus fine, qui aurait consisté à établir, grâce à l'examen sémique des contenus, la parasynonymie entre les lexèmes « rêves », « joies » et « bonheurs » : nous les avons dénommés ensemble, à l'aide de l'un d'entre eux, « joie », nous souvenant que nous l'avons déjà identifié, lors de l'analyse de sᴏ v, avec le terme /non-mort/, en l'opposant à « souffrance », représentant le terme /mort/. Dès lors, les deux énoncés narratifs — et les strophes (3) et (4) dans lesquelles ils se manifestent — du fait qu'ils possèdent des *objets* à investissements contradictoires et que leurs *fonctions,* disjonction et conjonction, sont également contradictoires, apparaissent comme pléonastiques et peuvent être résumés, au niveau des opérations logiques, comme représentant la négation de /non-mort/ et l'assertion de son contradictoire /mort/ :

$$\text{Trans} = /\text{non-mort}/ \implies /\text{mort}/$$

4. A-t-on besoin d'ajouter que le Mont-Valérien — qui est d'ailleurs situé du côté français — exerce son faire destructeur sur les deux peuples en guerre (cf. « les maisons françaises » + « en d'autres pays ») : l'anti-destinateur, s'il délègue ses pouvoirs (pour les besoins du récit dont la structure polémique exige l'affrontement de S_1 et S_2), à l'officier prussien, n'en reste pas moins un anti-destinateur universel, ennemi de la vie, et l'isotopie profonde qui s'offre ainsi à la lecture est celle des valeurs respectives de la vie et de la mort, dans la mesure où elles sont assumées par tous les hommes.

5. On voit mieux maintenant la différence qui existe entre les deux descriptions, entrecoupées, du Mont-Valérien; la première le représente dans son *être* et la seconde, dans son *faire*. En effet, il suffit de regarder d'un peu plus près les prédicats du Mont-Valérien (« jetait son haleine », « soufflait ses vapeurs »), pour s'apercevoir qu'ils ne sont en réalité que de faux transitifs, c'est-à-dire des expressions périphrastiques, représentant des verbes intransitifs en expansion : les énoncés qu'ils produisent sont, de ce fait, des énoncés d'état, qui s'opposent nettement aux énoncés de faire, dont les prédicats sont « démolir », « broyer », « écraser ».

Ce qui surdétermine cependant cet *être* et ce *faire* du Mont-Valérien, c'est la modalité du *pouvoir* qui leur est commune. Annoncé depuis longtemps déjà par la présence des « *hauteurs* d'Orgemont et de Sannois » qui « *dominaient* tout le pays », l'être du Mont-Valérien est un *pouvoir-être* dominateur, situé au Ciel, tout comme son *pouvoir-faire* s'exerce sur les dominés d'en-bas. Cette constatation, qu'il nous faut retenir, nous facilitera l'approche du commentaire des deux amis.

3. LA MORT ET LA LIBERTÉ

1. *La segmentation.*

Entre les deux descriptions du Mont-Valérien, la première présentant l'être du pouvoir, et la seconde le faire de cet anti-destinateur se trouve intercalée une sous-séquence dialoguée, marquée comme commentaire des représentations cosmologiques. En effet, le caractère de commentaire apparaît nettement lorsqu'on compare les deux propositions :

« Le canon | se *remettait* à tonner »
« (Voilà que) ils | *recommencent* »

Si l'on admet, à première vue, que le commentaire double la description — à cette différence près que la description se situe sur le plan *cosmologique*, alors qu'il place les choses sur le plan *anthropologique* —, on peut essayer de diviser ce dernier en deux segments, selon leur topique :

le faire du pouvoir vs *l'être du pouvoir*

On notera toutefois l'existence d'une permutation syntagmatique grâce à laquelle la disposition textuelle aura la forme suivante :

/être cosm./ $\longrightarrow$ /faire anthr./ $\longrightarrow$ /être anthr./ $\longrightarrow$ /faire cosm./

Du point de vue textuel, chaque segment est constitué de trois reparties, dont la première se présente sous la forme d'un énoncé en apparence constatif :

(a) « Voilà qu'ils recommencent »
(b) « ... ce sera toujours ainsi tant qu'il y aura des gouvernements »

Chaque segment se présente donc sous une forme ternaire segmentable en /1 + 2/ reparties :

Premier segment	vs	*Second segment*
Sauvage		Morissot
Morissot		Sauvage
Sauvage		Morissot

La partie dialoguée est, d'autre part, suivie d'un bref passage en « style indirect libre », où le dialogue se trouve pris en charge et résumé par le narrateur. Pour des raisons qui n'apparaîtront que plus tard, nous séparons ce segment du dialogue proprement dit.

. « *C'est pis que des bêtes* ».

1. Malgré sa ressemblance formelle avec la proposition annonçant que « le canon se remettait à tonner », la constatation introductive e M. Sauvage :

« Voilà qu'ils recommencent »

situe le *faire événementiel* sur le plan proprement humain; le « canon » qui n'était, dans la description précédente, que la « bouche » du Mont-Valérien se trouve remplacé, comme sujet syntaxique, par un « ils » dans le rôle d'/indéfini /et /humain/. En effet, l'énoncé de M. Sauvage — comme pratiquement tous les éléments du discours direct rapporté — relève à la fois de la syntaxe familière et du statut du cliché petit-bourgeois : ce n'est pas autrement que le père d'une famille nombreuse annoncerait que ses enfants recommencent à se chamailler.

Cette expression se trouve introduite, d'autre part, par un encadrant gestuel signalé par l'énonciateur : « M. Sauvage haussa les épaules », ce qui est « signe d'indifférence ou de mépris » *(Petit Robert)*. Par rapport à ce « ils » indéfini, S_1 se situe donc d'abord dans un état de :

$$|aphorie| = |ni\ euphorie + ni\ dysphorie|$$

ne se sentant pas concerné par sa présence.

2. Dès lors, l'apparition de la *marque événementielle*; « soudain » s'explique comme le signal du changement d'*état phorique*: la « colère » étant la lexicalisation d'un état dysphorique violent, la transformation se présente comme :

$$|aphorie| \implies |dysphorie| + |intensité|$$

Cependant, le contenu sémique de « colère » se retrouve tel quel, avec une intensité plus forte, dans un autre lexème, « enragé », et les deux comportent, de plus, le sémantisme /agressivité/ qu'on peut considérer comme l'investissement sémantique des actants, se trouvant dans une situation narrative de caractère polémique. Ces contenus sémantiques communs sont pourtant attribués à deux actants dont le premier est dénommé « homme paisible » et le second, « (hommes) qui se battent », et qui n'est que l'expansion de l'anaphorique « ils ». La situation ainsi constituée peut être notée comme :

A_1	*vs*	A_2
	/agressivité/	
« coléreux »	$\simeq$	« enragé »
/dysphorie intensive/		/dysphorie intensive/
« homme paisible »	*vs*	« (hommes) qui se battent » = « ils »
/paix/		/guerre/

Autrement dit, l'humanité se trouve divisée en deux classes :
« amoureux de la paix » et « amoureux de la guerre ».

Ce brusque changement d'état phorique et cette agressivité qui
apparaît soudain trouvent leur explication dans la synchronisation
de deux programmes et de deux *faire narratifs* contraires : Morissot,
en effet, fut pris de colère à l'instant même où il « regardait anxieusement plonger coup sur coup la plume de son flotteur ». Nous n'allons
pas revenir sur le parallélisme des programmes de « pêche » et de
« canonnade » : au moment où il était sur le point de se conjoindre
avec l'objet de valeur euphorique, le *faire contraire*, guerrier, lui est
apparu dans son absurdité, en créant un état complexe insupportable,
réunissant /paix/ + /guerre/.

3. Dès lors, l'état euphorique ne peut être sauvé qu'en niant la
dysphorie coexistente et l'actant qui en est le porteur. C'est dans ce
contexte de dénégation de l'actant A_2 que l'on peut lire les jugements
de valeur énoncés successivement par les deux amis :

> « Faut-il être stupide pour se tuer comme ça! »
> « C'est pis que des bêtes ».

L'aspect dépréciateur de ces jugements est marqué de deux manières
différentes : syntaxiquement et sémantiquement.

Du point de vue syntaxique, on notera que l'actant A_2, désigné
comme un « ils », c'est-à-dire comme un /indéfini/, mais aussi comme
un /personnel/ dans l'état encore aphorique de A_1, se trouve maintenant marqué soit par une tournure impersonnelle : « Faut-il être
stupide... », soit par un impersonnel : « c'est »; deux formes indiquant
/non-personne/ et /non-humain/ et qui correspondent au premier
terme de l'opposition que l'on peut dénommer :

> « ça » *vs* « on »

Il s'agit donc là d'un procédé de *réification syntaxique* bien connu
de l'écriture dix-neuvièmiste (cf. « les femmes, ça baille après l'amour »
de Flaubert).

Du point de vue sémantique, le résultat, quoique comparable, est
légèrement différent. Pour interpréter le jugement porté, il faut
d'abord admettre que les deux énoncés, du fait qu'ils sont censés être
produits par deux acteurs constituant un seul actant, sont isotopes,
autrement dit, que le premier peut être complété comme suit :

> « Faut-il être stupide (comme des bêtes) pour se tuer comme ça »

149

S'il en est ainsi, alors :

a) le premier énoncé réduit « les enragés » qui « se tuent », de l'état d'humains à l'état de « bêtes », et

b) le second énoncé dénie même la qualité de « bêtes » à ce qui syntaxiquement, est en même temps présenté comme « ça ».

Il est loisible, ensuite, d'identifier l'état de « bêtes » à l'état de nature, et de voir dans le second énoncé la dénégation de cet état, de sorte que, sur le plan du *faire interprétatif*, on puisse enregistrer la transformation :

$$/\text{nature}/ \implies /\text{non-nature}/$$

3. *Nature et culture.*

Si le premier segment dialogué interprète ainsi le *faire* des hommes (« se battre », « se tuer ») dont le destinateur est le Mont-Valérien, on a vu que le sujet de ce faire ne peut être identifié qu'avec une certaine classe d'hommes — et non avec tous les hommes — que l'acceptation d'un tel destinateur dépend, en définitive, des choix idéologiques au sens large du terme. Ainsi, S_1 n'appartient pas à cette classe de sous humanité :

$$A_2 \text{ (« ça ») exclut } A_1(S_1)$$

Le second segment pose le problème en termes déjà différents. Ici aussi, l'énoncé constatif qui inaugure le dialogue est l'effet de la synchronisation de deux programmes :

/Paix/	*vs*	/Guerre/
« M. venait de saisir une ablette... »		« ce sera toujours ainsi... »

Les deux expressions textuelles dénotent chacune un *état* qui résulte d'un *faire* : état en tant que résultat heureux de la pêche et état itératif, devenu permanent, de la « tuerie ». Elles signalent en même temps la baisse de la tension qui accompagnait le faire et qui, maintenant, peut réapparaître au niveau du faire verbal : en effet, si les reparties du premier segment étaient isotopes (M. Sauvage ne fait que « reprendre » ce que dit Morissot), le dialogue du second segment est présenté comme une « discussion ».

Point n'est besoin d'insister sur l'ironie de surface que manie en cette occasion Maupassant : l'ouverture de la discussion sur les

« grands problèmes politiques » est annoncée par une « déclaration » de Morissot (qui se contentait de « grommeler » dans le premier segment), les rôles d' « anarchiste » et de « républicain » étant partagés entre les deux acteurs. Un discours *culturel*, tenu dans une sorte de « *Vatersprache* », s'instaure ainsi, ayant pour objet les formes de gouvernement, c'est-à-dire, en somme, la *culture* institutionnalisée, identifiable à la « guerre ».

Nous retrouvons ici de nouveau les principes de l'organisation paradigmatique qui régissent le texte. On se souviendra que l'expérience mystique de la « vie », décrite dans SQ V, n'était possible qu'à deux conditions :

— négation de l'extéro-ceptivité (« ils n'écoutaient plus rien »);
— négation de l'intéro-ceptivité (« ils ne pensaient plus à rien »).

Les deux segments dialogués de SQ VI apparaissent, au contraire, comme :

— assertion de l'extéro-ceptivité (le *faire meurtrier* des hommes);
— assertion de l'intéro-ceptivité (les institutions politiques qui organisent le meurtre).

Ces deux aspects de l'englobant — par opposition à l'englobé proprio-ceptif — une fois posés, se trouvent évalués et condamnés comme :

$$/\text{non-nature}/ + /\text{culture}/$$

Il s'agit là, on le voit, de l'apparition des valeurs sociales relevant de l'univers collectif, dans les termes de la deixis négative du modèle II et de leur homologation avec la structure axiologique déjà élaborée, de sorte que :

$$[/\text{non-nature}/ + /\text{culture}/] \simeq [/\text{non-vie}/ + /\text{mort}/]$$

4. *Le proto-destinateur social.*

En effet, à la place de Dr 2, anti-destinateur à la fois universel et individuel, apparaît dans le segment étudié un *proto-destinateur social* représenté par le lexème « des gouvernements » et réunissant les deux destinateurs présents dans le texte : le *destinateur social*, « Paris », et l'*anti-destinateur social*, « Prussiens ». Ce destinateur social commun nous est donné comme une émanation directe de l'anti-destinateur Mont-Valérien et identifié comme lui avec la guerre : l'énoncé qui introduit le débat établit une relation de concomitance entre la tuerie permanente et l'existence des gouvernements.

En face de ce nouveau destinateur — et en même temps dans une relation de subordination — apparaît, sous la forme « on », le nouveau destinataire. Contrairement à ce qui se passait avec « ça », le nouvel actant « on » est un /personnel/ et un /humain/ et comprend dans son sein le sujet S_1 :

$$A_3 \text{ (« on »)} \text{ inclut } A_1 (S_1)$$

L'actant A_3 représente donc toute l'humanité des sans-nom, dans la mesure où elle se trouve en opposition avec les « gouvernements ».

Il est à noter toutefois que cette relation entre /gouvernés/ et /gouvernants/ n'est décrite d'abord que sous un seul aspect : présentée dans le cadre syntaxique des rapports entre destinateur et destinataire, elle est caractérisée par le *don* mortel que le destinateur social accorde à l'humanité. Ainsi, en mettant de côté, comme non pertinentes, les variables :

$$\frac{\text{« les rois »}}{\text{« la République »}} \simeq \frac{\text{« /guerre/ au dehors »}}{\text{« /guerre/ au dedans »}}$$

les deux phrases :

« Avec les rois, on a la guerre au dehors »
« Avec la République on a la guerre au dedans »

possèdent un noyau invariant que l'on peut formuler ainsi :

$$F \text{ trans } [Dr \text{ social} \longrightarrow (A_3 : \text{humanité} \cap O : \text{guerre})]$$

Le seul don que fait tout « gouvernement » à l'humanité est la « guerre », c'est-à-dire la /mort/ que nous avons par ailleurs identifiée avec la /culture/.

5. « *On ne serait jamais libres* ».

1. Toutefois, ce segment dialogué n'est présenté que comme un élément introductif, pouvant donner l'avant-goût de la discussion qui se développe et que l'énonciateur reprend à son compte pour n'en proposer qu'une sorte de synthèse sous la forme de « on ne serait jamais libres ». Il ne s'agit pas ici, comme on aurait pu s'y attendre, de l'utilisation du « discours indirect libre », mais d'un procédé nouveau,

qui consiste à présenter non le contenu mais la forme de la discussion. L'organisation du passage correspond aux règles déjà connues de *l'expansion d'un prédicat processuel lors de sa temporaïisation dis-cursive.* Le procès en expansion comprend donc :

> l'aspect *inchoatif :* « ils se mirent à discuter... »
> l'aspect *duratif :* le « débrouillement »
> l'aspect *terminatif :* « tombant d'accord... »

Le corps de la discussion, manifesté dans sa durativité, présente deux caractéristiques distinctes :

a) la mise en place de la *structure formelle* de la *discussion* comportant :

> — *le topique :* « les grands problèmes politiques »
> — *les participants :* « hommes doux et bornés »
> — *le mode :* « avec une raison saine »
> « tranquillement »

b) un ensemble de *jugements de valeur* que le sujet de l'énonciation émet en cette occasion sur le sujet de l'énoncé, destinés à déprécier ce dernier dans la mesure où il se comporte selon le mode de la /culture/ et non de la /nature/, dans la mesure aussi où il utilise la communication verbale, inauthentique, à la place de la communication silencieuse, la seule vraie (cf. « ils s'entendaient admirablement sans rien dire »). Un jugement positif s'y trouve contenu toutefois : c'est l'affirmation de la « raison saine » qui permet d'aboutir aux conclusions correctes.

2. On peut se demander, en partant de la conclusion « on ne serait jamais libres », s'il est possible de reconstituer, par une sorte de rétro-lecture, la démarche de la discussion : car la *discussion*, de notre point de vue, n'est que la confrontation de *deux faire persuasifs.* Le début de ce débat montre que son propos est de savoir :

— si la guerre est un attribut congénital et nécessaire de tout gouvernement (thèse de Morissot), ou

— si elle ne caractérise qu'une certaine forme de gouvernement, à l'exclusion notamment du régime républicain (thèse de M. Sauvage).

Il est à supposer que chacun des protagonistes exerce son *faire persuasif* afin de faire pencher la balance de son côté. L'accord, dans ces conditions, n'est possible que si les deux parties abandonnent l'isotopie sur laquelle se trouve situé le débat pour une autre isotopie, où la contradiction peut être suspendue. Le glissement implicite semble s'opérer au niveau de l'examen de l'ensemble des attributs nécessaires du destinateur social, « les gouvernements », et s'expliquer par le passage des *valeurs axiologiques*, (« guerre » = /mort/), aux *valeurs modales* (le /pouvoir/), dont est doté ce destinateur.

En effet, si le faire du destinateur social est *mortel*, il s'exerce selon la modalité du *pouvoir*, il est fondé en tant que *pouvoir-être* (ou : *être en tant que pouvoir*). C'est par rapport à ce destinateur social défini comme l'incarnation du *pouvoir* que l'humanité des « on » est reconnue comme ne pouvant jamais être libre. La relation entre destinateur et destinataire, déterminée d'un commun accord, est donc celle de :

/dominant/   *vs*   /dominé/

et constitue un *état* permanent.

6. *Le pivot narratif.*

1. Les deux amis ont beau « dépolitiser » ainsi le débat, celui-ci n'en comporte pas moins des conséquences notables sur le plan narratif. En effet, la discussion, étant un *faire cognitif* conjugué, aboutit à une conclusion sapientiale et à un « accord » qui se présente comme un *contrat véridictoire*. Le *faire cognitif* s'achève donc non seulement par l'acquisition d'un /savoir/, mais, du fait de sa modalisation fiduciaire, par l'acquisition d'un /savoir vrai/.

Or, ce savoir porte sur le fait « qu'on ne sera jamais libres », c'est-à-dire sur l'état de /dominé/ dans lequel se trouve l'humanité opprimée et S_1, qui en fait partie. Autrement dit, de l'état de /dominé/ que l'on peut écrire comme :

$$S_1 \cap O : /\text{dominé}/$$

le sujet passe, à la suite du *faire cognitif*, à un état caractérisé par le *savoir réfléchi* sur sa propre situation :

$$\text{savoir } [S_1 \cap O_1 (S_1 O : \text{dominé})]$$

Mais être dominé (ne pas être libre) c'est, selon les dictionnaires, « ne pas pouvoir décider, agir par soi-même », c'est-à-dire être privé de la modalité de /pouvoir-faire/, et le savoir nouvellement acquis est *un savoir sur un manque*. Si la disjonction du sujet avec un objet constitue cet objet en objet de *valeur virtuelle*, le savoir que le sujet

154

possède de cette disjonction transforme la valeur virtuelle en *valeur actualisée*. L'acquis narratif que nous avons mentionné et qui résulte du double *faire cognitif* consiste, par conséquent, dans l'*actualisation de la valeur modale qui est le /pouvoir-faire/*. Le sujet S_1, qui n'était jusque-là qu'un *vouloir-être*, se trouve transformé maintenant, grâce à la médiation du *savoir* acquis, en sujet d'un nouveau *vouloir*, le /vouloir-pouvoir/, et ceci constitue l'amorce d'un nouveau récit qui recouvre la deuxième partie du conte.

2. Un rapide survol de l'ensemble du texte semble ici opportun. Du point de vue narratif, il se présente comme partagé en deux récits que l'on peut appeler, de façon suffisamment suggestive :

la quête de la « vie » vs *la quête de la « mort »,*

le terme de « quête » indiquant simplement qu'il s'agit, dans les deux cas, d'un programme narratif fondé sur le vouloir du sujet, ce vouloir visant deux sortes d'objets de valeur différents.

La quête de la « vie » est couronnée de succès, non seulement du fait de la conjonction avec les valeurs existentielles, mais aussi et surtout du fait de la connaissance de ce qu'est vraiment l'existence, c'est-à-dire du fait de l'acquisition du savoir sur les valeurs vitales. Dans cette perspective, le destinateur Soleil, tout en possédant le contenu axiologique /vie/, est en même temps le détenteur et le dispensateur du savoir, un *destinateur selon le savoir* (ce qui explique, entre autres, l'aspect prémonitoire de la mort du Soleil).

Toutefois, cette quête s'effectue, il ne faut pas l'oublier, sur l'isotopie véridictoire de l'*illusion*, et le savoir sur les valeurs positives ne peut être acquis que par l'exclusion de l'englobant extéro- et intéroceptif.

3. Faisant suite à ce premier récit, la quête de la « mort » résultera d'un « retournement de la situation », d'un *pivotement narratif* dû :

a) à l'apparition de l'isotopie de la *vérité* (ou de la « réalité »);
b) à l'acquisition du *savoir* sur les valeurs mortelles ;
c) à l'acquisition du *savoir* sur le pouvoir dominateur qui rend toute liberté impossible.

Or, ces trois faits narratifs sont présents justement dans la séquence que nous étudions. Situés sur la dimension cognitive de la narration, ils constituent le *pivot* du récit, qui correspond, *mutatis mutandis*, à la « *reconnaissance* » aristotélicienne : c'est l'acquisition d'un nouveau savoir qui déclenche un nouveau programme narratif.

Celui-ci ne peut être fondé que sur un nouveau vouloir du sujet, et le vouloir présuppose, à son tour, l'existence de nouvelles valeurs

155

virtuelles : c'est ainsi qu'apparaît, à la manière de l'idiot du village des contes russes, un nouveau sujet non-révélé, le *sujet du vouloir-pouvoir*.

Au lieu de parler de l'idiot du village, il aurait peut-être mieux valu nous référer au héros selon Camus qui, ayant pris conscience de son appartenance à un monde dominé par le pouvoir et par la mort, s'institue comme le sujet négateur de ce monde.

Entendons-nous bien : la « reconnaissance » rend possible un nouveau programme narratif, elle ne l'instaure pas. Tout comme pour le héros camusien, il faut qu'un événement extérieur s'introduise et provoque les conditions du refus, c'est-à-dire le passage d'un *vouloir-pouvoir* /-nier/ à un *pouvoir* /-nier/. L'acquisition de la modalité du /pouvoir/ fera déjà partie du second récit.

7. *La présence de la mort.*

1. Nous nous sommes engagé à rendre compte de la disposition générale de la séquence et, plus précisément, de la position des segments descriptifs par rapport à celle des segments dialogués. Le premier segment descriptif, représentant la figure anthropomorphe du Mont-Valérien, ne fait pas de difficulté : il est tout entier intégré dans l'espace cognitif des deux amis, il est donné comme vu et interprété par S_1 et non comme une prestation directe de l'énonciateur.

Le second segment descriptif, présent sous la forme d'une seule « belle période » fait graphiquement partie du même paragraphe que la discussion des deux amis, continuité qui se signale comme un mode d'intégration particulier. Or, le mode d'existence textuelle de la « discussion » consiste dans sa prise en charge par l'énonciateur, sans pour autant qu'elle se développe en un « discours indirect ». Autrement dit, si le procédé d'*embrayage*, du retour à l'énonciation, y était reconnaissable, le *re-débrayage* ne consistait plus dans une nouvelle projection du discours de l'énonciateur sur celui, présumé, du sujet de l'énoncé; il adoptait, au contraire, le point de vue de l'observateur, c'est-à-dire d'un *narrateur installé dans le discours*. Seul le dernier fragment phrastique, « on ne serait jamais libres », tout en étant sémantiquement le résumé de la discussion, adoptait la forme (cf. l'emploi du conditionnel) du « discours indirect libre ». D'où son caractère insolite et son importance narrative.

2. Tout le segment dialogué qui précède la réapparition du Mont-Valérien, malgré trois formes différentes de manifestation textuelle (dialogue, discussion narrée, « discours indirect libre »), est situé sur

la *dimension cognitive*, mais verbalisée, de la narration. Le segment descriptif, intégré dans le même paragraphe, ne peut être dès lors, à première vue, que son prolongement. Cependant, les modes de réalisation textuelle de ce segment diffèrent de ceux déjà analysés :

a) Il s'agit ici, comme précédemment, du discours de l'énonciateur, résultat d'un embrayage, c'est-à-dire de la reprise de parole. Son discours se développe même en un « morceau de bravoure », la phrase complexe prenant la forme d'une *période* rythmée, nombrée, paradigmatiquement articulée, le segment discursif interrompant, à la manière de la partie chantée du film indien ou égyptien, le déroulement prosaïque de la narration, pour produire une effusion lyrique. Il suffit de se référer à d'autres endroits du texte (par exemple, toute la SQ II ou le segment intercalaire de SQ IV, introduisant les « Prussiens »), pour y reconnaître la même intention de *rupture* textuelle et les mêmes « effets lyriques » (sans aucun jugement de valeur à leur endroit, évidemment).

b) Car, si c'est bien l'énonciateur qui parle, il ne le fait que par procuration et au nom du sujet de l'énoncé ; contrairement à ce qui se passe dans le cas du « discours indirect », il ne reproduit et ne parodie pas le discours du sujet de l'énoncé, ne serait-ce que parce que, en réalité, il n'y a rien à reproduire. En effet, si, dans le segment précédent, il s'agissait de rendre compte, d'une manière ou d'une autre de la dimension cognitive *verbalisée* du sujet, l'énonciateur a à exprimer ici l' « inexprimé » et peut-être même l' « inexprimable », c'est-à-dire, les événements ou les « états d'âme » situés sur la dimension cognitive *non-verbalisée*.

c) Le mode de textualisation du *savoir noologique* du sujet est donc caractérisé à la fois par l'adoption de la procédure d'*embrayage* et par l'utilisation de la *forme figurative* du discours et se présente de ce fait, à la lecture de surface, comme un *texte descriptif*. Il relève en réalité, comme les autres procédures de textualisation, d'une *typologie d'écritures* dont on pourrait dès maintenant tenter un inventaire provisoire et qui montrerait le rôle de premier plan joué dans la variation des productions textuelles par les procédures de débrayage et d'embrayage.

3. En tant qu'installation, dans le texte, des contenus révélant le savoir noologique de S$_1$, le segment « descriptif » se soumet alors à une lecture transparente. Sous la forme générale du *faire mortel*, c'est le *faire transformateur* de l'anti-destinateur qui est ici présenté et, surtout, appréhendé par S$_1$: ce faire consiste à « mettre fin » aux *joies* des hommes (situées sur la deixis positive de la structure axiologique) et à « ouvrir » l'ère des *souffrances* (occupant la deixis négative).

157

Du point de vue sémantique, ce sont donc les progrès narratifs résultant des transformations des contenus cognitifs du sujet qui peuvent être enregistrés ici : après s'être identifié avec l'humanité des « on », caractérisée par l'état commun de /dominé/, le sujet acquiert maintenant, sur le plan de l'isotopie de la vérité, la connaissance de l'univers axiologique du /dominateur/, fait de valeurs positives rejetées et de valeurs négatives affirmées.

4. On comprend dès lors que la déclaration de M. Sauvage : « C'est la vie », ne soit que la conclusion verbalisée de la méditation intérieure des deux amis, présentée sous les apparences de la description du Mont-Valérien. Tout en marquant le passage du /non-verbalisé/ au /verbalisé/, cette expression fonctionne comme un *anaphorique* qui reprend, résume et verbalise le segment précédent dans son ensemble, en rendant ainsi au texte, malgré les changements de niveau, sa continuité.

On connaît le goût de Maupassant pour le cliché : « c'est la vie » en est un. On dit moins souvent que le cliché est pour lui le lieu préférentiel de l'anti-phrase : « c'est la vie » est déjà, de par sa nature de stéréotype social, une sorte d'anti-phrase, car l'expression désigne justement ce qu'il y a de /non-vie/ dans la vie. Mais, dès lors, le correctif introduit par Morissot : « c'est la mort » ne fait que conjoindre les deux termes représentatifs de la deixis négative assumée par l'anti-destinateur :

$$/\text{non-vie}/ + /\text{mort}/,$$

deixis dont la présence menaçante est *actualisée*, mais non encore *réalisée* (le « rire » de Morissot nous le fait comprendre).

La capture

Mais ils tressaillirent effarés, sentant bien qu'on venait de marcher derrière eux; et ayant tourné les yeux, ils aperçurent, debout contre leurs épaules, quatre hommes, quatre grands hommes armés et barbus, vêtus comme des domestiques en livrée et coiffés de casquettes plates, les tenant en joue au bout de leurs fusils.
Les deux lignes s'échappèrent de leurs mains et se mirent à descendre la rivière.
En quelques secondes, ils furent saisis, emportés, jetés dans une barque et passés dans l'île.
Et derrière la maison qu'ils avaient crue abandonnée, ils aperçurent une vingtaine de soldats allemands.
Une sorte de géant velu, qui fumait, à cheval sur une chaise, une grande pipe de porcelaine, leur demanda, en excellent français : « Eh bien, messieurs, avez-vous fait bonne pêche ? »
Alors un soldat déposa aux pieds de l'officier le filet plein de poissons qu'il avait eu soin d'emporter. Le Prussien sourit : « Eh! eh! je vois que ça n'allait pas mal. » (*Mais...*)

1. ORGANISATION TEXTUELLE

1. *Encadrement de la séquence.*

A première vue, l'autonomisation de la séquence paraît aisée : elle se trouve encadrée, en effet, par deux démarcateurs logiques « mais » et la segmentation du texte s'opère comme :

SQ VI ∪ SQ VII (manifestée par le « mais » du début)
SQ VII ∪ SQ VIII (manifestée par le « mais » de la fin)

Toutefois, la séquence ainsi établie comporte, en son milieu, une *disjonction spatiale* qui n'est pas moins significative : il s'agit du trans-

SÉQUENCE VII

fert de S_1, d'un lieu utopique (le « bord de l'eau ») en un autre (l' « île Marante »), disjonction forte, parce que signalant l'achèvement d'un récit (que l'on peut appeler R_1) et l'instauration d'un nouveau récit (R_2). La capture interrompt en effet cette quête du bonheur, la pêche, et ouvre le nouveau parcours qui mène à la mort. Au lieu utopique selon l'*illusion*, le bord de l'eau, se substitue un deuxième espace utopique, selon la *vérité*, la terre entourée d'eau.

L'organisation narrative enjambe cependant ce bornage en faisant correspondre les limites de la séquence à celles d'un micro-récit complet réalisant le schéma proppien à l'intérieur duquel le transfert spatial s'interprète comme le retour du vainqueur ayant à remettre au destinateur l'objet de valeur acquis (les captifs). Aussi, tout en reconnaissant à cette rupture spatiale une position spéciale dans l'économie générale du macro-récit, sommes-nous amené à faire prévaloir, dans l'établissement de la séquence textuelle, les disjonctions logiques sur la disjonction spatiale.

> *Remarque :* Il faut noter qu'une *disjonction phorique* marque le début de la séquence. Ainsi :

$$\frac{\text{« rire »}}{/\text{euphorique}/} \quad vs \quad \frac{/\text{dysphorique}/}{\text{« tressaillir »}}$$

le verbe « tressaillirent » comportant, de plus, tant au niveau de sa racine qu'au niveau de sa désinence temporelle, le sème aspectuel de /ponctualité/, à valeur inchoative.

2. *Articulation interne.*

La disjonction spatiale, qui aurait pu servir de frontière interséquencielle, peut être utilisée maintenant pour distinguer deux segments, correspondant à deux syntagmes narratifs du micro-récit, ceux de l'*épreuve* et du *don*.

D'un autre côté, si l'on tient compte de la valeur segmentative de la récurrence des lexèmes verbaux telle que :

Seg 1 : « ils aperçurent » $\simeq$ *Seg 2 :* « ils aperçurent »

on peut être tenté de diviser chaque segment pris séparément en deux sous-segments, dont le premier serait chargé d'établir l'espace cognitif de S_1 et le second de manifester le programme narratif relevant de S_2. Une telle segmentation, simple et logique, ne correspond pourtant pas à la réalité de la manifestation textuelle où les éléments du *faire cognitif* et ceux du *faire pragmatique* sont constamment entremêlés. Nous dirons donc que le texte est constitué de la manifestation enchevêtrée de deux *faire narratifs* de nature différente :

a) le premier étant situé sur la *dimension pragmatique* du récit et réalisant le programme narratif de S_2;

b) le second étant situé sur la *dimension cognitive* et représentant le procès de cognition de S_1 qui vise, pour l'essentiel, le *faire pragmatique* de S_2.

Les deux *faire narratifs* ainsi reconnus ne sont par conséquent ni enchevêtrés, bien qu'ils paraissent tels lors de la manifestation textuelle ni enchaînés en segments successifs : ils se trouvent, au contraire, superposés comme deux dimensions autonomes et parallèles du récit. Il convient donc de les examiner séparément.

2. LA DIMENSION PRAGMATIQUE

1. *Le programme narratif de l'anti-sujet.*

Si l'on essaie d'interroger naïvement le texte, pour savoir ce qui se passe « réellement » dans la séquence considérée comme un espace textuel délimité, on s'aperçoit que celle-ci est caractérisée, en premier lieu, par le passage de l'initiative du sujet à l'anti-sujet, que la série événementielle qui y est décrite représente d'abord un PN achevé de S_2. Ce programme peut être ré-écrit sous la forme facilement lisible d'énoncés conventionnels, en indiquant à la fois les rôles actantiels et les acteurs qui les assument :

EN_4 = F *affrontement* (S_2 : soldats $\longrightarrow$ S_2 : deux amis)
EN_5 = F *domination* (S_2 : soldats $\longrightarrow$ S_1 : deux amis)
EN_6 = F *appropriation* (S_2 : soldats $\cap$ $S_1 = O_1$: deux amis)
EN_7 = F *appropriation* (S_2 : 1 soldat $\cap$ O_2 : poissons)
EN_8 = F *déplacement* (S_2 : soldats $\longrightarrow$ S_2 : soldats)
EN_9 = F *déplacement* (S_2 : soldats $\longrightarrow$ O_1 : deux amis)
EN_{10} = F *déplacement* (S_2 : 1 soldat $\longrightarrow$ O_2 : poissons)
EN_{11} = F *don* (S_2 : soldats $\cup$ O_1 : deux amis $\cap$ Dr 2 : officier)
EN_{12} = F *don* (S_2 : 1 soldat $\cup$ O_2 : poissons $\cap$ Dr 2 : officier)

Une telle notation, pour imparfaite qu'elle soit, nous signale immédiatement certaines omissions textuelles d'énoncés narratifs, qui sont pourtant logiquement présupposés par le déroulement du PN :

a) Ainsi, l'apparition, dans EN_{11}, de l'officier prussien présuppose l'existence d'une relation /Dr *vs* Dre/ entre l'officier et ses soldats (que nous avons dénommés S_2), mais qui agissent en fait comme destinataires (Dre) mandatés par leur Dr. Deux énoncés contractuels doivent donc être prévus et placés au commencement du PN :

$$EN_1 = F \ mandement \quad (Dr \ 2 : officier \longrightarrow O_3 : PN \longrightarrow Dre \ 2 = S_2 : soldats)$$

$$EN_2 = F \ acceptation \quad (Dre \ 2 : soldats \longrightarrow O_3 : PN \longrightarrow Dr \ 2 : officier)$$

> *Remarque :* Il est évident que cette formulation recouvre une réalité beaucoup plus complexe : nous serons amené à traiter séparément le problème de l'anti-sujet.

b) L'exécution du PN par S_2 exige, d'autre part, son déplacement préalable que nous noterons, dans EN_8, comme un déplacement réfléchi (S_2, en tant que sujet, déplaçant S_2 en tant qu'objet) :

$$EN_3 = F \ déplacement \quad (S_2 : soldats \longrightarrow S_2 : soldats)$$

On voit qu'un tel PN, situé au niveau grammatical de surface, est constitué en fait de *trois syntagmes narratifs* canoniques que l'on peut obtenir en regroupant des EN :

(1) *contrat* $= EN_1 + EN_2$
(2) *épreuve* $= EN_4 + EN_5 + EN_6 + EN_7$
(3) *don* $= EN_{11} + EN_{12}$

On voit aussi que chaque syntagme narratif se trouve autonomisé par les énoncés de déplacement, marquant les disjonctions spatiales : EN_3 et $EN_8 + EN_9 + EN_{10}$.

En laissant pour l'instant de côté le problème du syntagme contractuel, on peut dire que les deux syntagmes restants (2) et (3), ne sont en fait que des expansions figuratives, que des formes rhétoriques de la narrativité (cf. « Un problème de sémiotique narrative : les objets de valeur » *in* M. Arrivé et J. C. Coquet, *Sémiotiques textuelles Langages* No 31, 1973) rendant compte, à un niveau narratif plu profond, de la communication des objets de valeur dont les résultats peuvent être notés ainsi :

$$PN = S_1 \cup (O_1 + O_2) \cap S_2 (= Dre\ 2) \cup (O_1 + O_2) \cap Dr\ 2$$

2. Les objets de valeur : O_2.

Pour pouvoir interpréter le PN, tel qu'il se déroule sur la dimension pragmatique du récit, il ne reste qu'à préciser à quoi correspondent exactement les objets de valeur qui, dans la formulation logique, sont désignés comme O_1 et O_2 et qui, dans la manifestation textuelle figurative, sont représentés respectivement par « deux amis » et « poissons ».

Quant à la nature des « poissons » (O_2), la réponse paraît relativement simple : nous avons déjà reconnu dans cette figure un *hypotaxique* de l'investissement sémantique réunissant les deux termes de la deixis positive /vie/ + /non-mort/, correspondant, sur le plan figuratif, à la symbiose du Soleil et de l'Eau. Don du destinateur lors de la « pêche miraculeuse », les « poissons » représentent, du fait de leur conjonction — réalisée, mais suspendue — avec le sujet (ils trempent dans l'eau après leur capture), les valeurs axiologiques *actualisées*, — c'est-à-dire, en somme, des valeurs à la fois présentes et projetées hors du sujet —, ce qui constitue, en quelque sorte, leur mode d'existence « normal ». Dès lors, l'appropriation de ces valeurs par l'antisujet ne les supprime pas en tant que valeurs du sujet, elle ne fait que les passer dans l'état de valeurs *virtuelles*.

Cependant, notre réflexion sur le statut de O_2 (les « poissons ») nous a fait opérer un glissement presqu'imperceptible des considérations sur S_2 et son programme à celles concernant S_1. Ce que nous aurions dû noter, c'est que, selon le PN de S_2, l'anti-sujet entre en possession des valeurs représentées par « le filet plein de poissons » et qu'il les « consomme » à la fin du récit. Notre raisonnement, au contraire, a consisté à revenir sur le PN de S_1 et à commencer l'examen des valeurs et des positions des actants de ce programme à la suite de l'opération de la capture.

Ce glissement n'a rien d'étonnant si l'on tient compte du fait que tout récit polémique, dans la mesure où il réalise une structure paradigmatique et met en présence un actant et un antactant, déroule *un double programme narratif*, dont les énoncés — dans leur totalité ou en partie seulement — se trouvent superposés et corrélés. Cette corrélation s'exprime, dans le cas que nous examinons, de manière simple :

la conjonction de S_2 avec l'objet « poissons » (située sur le PN de S_2), est concomitante de la disjonction de l'objet « poissons » d'avec S_1 (opération qui relève donc du PN de S_1). Il est par conséquent indispensable d'interroger l'objet O_2 (« poissons ») de ce double point de vue.

Or, si, du point de vue du PN de S_1, la privation de O_2 que subit le sujet ne supprime pas sa qualité de *sujet voulant* (autrement dit, si l'état de prisonnier ne fait que virtualiser les valeurs dans lesquelles il s'était naguère reconnu), la conjonction de O_2 avec S_2 paraît d'une interprétation plus délicate :

a) A première vue, l'appropriation par l'anti-sujet des valeurs vitales du sujet se présente comme un acte de méchanceté gratuit ou plutôt comme la manifestation d'une certaine « *nuisance value* » : O_2 n'a de valeur aux yeux de l'anti-sujet que dans la mesure où sa perte prive le sujet des valeurs vitales.

b) D'autre part, la disjonction des poissons avec l'eau et leur conjonction avec la terre (ils sont déposés aux pieds de l'officier) — qui est une opération effectuée sur l'axe des contradictoires — anticipant ainsi leur destruction définitive, se présente comme la manifestation du *pouvoir* à l'état pur : l'offrande ainsi déposée notifie, sur l'axe de la verticalité, la relation de /dominant/ à /dominé/.

c) L'exaltation de ce « pouvoir-nuire » que procure à S_2 sa conjonction avec O_2 se trouve confirmée par la connotation *euphorique :* l'officier en effet ne « sourit » que deux fois dans le texte — ici et dans la séquence finale — et il le fait les deux fois à la vue des « poissons ». Cette euphorie atteindra d'ailleurs le degré maximal au moment de la consommation — destruction projetée : les « délices » que l'officier se promet renvoient nécessairement à la « joie délicieuse » qui pénètre les deux pêcheurs au moment du don miraculeux. La conjonction du sujet avec O_2 (soit créatrice soit destructrice de valeurs) est une source de bonheur.

3. *Les objets de valeur :* O_1.

1. Des difficultés comparables surgissent lorsqu'il s'agit d'interpréter le statut de O_1 : la formule intuitive, selon laquelle on aurait affaire, dans ce cas, à *la transformation du sujet en objet*, ne paraît pas entièrement satisfaisante. On sait en effet que l'instauration du sujet exige la mise en place progressive d'une structure modale relativement complexe : le sujet qui nous préoccupe ne peut par conséquent

être considéré comme un rôle actantiel simple, convertible par l'unique opération de transformation en un autre rôle actantiel, qui serait celui de l'objet. Il est préférable dès lors, comme à propos de O_2, d'avoir recours à une double lecture de ce segment narratif, en plaçant successivement l'acteur « deux amis » sur deux PN, ceux de S_2 et de S_1.

2. Une remarque de bon sens se présente d'abord : il paraît évident qu'on ne peut parler d'*objet* à propos de « deux amis » qu'en se plaçant dans la perspective du PN de S_2 et, de plus, qu'en parlant des segments non-explicités de ce programme. L'objet, en effet, quel qu'il soit, ne se définit que par rapport au sujet qui le vise : seuls la connaissance préalable de l'existence de « deux amis » et le désir de s'emparer d'eux, manifesté par l'anti-sujet, les constituent en objet qui, virtuel d'abord, donnera lieu à un faire conjoncteur.

La conjonction de O_1 avec S_2, conséquence d'une épreuve, se trouve manifestée dans le texte sous la forme figurative de l'appropriation et est susceptible, de ce fait, de nous donner les premiers renseignements sur la nature de cette opération. Ainsi, on notera tout de suite que les deux amis, tombés aux mains de l'ennemi, sont :

« saisis, emportés, jetés ... »

c'est-à-dire manipulés comme des *choses* et non comme des êtres humains, et ceci d'autant plus que les mêmes prédicats — ou leurs parasynonymes :

« porter » — « saisir » — « lancer »

sont utilisés de manière récurrente dans la séquence de l'immersion, en parlant des corps des deux pêcheurs.

3. Cette réification comporte dès lors certaines caractéristiques généralisables :

a) La prise de possession de O_1 par S_2 se situe sur le *plan somatique* et ne concerne que ce plan; les activités cognitives des deux amis, le texte le montre bien, ne s'arrêtent pas pour autant.

b) L'appropriation somatique a pour conséquence de priver l'actant sujet de son *faire*, la « chose » pouvant être définie négativement comme dépourvue de cette qualité : le sujet devient objet en passant de l'état d'*agent* à l'état de *patient*, sans perdre pour autant ses autres propriétés structurelles.

Cette passivité qui permet de l'*assimiler* aux choses n'est pas seulement visible au moment de l'épreuve, en contact avec l'anti-sujet agissant, elle apparaît comme une caractéristique constante de O_1. Comment interpréter autrement la tournure de la phrase :

« Les deux lignes s'échappèrent de leurs mains... »,

sinon à la fois comme l'abandon d'un outil du faire et comme l'abandon, syntaxique, de la position du sujet lâchant l'outil, au profit du sujet phrastique, « les deux lignes », qui « s'échappent » d'elles-mêmes.

4. En changeant de perspective et en adoptant la lecture du PN de S_1, on peut tout de suite ajouter que le faire somatique dont se trouvent privés les deux amis y est spécifié comme le faire permettant d'exécuter le PN de la « pêche ». En effet, la phrase qu'on vient de citer se trouve paradigmatiquement corrélée avec une autre phrase sémantiquement comparable :

(a) les deux *lignes*	*s'échappèrent*	de *leurs* mains
(b) (quatre hommes)	les *tenant* en joue	au bout de *leurs fusils*

En effet :

a) si l'on oppose les prédicats des deux propositions comme

/tenir/   *vs*   /ne pas tenir/

b) si l'on tient compte du fait que les deux « leurs » sont des anaphoriques respectivement de S_1 et de S_2,

c) on s'aperçoit que les deux adjuvants instrumentaux

« lignes »   *vs*   « fusils »

indiquent le type du *faire* qui caractérise chacun des PN.

On voit que l'aspect pseudo-inchoatif — en réalité, terminatif — du prédicat « s'échappèrent » marque, en même temps que la suppression du faire « pêcher », la fin du PN « pêche » et, de ce fait, du premier récit R_1. L'appropriation somatique d'un sujet par un anti-sujet qui le réduit en quelque sorte à l'état d'objet a pour corollaire, du point de vue du PN de S_1, de le priver de son « faire » : mais la potentialité du faire est justement ce qui définit l'actant sujet; rendre impossible l'exécution de son programme n'est rien d'autre que le déposséder de la *modalité du pouvoir-faire* dans les limites, évidemment, de l'isotopie dans laquelle s'inscrit ce faire, ce qui, dans notre cas, correspond à la pêche, qui est un exercice du bonheur.

166

4. *Sujet selon le faire et sujet selon l'être.*

C'est ici que l'analyse peut se servir utilement, il nous semble, de la distinction que nous avons proposé d'établir entre le sujet du faire et le sujet selon l'être. Le sujet du faire est celui qui, doté des *modalités du faire*, organise et exécute le programme narratif, tandis que le sujet selon l'être n'est que le dépositaire des propriétés (valeurs ou modalités) qui lui sont attribuées, ou dont il est privé, à la suite des transformations opérées par les deux sujets antagonistes du faire (par S_1, dans le cas de l'appropriation, par S_2, dans le cas du don, par exemple).

Dans la position narrative que nous examinons, S_1 (« deux amis ») ayant cessé d'être le sujet selon le faire, n'en reste pas moins un sujet selon l'être, et c'est ce dernier statut qui garantit sa permanence d'actant tout le long du texte. En effet, S_1 reste :

a) le *sujet selon le vouloir* : on a vu que la privation de O_2 (« poissons ») ne le supprime pas dans sa qualité de sujet virtuel, ne le prive pas de la modalité de *vouloir-être;*

b) le *sujet selon le savoir* : son savoir sur lui-même et sur le monde, loin d'être annihilé, s'exerce, au contraire, on le verra, sur la dimension cognitive qui recouvre la totalité de la séquence;

c) le *sujet selon le non-pouvoir* : dans la séquence précédente, S_1 avait déjà reconnu « qu'on ne serait jamais libres », que l'état permanent qui caractérise l'humanité des « on » est celui d'*être dominé*. Cet état de dépendance par rapport au proto-destinateur social, qui le définissait dans son « être de non-pouvoir », s'y trouvait alors *actualisé* : la capture le privant de l'illusion d'agir, ne fait que *réaliser* cette modalité du /non-pouvoir-être/.

Tel paraît être, dans les grandes lignes, le statut modal de S_1 « prisonnier ». Si l'on ajoute à ceci que l'exercice du savoir, tel que nous l'avons enregistré lors de l'examen de la séquence précédente, avait fait apparaître, à l'état *virtuel*, un nouveau *vouloir*, le vouloir de nier l'état de /non-pouvoir/, on peut déjà entrevoir l'éventualité d'un nouveau PN et d'un nouveau récit, qui organiseront cette deuxième partie du texte.

5. *Structure de l'anti-sujet.*

La séquence dont nous nous occupons en ce moment introduit, pour la première fois, sur le mode de la présence *réalisée*, la représentation de l'anti-sujet qui, bien que dominant implicitement l'ensemble du texte (depuis « Paris était bloqué... »), n'était manifesté jusque là que sur les modes du *virtuel* ou de l'*actuel*. Aussi peut-il sembler opportun de l'examiner d'un peu plus près en cet endroit, en dépassant les limites strictes que nous impose le *principe stratégique* (résultant, par conséquent, d'une option, et non d'une nécessité) de la segmentation du texte en séquences.

L'apparition de l'ennemi, « invisible et tout-puissant », annoncée depuis longtemps, s'effectue ici sous la forme de la manifestation *actorielle* d'un officier et d'une vingtaine de soldats. Par rapport aux « Prussiens », « ce peuple inconnu et victorieux », le groupe de militaires se situe comme sa représentation *hyponymique*, comme l'image de la société prussienne miniaturisée. Par rapport aux « deux amis », sujet narratif et actant collectif dotés d'un vouloir commun, les ennemis qui surgissent subitement pour interrompre leur PN, se présentent à la fois comme l'anti-sujet et comme l'antactant collectif. C'est d'un double point de vue — taxinomique et narratif — qu'il nous faut considérer cet ennemi « réel ».

5.1. *Les rôles actantiels de l'anti-sujet.*

La principale difficulté que rencontre l'analyse de cet « ennemi » est le caractère polysémique de l'acteur « officier prussien » ou plutôt la complexité des *rôles actantiels* qu'il est appelé à assumer simultanément et successivement, rôles qu'il a à jouer en tant que *délégué* et, plus précisément, en tant que « fondé de pouvoir » de plusieurs sortes de destinateurs que nous avons déjà reconnus :

a) L'officier, présenté figurativement comme « une sorte de géant velu, qui fumait, à cheval sur une chaise, une grande pipe de porcelaine » est certainement, sur ce plan, la copie conforme du Mont-Valérien et comme tel, assume le rôle de délégué de l'*antidestinateur individuel* et universel à la fois.

b) Dans la mesure où nous avons pu reconnaître dans les « gouvernements », quels qu'ils soient un *proto-destinateur social*, la tâche de le représenter revient également à l'officier.

c) Il est enfin l'anti-sujet-destinataire de son *anti-destinateur social*, introduit très tôt dans le texte sous la dénomination « Prussiens », rôle qui s'oppose symétriquement à « Paris » et à son délégué, le colonel Dumoulin.

d) Cependant, le groupe de militaires prussiens rencontré par les deux amis se situe sur le même axe que les deux Français et constitue, non seulement une figure d'ensemble, comme les deux amis, mais un modèle réduit de leur propre société : l'officier, de ce point de vue, ne fait qu'un avec ses soldats, et cet individu molaire peut être considéré comme un *antactant collectif.*

Le syncrétisme remarquable de rôles actantiels est susceptible de se dissoudre, partiellement ou entièrement, suivant l'isotopie de lecture sur laquelle la figure actorielle de l'officier se trouve située, en telle ou telle *position narrative* du texte. Les rôles (*a*) et (*b*) sont d'ailleurs faciles à reconnaître et à distinguer. Il n'en est pas tout à fait de même des rôles actantiels (*c*) et (*d*). Du fait de la représentation hiérarchisée de la société prussienne, l'officier se situe le plus souvent sur les deux plans à la fois : il est *anti-sujet*, investi de pouvoirs et modalisé par son destinateur, mais il est en même temps un élément intégré dans la structure de l'antactant qui fonctionne, en tant que tout, comme *anti-sujet*. Afin de ne pas trop raffiner notre analyse sur ce point — qui se présente tout de même, dans l'économie générale du récit, comme un point de détail — nous avons décidé de ne pas distinguer à chaque fois ces deux rôles, en notant du symbole S_2 les deux acceptions de l'anti-sujet.

5.2. *La structure taxinomique de l'antactant.*

Du point de vue de l'organisation taxinomique de l'*antactant*, ses propriétés se dégagent le plus aisément en le comparant à la structure et aux caractéristiques de l'*actant* « deux amis ». Il suffira d'énumérer ici quelques-unes de ces propriétés :

a) Tandis que l'actant est caractérisé par sa structure *égalitaire*, l'antactant, au contraire, possède une organisation *hiérarchisée* (l'officier + 20 soldats).

b) Tandis que l'antactant est donné comme une *collection* numérique décomposable — et, notamment, en nombres pairs (20 — 12 — 4 — 2 + 2) — et ceci pour éviter toute velléité d'individuation, l'actant collectif oppose à ce traitement *quantitatif* ses spécifications actorielles d'ordre *qualitatif :* ainsi, à côté de traits communs aux deux amis (petits-bourgeois, gardes nationaux, pêcheurs fanatiques), on relève des oppositions qualitatives secondaires (républicain *vs* anarchiste, commerçant *vs* artisan, petit *vs* grand, gros *vs* maigre, etc.).

c) Tandis que l'antactant se présente comme une collectivité *anonyme*, ni l'officier ni ses soldats n'étant dénommés et, par conséquent, étant substituables les uns aux autres, l'actant, au contraire, est composé d'acteurs portant des dénominations fortement motivées; ainsi, *Morissot* (cf. le *Meursault* de Camus), est décomposable en *mort - rit - sot; Sauvage*, en *sot - sauve - sauvage*, les deux possédant en commun un *sot* antiphrastique.

5.3. *La structure narrative de l'anti-sujet.*

Si maintenant on voulait comparer les deux actants collectifs du point de vue narratif, en considérant leur comportement en tant que sujet et anti-sujet, on reconnaîtrait des différences tout aussi significatives :

a) Tandis que le sujet S_1 se comporte en sujet unitaire, possédant les mêmes compétences et exerçant le même faire, l'anti-sujet S_2 est caractérisé, au contraire, par un partage des compétences et des tâches : l'officier est seul à disposer d'un pouvoir de *décision* et exerce un *faire décisionnel* verbalisé, alors que les soldats n'ont qu'un pouvoir d'exécution et un *faire exécutif* somatique.

b) Tandis que les deux acteurs constitutifs du sujet commun disposent d'abord d'un *vouloir* individuel qu'ils remettent à l'actant · collectif, la relation :

$$Dr \text{ (officier)} \longrightarrow Dre \text{ (soldats)},$$

qui apparaît lors de l'exécution d'un micro-PN (la capture des deux amis), ne permet la manifestation d'aucun vouloir : ainsi, contrairement au schéma proppien, le transfert de l'objet de valeur au destinateur (l'officier) se fait en même temps que le déplacement de l'exécutant (soldats), ne laissant aucune marge de liberté au sujet victorieux.

c) Tandis que le sujet selon son propre vouloir se soumet au *contrat permissif* (le « laissez-passer » du colonel Dumoulin), l'anti-sujet est constitué selon les règles du *contrat injonctif* : la modalité du /pouvoir/, dont se trouvent dotés les soldats, peut être définie comme un /ne pas pouvoir ne pas faire/.

On voit que la *structure actantielle* du récit, si elle est, comme on pouvait s'y attendre, *polémique*, se trouve fortement polarisée par des investissements contradictoires et/ou contraires du sujet et de l'anti-sujet.

3. LA DIMENSION COGNITIVE

1. Le « point de vue ».

La lecture tant soit peu attentive de l'ensemble de la séquence ne peut manquer de faire apparaître le phénomène, intéressant à noter, de décalage qui s'installe entre le déroulement du discours proprement dit et les changements intervenus dans la trame narrative qui lui est sous-tendue. La séquence, on l'a vu, n'est pas seulement le lieu de la première apparition « réelle » de l'anti-sujet, son organisation repose essentiellement sur le développement du PN de S_2 : du point de vue narratif, une rupture nette peut être enregistrée en cet endroit, et nous l'avons même soulignée un peu artificiellement en divisant le texte en deux récits autonomes R_1 et R_2.

Du point de vue discursif, au contraire, la séquence est caractérisée par le maintien du *sujet discursif*, hérité du récit précédent, qu'elle continue à traiter comme sujet syntaxique des phrases qu'elle déroule, et ceci jusqu'à la prise de la parole, dans le dernier segment, par le Prussien : si la frontière entre SQ VI et SQ VII est bien marquée à la fois formellement — par le disjonctif « mais » — et phoriquement — par l'opposition de « rire » et de « tressaillir » —, le sujet discursif la traverse sans peine, donnant l'impression que son aventure ne fait que continuer.

Le décalage entre l'organisation discursive et l'organisation narrative du texte est probablement susceptible de rendre compte de certains aspects du phénomène complexe, désigné souvent du nom de « point de vue ». Étant donné que tout récit comporte au moins deux PN corrélés, ceux du sujet et de l'anti-sujet, le « point de vue », dans sa forme la plus simple, peut être défini comme l'identification du sujet discursif avec l'un ou l'autre des sujets narratifs. Toutefois, du moment que le récit se complique tant soit peu en se déroulant, simultanément ou par intermittences, sur deux dimensions autonomes — pragmatique et cognitive — de la narrativité, l'identification du sujet discursif peut se faire soit avec l'un ou l'autre des sujets cognitifs, soit avec le sujet ou l'anti-sujet pragmatiques. Ainsi, dans le cas que nous examinons, le sujet discursif (représenté par « ils ») est en même temps l'incarnation du sujet cognitif S_1 : c'est « sous le regard » de ce S_1 cognitif que se déroule le programme pragmatique de S_2.

171

2. La double reconnaissance.

Ainsi le problème de « qui parle? » — ou plutôt de « qui voit ? »,
dans cette séquence, se trouve du même coup résolu : non seulement
les « quatre grands hommes armés et barbus, vêtus comme des domestiques en livrée » ne sont pas « décrits » par Maupassant, mais « vus »
par son délégué S_1; bien plus, cette « sorte de géant velu, qui fumait, à
cheval sur une chaise... », immédiatement identifiable comme la
figure hypotaxique du Mont-Valérien, relève, comme une lecture
particulière du « vu », de l'univers cognitif des deux amis.

Deux opérations cognitives se trouvent effectuées successivement
par les deux amis. La première se situe « au bord de l'eau », c'est-à-
dire dans l'espace utopique de S_1, tandis que la seconde a lieu dans
« l'île Marante », espace utopique de S_2. Toutes les deux consistent
dans la rectification du savoir de S_1 et se présentent de ce fait comme
des « reconnaissances », au sens aristotélicien de ce terme.

En effet, les deux *faire cognitifs*, tels qu'ils sont décrits dans notre
séquence, apparaissent comme des récurrences textuelles, accompa-
gnées de l'inversion des signes, de leurs explorations cognitives précédentes, situées, on s'en souvient, à la frontière des séquences IV et V.
Alors que, à la fin de SQ IV, Morissot cherchait à savoir « si on ne
marchait pas dans les environs », ils sentent bien maintenant qu'on
vient « de *marcher* derrière eux ». De même si, dans SQ V, l'île
Marante semblait « *abandonnée* » et « la petite *maison* était close »,
« derrière la *maison* qu'ils avaient crue *abandonnée* », ils aperçoivent
maintenant une vingtaine de soldats allemands. Un renversement de la
situation, dû à cette double reconnaissance, se produit dès lors, affec-
tant non pas le PN de S_2, qui continuera à se dérouler sur la dimension
pragmatique, mais le PN de S_1 dont il constitue la « péripétie ».

Sans procéder à une analyse plus détaillée, on peut dire que la
reconnaissance consiste, dans notre cas, dans la cessation d'un état
cognitif qu'on peut caractériser comme une *auto-déception :* les deux
amis se trouvent en effet détrompés tout aussi bien sur le plan intéro-
ceptif concernant la certitude qu'ils avaient de leur solitude, que sur le
plan extéro-ceptif, convaincus qu'ils étaient de l'absence de l'anti-
sujet. La reconnaissance constitue donc le changement d'espace
cognitif et le passage, sur l'isotopie de la *véridiction*, de l'état de
l'*illusion* à celui de la *réalité* (ou de la *vérité*). L'expérience de la joie
et l'absence du pouvoir dominateur n'étaient que duperie : le PN de
S_1, qui reprendra dès lors, ne sera plus entaché d'illusion; après cette
assomption de la réalité il pourra être conçu comme sa dénégation.

172

3. *La prise de la parole.*

C'est avec la reconnaissance de ses erreurs de jugement que s'épuise le sujet discursif « ils », représentant le S_1 cognitif, et cède la scène à S_2, incarné par l'officier prussien. Cette transmission de la « fonction » discursive s'opère par l'ambiguïsation de l'actant dont l'expression lexicalisée : « Une sorte de géant velu... » est à lire de deux manières différentes : « le géant velu » est d'abord l'*objet* du regard des deux amis, mais il est en même temps *sujet* d'une nouvelle phrase dont la structure actantielle :

« *il* (le géant)... *leur* (demanda) »

est équivalente, sur le plan de l'énoncé, de celle de :

« *je... vous* »

telle qu'elle se maintiendra, lors de l'énonciation installée sous forme de pseudo-dialogue, pour le restant du texte, énonciation encadrée d'ailleurs par l'énonciateur qui reprendra finalement le récit à son compte, en traitant le sujet et l'anti-sujet sur un pied d'égalité :

« il »   *vs*   « ils »

En considérant la prise de la parole sous son double aspect — à la fois comme acte somatique inaugurant le comportement verbal et comme début de la communication verbale, on notera que si l'appropriation somatique de la parole est la manifestation d'un /pouvoir-faire/, le faire choisi — la communication verbale — porte, dans l'axiologie de S_1, la connotation d'inauthenticité (SQ II). Les termes antinomiques d'une telle attitude sont dès lors prévisibles : c'est la non-communication, mais c'est aussi la dénégation du pouvoir de S_2.

Le premier échantillon de la communication instaurée par S_2 nous est fourni par :

Question : « Eh bien, messieurs, avez-vous fait bonne pêche? »
Réponse : « Eh! eh! je vois que ça n'allait pas mal »

dans laquelle S_2 joue successivement les rôles des deux interlocuteurs. Il s'agit là d'une parodie du dialogue, dont l'inefficacité est évidente. Cette parodie comporte des éléments *antiphrastiques,* dans la mesure où la politesse excessive de l'officier se situe à l'extrême opposé par rapport à la position narrative des deux prisonniers, mais aussi des éléments de *dérision*, le mépris qui la caractérisent résultant de l'insertion de la conversation mondaine dans la structure de /dominant/*vs* /dominé/.

L'antiphrase, dérisoire ou ironique, est néanmoins, chez l'énonciateur, la forme privilégiée de l'expression de la vérité : aussi l'appellatif « messieurs », à l'aide duquel l'officier s'adresse aux deux pêcheurs les désigne-t-il déjà à l'avance comme « des messieurs », c'est-à-dire comme des « personnages remarquables » *(Petit Robert)*.

La réinterprétation

« ... Mais il s'agit d'autre chose. Écoutez-moi et ne vous troublez pas.
« Pour moi, vous êtes deux espions envoyés pour me guetter. Je vous prends
et je vous fusille. Vous faisiez semblant de pêcher, afin de mieux dissimuler
vos projets. Vous êtes tombés entre mes mains, tant pis pour vous; c'est la
guerre.
(« Mais... »)

1. ORGANISATION TEXTUELLE

1. *Encadrement de la séquence.*

Prise dans le continu du soliloque de S_2, la séquence que nous
cherchons à dégager peut se découper facilement :

a) par des *disjonctions logiques* : au « mais » du début de la séquence
fait pendant un nouveau « mais », qui inaugure la séquence suivante
(SQ IX);

b) par la *disjonction topique* qui sépare, en les opposant formellement, deux sortes de contenus, et ceci à l'aide de la catégorie :

$$/\text{autre}/ \quad vs \quad /\text{même}/$$

manifestée dans « mais il s'agit d'*autre* chose ».

Cette disjonction catégorielle permet une certaine distribution de
contenus selon les lexèmes manifestés ou laissés implicites, de sorte que :

$$\frac{\text{SQ VII}}{\text{SQ VIII}} \simeq \frac{(\text{même})}{\text{autre}} \simeq \frac{\text{pêche}}{\text{espionnage}} \simeq \frac{(\text{paix})}{\text{guerre}}$$

Remarque : On notera toutefois que, malgré la disjonction
forte, annoncée par le « mais » du début, une permanence

175

fondamentale des contenus isotopes est signalée par l'absence de *disjonction graphique*, enfermant « la même chose » et « autre chose » dans le même paragraphe.

2. *Articulation interne.*

Le soliloque de l'officier prussien, bien qu'il constitue le discours d'un seul tenant, se divise aisément en deux segments du fait de l'installation d'un discours autonome, à l'intérieur de son continu discursif. Contrairement à ce qui se passe dans la séquence précédente, où l'officier garde la parole en posant la question et en y apportant lui-même la réponse, sa performance discursive se présente ici comme :

a) l'annonce et l'installation du discours (cf. « écoutez-moi... »);
b) le discours enchâssé lui-même, qui leur fait suite.

2. INSTALLATION DU DISCOURS

1. *Procédures rhétoriques.*

Sur le plan rhétorique, on a bien affaire ici à l'organisation discursive qui consiste, en prenant pour base le discours direct déjà installé dans le récit, à y aménager un nouveau plan discursif représentant un discours dans le discours. En distinguant les deux discours par l'emploi d'une majuscule et d'une minuscule, on peut noter ces inclusions dans le récit comme suit :

$$R \in D \in d$$

Du point de vue linguistique, l'installation du discours à l'intérieur du récit n'est, on le sait, autre chose que la projection, sur le discours-énoncé, d'un discours représentant le simulacre de l'énonciation. Dans notre cas, il s'agit simplement d'une double projection : l'énonciation énoncée, inscrite dans le premier discours, devient à son tour le lieu de projection d'une nouvelle énonciation simulée. Si l'on tient compte du fait que le texte en tant que discours-énoncé est le produit d'un *débrayage* objectivant, créateur d'une distance entre l'énonciateur et l'énoncé, on voit que l'intégration dans celui-ci d'un double simulacre d'énonciation fonctionne comme un *embrayage* partiel, cherchant à créer, sur le fond de toile objectivé et distancié, un effet de sens plus intime du « vécu » et du « réel », même s'ils ne sont qu'illusoires.

2. *Préparatifs d'énonciation.*

Ces effets de sens secondaires, obtenus par la manipulation de procédés rhétoriques, s'inscrivent dans le projet de la disjonction topique que nous avons déjà signalé : à une sorte de badinage mondain qui l'a précédé, doit succéder « autre chose », qui sera énoncé à l'aide justement du *discours au second degré*, destiné à faire plus « vrai » et plus « sérieux ».

Tout comme le conteur du village qui, avant de commencer son récit, prépare d'abord l'auditoire, en lui suggérant l'isotopie véridictoire sur laquelle il faudra l'entendre, le dire de l'officier est annoncé par l'établissement du nouvel *axe cognitif*, entre le locuteur et l'allocutaire :

« Écoutez-moi et ne vous troublez pas »

Cet axe cognitif est caractérisé d'abord par le mode impératif utilisé pour son installation : aux relations mondaines d'*égalité* simulée succèdent d'emblée les relations réelles de *domination*. Les deux énoncés coordonnés annonçant le nouveau mode de communication correspondent aux deux formes d'*injonction* :

$$\frac{\text{« écoutez-moi »}}{\text{/prescription/}} \longrightarrow \frac{\text{« ne vous troublez pas »}}{\text{/interdiction/}}$$

Les deux injonctions ainsi formulées sont censées encadrer le message annoncé : la prescription porte sur son aspect *inchoatif* et vise à déterminer à l'avance une bonne réception; l'interdiction porte sur l'aspect *terminatif* du message, cherchant à en circonscrire les effets.

a) La prescription vise l'instance de réception du message; s'agissant d'un vouloir qui est transmis antérieurement à l'objet du message, elle permet de se rendre compte du type de communication que l'on cherche à établir et des réactions auxquelles l'on s'attend de la part du récepteur. On voit qu'il ne s'agit là ni d'exercer un *faire persuasif* visant à provoquer la conviction du récepteur, qu'on ne s'attend pas non plus à un *faire interprétatif*, permettant au récepteur d'élucider la signification du message ou la forme de la véridiction qu'il contient. Seule compte pour l'émetteur une bonne réception qui peut être garantie, selon l'opposition lexématique :

$$\frac{\text{« entendre »}}{\text{/réception passive/}} \quad vs \quad \frac{\text{« écouter »}}{\text{/réception active/}}$$

par la participation active du récepteur (et que pourtant l'émetteur n'est pas en mesure de prescrire). Le *faire verbal* que l'officier se propose d'exercer est, par conséquent, le *faire informatif* non modalisé.

b) L'interdiction, de son côté, porte, disions-nous, sur les réactions du récepteur telles qu'elles sont prévues par l'émetteur : son discours étant censé être « troublant », capable de gêner une bonne écoute, l'ordre est donné d'empêcher les déviations éventuelles d'un faire récepteur « normal » parce que prescrit.

Ici apparaît le malentendu qui régira, jusqu'à la fin de l'histoire, les « relations humaines » entre les deux protagonistes : l'officier, dont le mode de communication est *injonctif*, continue à exercer le commandement là où son /pouvoir-faire/ lui fait défaut. En effet, s'il le possède sur la dimension somatique, où il est capable de réduire ses adversaires à l'état de /dominés/, son pouvoir est inefficace sur la dimension cognitive où il ne peut obliger les gens ni à « écouter », ni à « ne pas se troubler ». Comportement simpliste ou terrorisant, peu importe : ces manifestations du pouvoir incapable de passer à l'acte ouvriront la brèche à travers laquelle pourra apparaître un anti-pouvoir efficace.

3. LE DISCOURS AU SECOND DEGRÉ

1. *La contre-lecture.*

L'expression « pour moi », placée au début de ce discours au second degré, constitue l'annonce du *mode véridictoire* sur lequel le discours est censé se dérouler et se présente comme son encadrement cognitif.

a) L'expression se présente d'abord comme disjonctive : après avoir traité les deux amis en « pêcheurs », selon leur point de vue à eux, le Prussien leur oppose et expose son propre point de vue, bien différent.

178

b) Ce point de vue est celui de S_2 (= l'officier prussien) sur le PN de S_1 (deux amis) : il apparaît ainsi comme une *contre-lecture* de la chaîne événementielle constituant ce PN.

c) Étant la « vue » de S_2 sur S_1 et son faire, l'expression dénote un certain *savoir* que possède S_2, et ce savoir est un *savoir transitif.*

d) L'expression, telle qu'elle se présente, ne permet toutefois pas de se prononcer sur la nature modalisée de ce savoir : « pour moi » n'est l'expression ni de la supposition (« je pense ») ni de la certitude (« je suis sûr »). Il s'agit ici assez curieusement d'un savoir « détaché », « non engagé », que l'on expose de manière neutre, autrement dit, d'un savoir dont les modalités qui le régissent seraient *suspendues.*

e) C'est ce *savoir suspensif*, communiqué aux interlocuteurs, qui constitue l'isotopie véridictoire sur laquelle le discours de S_2 va se dérouler.

2. *La lecture du PN de S_1.*

S_2 produit donc — et communique à S_1 — sa propre version du programme de S_1. Bien que comportant des anachronisations discursives, celui-ci est présenté de manière claire et succincte.

a) « ... envoyés pour me guetter » se présente comme le segment du PN qui relève de la présupposition logique et peut être reconstitué à partir du présent narratif concomitant avec le temps du discours. Il comporte un certain nombre d'énoncés narratifs facilement reconnaissables, dont voici quelques-uns :

— Mandement   (Dr $\longrightarrow$ Dre : S_1)
— Déplacement   ($S_1 \longrightarrow S_1$)
— PN à réaliser   ($S_1 \cap O$: savoir sur S_2)

b) « ... vous êtes deux espions » ne recouvre pas un énoncé narratif à proprement parler, mais se présente comme l'interprétation du rôle actantiel de S_1 dans une position narrative donnée, c'est-à-dire, à un moment choisi de la réalisation du PN. Les principaux constituants de ce rôle actantiel sont :

— le *statut véridictoire* de S_1 : dire « vous êtes deux espions » équivaut à nier « vous êtes deux pêcheurs »; autrement dit : vous êtes ce que vous ne paraissez pas (e + $\bar{p}$);

— le *statut axiologique* de S_1 : agissant selon le mode du secret, opérant dans l'espace de S_2, S_1 se trouve conforme non pas à la deixis positive, mais à la deixis négative; du statut de « héros » il passe à celui du « traître ».

3. *L'interprétation et le canon.*

En suivant le déroulement discursif de ce PN, on enregistre une coupure qui s'établit entre deux phrases : à la première phrase, déjà examinée, et dont le sujet syntaxique est « vous », succède une deuxième phrase, ayant « je » pour sujet. Cette coupure discursive ne fait d'ailleurs que refléter la coupure narrative : en effet, dans la mesure où tout récit polémique est constitué de deux PN, ceux de S_1 et de S_2, une homologation entre les niveaux, discursif et narratif, s'écrit :

$$\frac{\text{« vous »}}{\text{PN de } S_1} \quad vs \quad \frac{\text{« je »}}{\text{PN de } S_2}$$

la coupure elle-même représentant le point fort du récit, l'affrontement des deux antagonistes.

En réalité, la phrase « je vous prends et je vous fusille » recouvre les deux syntagmes narratifs majeurs :

— l'épreuve principale (conséquence de la victoire de S_2);
— l'épreuve glorifiante (conséquence : punition du traître).

Tout cela est bien bon, mais ne correspond pas au *statut* interprétatif, résultat de la contre-lecture du PN de S_1 effectuée par S_2, résultat que nous avions, dans une première démarche, attribué à ce segment discursif. En effet, le *faire interprétatif*, dans la mesure où il est transitif, est censé porter *sur la partie réalisée* du PN (et, éventuellement, sur les énoncés narratifs présupposés par cette partie). Il peut parfois comporter des prolongements (cf. « et je vous fusille »), qui signalent les répercussions ultérieures du *faire cognitif* sur le *faire pragmatique* de l'interprète. Si, par conséquent, la phrase que nous examinons en ce moment était la description de ce *faire interprétatif*, elle aurait dû se présenter sous la forme :

« je vous *ai pris* et je *vais* vous fusiller »

La coupure, dans ce cas, se situerait entre « prendre » et « fusiller » entre la partie réalisée du PN et sa partie qui n'est qu'actualisée.

Le dispositif des temps verbaux qui se trouve adopté ici est inapproprié à la description du *faire interprétatif*; il signale autre chose et sert à la présentation d'un *programme narratif canonique*, indépendant de la succession « réelle » des événements, aussi bien que de l'interprétation que le sujet cognitif a pu se faire dans son for intérieur. Traduit

n langage explicite, le message que l'officier cherche à transmettre à
es deux captifs comporte, comme connotation véridictoire, à peu près
eci : ce n'est pas que je croie nécessairement ce que je dis, mais c'est
insi que les choses se passent généralement dans une situation de
uerre.

Le PN canonique exposé par S_2, on le voit, n'est autre chose qu'un
vraisemblable socio-culturel », qu'une organisation *in abstracto*,
révisible et attendue, parce que conventionnelle, c'est-à-dire syntag-
natiquement stéréotypée, des comportements humains et des événe-
nents. Ce schéma syntagmatique canonique, érigé en modèle de
omportement, est dès lors susceptible d'être appliqué à un grand
ombre de situations concrètes. Nous en reparlerons.

. *Retour à l'interprétation.*

Si l'on considère le reste de la séquence, il apparaît, à première
ue, comme une expansion et comme une reprise, tour à tour, de
hacun des éléments déjà présents dans la première partie. Ainsi :

1) « Vous êtes deux espions » ⟷ « Vous faisiez semblant de pêcher,
afin de mieux dissimuler vos projets »

2) « Je vous prends... » ⟷ « Vous êtes tombés entre mes
mains... »

3) « ... je vous fusille » ⟷ « ... tant pis pour vous; (c'est la
guerre) »

Sur ce fond de ressemblances se détachent toutefois bon nombre de
lifférences significatives. Leur examen nous permettra peut-être de
endre compte de la redondance, inhabituelle chez Maupassant.

. *Rôles et parcours thématiques.*

A comparer d'abord les deux phrases de (1), entre lesquelles nous
vons postulé une certaine équivalence, on a l'impression qu'il s'agit
à seulement de deux manières grammaticales — nominale et verbale —
le représenter les mêmes contenus : dans le premier cas, S_1 (vu et
nterprété par S_2) est défini par les éléments constitutifs, à un moment
lonné du PN, de son *rôle actantiel*, tandis que, dans le second cas,
e même S_1 est présenté comme exerçant son faire conformément
u rôle actantiel qu'il assume; dans le premier cas, S_1 est seulement
nvesti d'un *rôle thématique* (celui d' « espion »), tandis que dans

181

la seconde phrase il se conduit en « espion », en accomplissar le *parcours thématique* qui correspond à son rôle.

Cependant, la deuxième phrase, du fait qu'elle est l'expansion pré dicative du rôle, nous apprend beaucoup plus sur ce qu'est le compo: tement d'un espion. La première tâche de l'espion est de « dissimu ler (ses) projets », c'est-à-dire de ne pas se montrer espion : son statu véridictoire, qu'il affiche à l'intention de tout spectateur éventue est celui du secret /e + $\bar{p}$/ : il est espion, mais ne le paraît pa Traduit en termes d'action — car l'espion doit « dissimuler » – son faire véridictoire consistera à camoufler son faire programmatiqu à faire passer son statut de /e + p/ à celui de /e + $\bar{p}$/.

C'est ici qu'intervient le masque, ce chapelet que le chat met son cou pour se faire passer pour un moine bouddhiste. Ainsi, les deu amis, dans leur rôle d'espions, auraient pu s'affubler, par exempl d'uniformes prussiens. Ils ne l'ont pas fait, préférant camoufler no leur « être », mais leur « faire » : au lieu de mettre un masque sur visage, ils sont censés avoir superposé le parcours thématique « pêche au parcours « espionnage », le premier de ces parcours recouvrant statut véridictoire de /p + $\bar{e}$/.

Nous savons bien, en notre qualité d'énonciataire, parce que l'énon ciateur a bien voulu nous le dire, que tout cela est faux, que nos deu amis sont de vrais pêcheurs. Par conséquent ce que nous cherchon à établir, c'est le simulacre du comportement canonique de l'espio nous voyons ainsi que, pour cacher son statut nouménal d' « espion celui-ci doit se donner un comportement de suppléance, se construir le statut phénoménal de « pêcheur », qu'autrement dit, il doit exerce un *faire persuasif* adressé à un éventuel S_2.

Cet S_2 existe réellement, c'est l'officier prussien et ses soldats qu en observant le faire de S_1 (accomplissement du PT « pêche »), so appelés à exercer leur *faire interprétatif*. La question qui se pose à : est de savoir si le faire phénoménal qu'il peut observer correspond une « vraie pêche » /e + p/ ou à un « semblant de pêche » /$\bar{e}$ + p La question qui se pose à nous est de savoir de quelle manière peut doit s'exercer son faire interprétatif pour qu'il parvienne à la conclu sion qu'il ne s'agit que d'une pêche *mensongère*, qui cache un espio nage *secret*.

6. *La révélation du secret.*

Or, si nous considérons que le faire persuasif qu'est censé exerce S_1 est un PN visant à dissimuler un autre PN, on peut prévoir

182

avance que ce PN peut se terminer soit par une réussite, soit par un échec. Dans le premier cas, la réussite du *faire persuasif* de S_1 est en même temps l'échec du *faire interprétatif* de S_2. Dans le second cas, l'échec du faire persuasif peut être imputable soit aux « imperfections » de la persuasion, soit à l' « excellence » de l'interprétation. Les « imperfections », à leur tour, peuvent être voulues ou non. Elles le sont, par exemple, lors de la production du discours parabolique de Jésus, où la couverture figurative du niveau anagogique, laissant transparaître seulement certains éléments de l'isotopie sous-jacente, semble installée pour permettre la sélection des énonciataires, de ceux « qui veulent entendre »; elles le sont aussi, d'une manière différente, dans le discours lacanien et y garantissent, dit-on, l'assomption du message vrai.

Dans les autres cas, la révélation du secret semble due, de manière peut-être inégale, à la fois à l'insuffisance du savoir-faire de l'énonciateur et à l'excellence de celui de l'énonciataire. Si l'on examine, par exemple, le discours narratif canonique dans ses manifestations orales, on ne manque pas d'y reconnaître l'importance des « marques » qui ne sont installées qu'en vue de leur dévoilement : marques de naissance, signes envoyés des cieux, blessures reçues au combat, langues de dragons tués etc., parsemés dans les récits, ne sont là que pour servir de révélateurs de vérités cachées. Autrement dit — et c'est la règle du jeu — la dimension anagogique n'est établie dans le récit que pour être détruite, le secret n'est secret que s'il est finalement dévoilé, que si l'opération de déchiffrement est présente, à plus ou moins longue distance — constituant souvent le procédé dit « ressort dramatique » —, dans le même texte.

Ceci revient à dire que le secret n'est lisible et interprétable, tout comme les polysémies des éléments textuels, que dans un contexte plus large. En disant cela, nous ne faisons d'ailleurs qu'assimiler la révélation du secret aux procédures générales de la solution des ambiguïtés textuelles et l'intégrer dans la problématique de la lecture des textes pluri-isotopes : pour qu'une isotopie autre puisse être reconnue et affirmée, il ne suffit pas qu'un certain nombre de termes bi-valents, lisibles sur les deux isotopies, soient enregistrés, il faut encore qu'au moins un terme, non-nécessaire sur l'isotopie d'origine, ne soit compatible qu'avec les éléments linéairement disposés de la nouvelle isotopie. La *marque* constitue justement, dans le discours narratif, cette faille, ce creux, à partir desquels l'isotopie du secret devient lisible.

C'est dans cette perspective, et en cherchant à simuler le faire interprétatif de S_2, que nous avons essayé, en partant de l'assertion

« vous êtes deux espions », d'entreprendre notre quête des marques d
secret à travers une *rétro-lecture* du PN de S_1, pour voir s'il n'y ava
pas dans ce programme, sinon des failles, du moins des segment
ambigus, permettant sa double lecture comme « pêche » et comm
« espionnage ». Il faut avouer que les premières lectures, superficielle
de ce conte nous ont laissé l'impression qu'une interprétation b
valente pouvait être appliquée à SQ IV, intitulée *La Quête* : l'effo
persuasif exercé par les deux amis, cherchant à avancer « avec pru
dence », pouvait, en effet, paraître suspect à l'observateur et se prête
à la lecture « espionnage ». Toutefois, les paroles de l'officier, à l
suite d'un examen plus attentif, démentent cette interprétation
l'officier leur reproche d' « avoir fait semblant de pêcher », il les
donc observés lors de la pêche, et non au moment de leur déplacemer
vers le fleuve.

La re-lecture du texte, dans la perspective d'une quête des signe
susceptibles d'être interprétés comme des manifestations involontaire
du secret, nous a convaincu du contraire. Loin d'avoir des soupçon
de leur « traîtrise », l'officier semble, au contraire, être sûr de leu
innocence, du fait qu'ils sont de « vrais » pêcheurs :

a) ainsi, lorsqu'il parle de la dissimulation des « projets » d'espion
nage, il admet implicitement que le PN/secret/ n'a pas reçu de commen
cement d'exécution;

b) aussi, lorsqu'il leur dit que « personne ne le saura jamais », i
garantit le retour « paisible » des pêcheurs et non celui des espion
normalement appelés à rendre compte de leur mission;

c) finalement, lorsque, après l'immersion des deux corps, l'officie
prononce à mi-voix que « c'est le tour des poissons ». il inscrit la mo
des deux amis sur l'isotopie de la « pêche ».

Il est inutile de multiplier les preuves, au risque de prêcher l'évi
dence; en effet, non seulement l'existence de l'isotopie secrète n'es
jamais reconnue, bien au contraire, le *savoir* de S_2 consiste à admettr
l'isotopie « pêche » comme vraie /e + p/ et non comme mensongèr
/ē + p/.

La question, qui n'en subsiste pas moins, est de savoir sur que
repose l' « interprétation » de S_2, selon laquelle un faire secret es
sous-jacent à un faire apparent, étant donné qu'elle n'est pas le résul
tat de son faire interprétatif? Force nous est de nous référer à un autr
contexte plus« abstrait », qui n'est pas celui où se trouve inscrit l
PN de S_1, celui de l'*idéologie* de S_2, reposant sur le système d
valeurs représenté par la deixis négative et qui se manifeste pa
un ensemble de comportements et de PN canoniques, constituan
le « vraisemblable narratif » de cette idéologie ; nous l'avons déj

rencontré dans la formule : « je vous prends et je vous fusille ». Autrement dit, la connaissance et le déchiffrement du secret peuvent provenir, de manière générale, de deux sources principales : ou bien de l'interprétation du sujet (et de son PN), mis en position d'objets observables, ou bien de notre savoir général sur le monde, tel qu'il est organisé pour nous, en un ensemble de structures idéologiques.

7. *Le transfert des responsabilités.*

Si le segment phrastique « Vous faisiez semblant... » est une expansion du constat : « Vous êtes deux espions », déroulant le parcours imaginaire de S_1 sur l'isotopie du secret dévoilé, la phrase qui suit, (2) et (3), développe à son tour les éléments du PN canonique déjà posé par S_2 :

$$\text{« Je vous prends et je vous fusille »} \left.\right\} \longleftrightarrow \left\{\right. \text{« Vous êtes tombés entre mes mains, tant pis pour vous »}$$

Cette expansion — ou cette récurrence — s'accompagne toutefois d'un certain nombre de conversions phrastiques :

a) Le sujet « je » de la première phrase se trouve remplacé par « vous » dans la seconde phrase.

b) Le prédicat « prendre » se trouve remplacé par celui de « se faire prendre ».

On voit que la première phrase manifeste directement l'énoncé narratif de « capture », dont le sujet est S_2, tandis que dans la deuxième, le sujet « vous », installé à sa place sur le plan discursif, a pour fonction de prendre à sa charge le faire « capturer », en transférant ainsi la responsabilité du faire relevant du PN de S_2 au sujet S_1 : ce n'est pas le Prussien qui « a pris » les deux amis, ils sont « tombés » d'eux-mêmes entre ses mains.

Ce transfert de responsabilité devient définitif avec le segment suivant : « tant pis pour vous », qui veut dire (en paraphrasant l'expression d'après le *Petit Robert*) : « c'est dommage, mais c'est votre faute ». On voit que la mort qui sera infligée à S_1 est en quelque sorte « méritée » (« c'est votre faute »), tandis que l'exécutant S_2 (« je vous fusille ») n'est pas seulement « innocent », il regrette même d'avoir à le faire (« c'est dommage »). La réinterprétation que donne

185

l'officier du PN canonique qu'il avait formulé (« je vous prends et je vous fusille »), appliquée au PN *hic et nunc* consiste donc :

a) à culpabiliser S_1;

b) à nier toute responsabilité de S_2,

devenant ainsi l'expression d'une « justice » impersonnelle.

Ce n'est qu'avec le dernier mot de la séquence qu'apparaît le véritable responsable : « c'est la guerre ». En effet, c'est en sa qualité de délégué, ne disposant que d'un mandat impératif, que le Prussien peut se dire et dire aux autres son « innocence » : la *Guerre* est, on l'a vu, son destinateur social. La Guerre est, à vrai dire, bien plus que cela : elle est la manifestation sociale de l'Anti-destinateur universel qui, figurativement incarné dans le Mont-Valérien, exhibe son pouvoir en semant la mort. C'est cet Anti-destinateur qui prescrit les PN canoniques valables pour tous, et la non-conformité du PN de S_1, par rapport au canon, devient la « faute » punissable par sa justice transcendante.

8. *L'idéologie de la domination.*

Cette ultime référence à la loi suprême complète quelque peu l'interprétation que nous avons donnée de l'expression « tant pis pour vous ». Si celle-ci indique la « faute » commise par S_1, elle explique en même temps en quoi consiste la faute qui n'est autre chose que le fait d'être tombé entre les mains de l'ennemi, de se retrouver dans le camp des vaincus : *vae victis* est en effet la loi morale qui connote cette idéologie. Car il s'agit, on le voit, de l'*idéologie du pouvoir* — telle qu'elle a été déjà reconnue par les deux amis lors de leurs discussions dans SQ VI (cf. « on ne serait jamais libres ») —, où les rapports de force sont connotés sur le plan moral comme :

$$\frac{/\text{dominant}/}{/\text{bon}/} \quad vs \quad \frac{/\text{ dominé}/}{/\text{mauvais}/}$$

Une telle connotation ne fait cependant que valoriser après coup les deux « états » du pouvoir, elle ne les fonde pas en valeur, et si S reconnaît la Guerre comme son destinateur, ce n'est pas parce qu'il y voit une valeur en soi, mais parce qu'il admet que la Guerre *est*. « C'*est* la guerre » ne veut rien dire d'autre : la principale vertu du *Pouvoir* est celle d'exister, et la perversion axiologique consiste justement à ériger l'existence en valeur, c'est-à-dire non seulement à confondre l'être avec le vouloir-être, mais à remplacer l'un par autre, en constituant ainsi une idéologie basée sur les non-valeurs. Les idéologies dites scientifiques reposent sur le même malentendu. eule la science en marche est une valeur : par exemple, *prouver* ue la terre est ronde c'est un faire valorisé, tandis que *reconnaître* u'il est vrai que la terre est ronde ne l'est pas.

Pour circonscrire davantage ce propos, on peut chercher à mettre n évidence des traits qui distinguent une idéologie du *pouvoir* de elle de la *prise du pouvoir*. Le marxisme en marche, par exemple epose sur la négation de l' /être/ et l'assertion d'un /devoir-être/, 'est-à-dire d'une forme de /vouloir-être/ collectif. Cependant, dans mesure où il se considère comme une théorie scientifique, il for- ule le PN basé sur le /devoir-être/ comme un algorithme *nécessaire*, omme un programme narratif *canonique* : ce qu'il gagne en « véri- », il perd en « valeur ». On comprend dès lors l'ambiguïté du iscours stalinien qui, tout en se présentant comme un discours valo- sé, se mue imperceptiblement en un discours « réel », celui qui dit les hoses telles qu'elles sont en réalité.

A la suite de ce détour, on peut essayer de répondre à la question ue ne manque pas de soulever la lecture tant soit peu attentive de otre séquence : on se demande, en effet, à quoi rime cette *justifica- ion* de ses actes à laquelle procède l'officier prussien. A première vue, chose paraît simple : comme la suite du récit nous l'apprend, l'offi- ier a besoin du « mot d'ordre » pour pénétrer à l'intérieur des lignes rançaises, mot d'ordre qu'il cherche à acquérir, en négligeant l'exer- ice de la force pure (la torture, par exemple), par un certain /savoir- aire/ qui relève de la ruse, mais qui n'en reste pas moins basé sur des nenaces de mort. Dès lors, le discours justificatif ne serait-il qu'une imple « élégance » de l'homme du monde (conversation sur l'excel- ence de la pêche), tel qu'il a cherché à paraître, aux yeux des deux rançais? Ou bien ne s'agit-il pas plutôt de l'explication de sa *vérité* cf. « pour moi »), qui est d'un autre ordre, hiérarchiquement supé- ieure à la situation contingente, et qu'il expose comme un savoir éfléchi, comme le savoir sur lui-même : la Guerre est vraie (elle *est*), t les comportements qu'on peut en déduire sont valables, parce que ondés en vérité.

. *L'énonciation informative.*

Nous sommes ainsi amenés à distinguer deux formes différentes du *faire interprétatif*, dont l'une pourrait être appelée *inductive* et l'autre, *déductive*. Ce faire vise, on l'a vu, à partir du niveau phénoménal du paraître donné, à reconnaître et à déterminer le statut du niveau nouménal de l'être. Le niveau anagogique, différent de celui des apparences, peut être reconnu soit par des procédures *généralisantes*, qui étendent l'enquête sur l'ensemble du contexte, soit par des procédures *universalisantes*, qui cherchent à identifier le phénomène donné, en le renvoyant à l'ensemble des connaissances sur le monde. Le premier type de ce faire s'appuie sur la dimension pragmatique du discours, le second, sur sa dimension cognitive.

Une telle distinction étant posée, on peut se demander si l'interprétation de S_2, qui *déduit* le PN « espionnage » de S_1, à partir des « lois de la guerre », ne possède pas le statut formel comparable à celui de tout raisonnement déductif : les théorèmes que l'on peut déduire d'une axiomatique donnée sont *corrects*, ils ne sont pas *vrais* au sens strict du terme, leur valeur de vérité dépendant entièrement de la vérité des énoncés constitutifs de l'axiomatique.

Ainsi, l'interprétation de S_2 serait correcte, mais non nécessairement vraie, et ce n'est que par un abus lexical que l'on distinguerait, dans l'usage quotidien, la vérité objective de la vérité subjective, en disant, avec l'officier prussien, que les deux amis sont peut-être, *subjectivement*, des pêcheurs, mais *objectivement* des espions.

En revenant maintenant en arrière, il faut rappeler avec insistance que ces analyses portent uniquement sur ce qui se passe à l'intérieur du discours au second degré, tenu par l'officier à l'adresse de deux amis, discours considéré comme énoncé et comportant deux parties où l'exposé des résultats du *faire interprétatif* précède celui du mode de l'interprétation déductive sur laquelle reposent ses résultats. L'officier y rend compte en quelque sorte de son savoir et du mode d'acquisition de ce savoir, tout en tenant à préciser que les faits et leur interprétation dont il parle ne concernent que lui, ne sont valables que pour lui (cf. « pour moi »).

Ceci, à son tour, ne manque pas de conférer un caractère particulier à l'énonciation qui encadre le discours. On peut même dire que le statut de l'énonciation apparaît de ce fait en contradiction avec le statut de l'énoncé : le fonctionnement « normal » du discours a tendance, en effet, à lier le *faire interprétatif* au *faire persuasif*, l'interprétation y est censée fonder un savoir-vrai, afin qu'il puisse être communiqué et qu'il soit accepté comme tel par le destinataire. L'interprétation s'intègre ainsi dans la persuasion comme un syntagme important de son programme.

Rien de tel dans notre cas : le destinateur du discours ne cherche pas à persuader son destinataire, la seule chose qu'il exige de lui est la réception active (« écoutez-moi ») et non perturbée (« ne vous troublez pas »). L'appareil interprétatif mis en place n'est donc pas utilisé — l'officier ne désire pas convaincre les deux amis de l'universalité des lois de la guerre — et l'absence du *faire persuasif* équivaut ici — du fait de la *suspension* de la modalisation de l'énonciation (du « faire-croire » de l'énonciateur) — à l'absence du contrat de la véri-diction. On dira qu'il s'agit ici de l'*énonciation informative*, qui n'est qu'un simple faire-part par lequel le destinataire ne se trouve pas engagé.

Les raisons d'un tel faire informatif apparaissent d'ailleurs à l'exa-men des conditions de l'énonciation : on a déjà remarqué que celle-ci est précédée d'un *ordre* (formulé à l'impératif) d'écouter et de ne pas se troubler. La structure de l'énonciation se trouve ainsi située sur l'axe de l'exercice du pouvoir :

$$\frac{\text{Dr}}{\text{/dominant/}} \sim \frac{\text{Dre}}{\text{/dominé/}}$$

Il est évident que le dominé n'est concerné ni par l'idéologie du dominateur ni, surtout, par la vérité de celle-ci : il ne peut au mieux qu'en être informé avant d'en subir les conséquences.

Le refus

« *Mais comme vous êtes sortis par les avant-postes, vous avez assurément un mot d'ordre pour rentrer. Donnez-moi ce mot d'ordre et je vous fais grâce.* »
Les deux amis, livides, côte à côte, les mains agitées d'un léger tremblement nerveux, se taisaient.
L'officier reprit : « Personne ne le saura jamais, vous rentrerez paisiblement. Le secret disparaîtra avec vous. Si vous refusez, c'est la mort, et tout de suite. Choisissez? »
Ils demeuraient immobiles sans ouvrir la bouche.
Le Prussien, toujours calme, reprit en étendant la main vers la rivière :
« *Songez que dans cinq minutes vous serez au fond de cette eau. Dans cinq minutes! Vous devez avoir des parents? »*
Le Mont-Valérien tonnait toujours.
Les deux pêcheurs restaient debout et silencieux. (L'Allemand donna des ordres dans sa langue.)

1. ORGANISATION TEXTUELLE

1. *Encadrement de la séquence.*

La séquence que nous nous proposons d'examiner est, si l'on s'en tient aux seuls critères formels de segmentation, difficile à délimiter, bien que son organisation interne repose sur une charpente solide. La frontière qui la sépare de la séquence précédente est reconnaissable grâce à la présence du disjoncteur logique « mais » : toutefois, ce « mais » se situe à l'intérieur du discours au second degré, dont nous avons déjà analysé la première partie. La fin de la séquence n'est pas marquée non plus, bien au contraire, la dernière phrase est située graphiquement dans le paragraphe dont l'essentiel relève déjà de la séquence suivante. En réalité, ce sont les démarcateurs de SQ X, présents sous la forme de la récurrence :

« L'Allemand donna des ordres... » et
« L'Allemand donna de nouveaux ordres »

qui déterminent négativement la frontière de SQ IX.

2. *Articulation interne.*

Son articulation interne, disions-nous, est transparente : la séquence se trouve graphiquement découpée en six paragraphes (auxquels il faut ajouter un paragraphe intercalé, consacré aux manifestations du Mont-Valérien). Les paragraphes alternent selon les sujets phrastiques placés au début de chacun d'eux et se distribuent de ce fait en $3 + 3$:

(1) Le Prussien... (SQ VII)	(2) Les deux amis...
(3) L'officier...	(4) Ils...
(5) Le Prussien...	(6) Les deux pêcheurs...

La séquence adopte donc en apparence la forme du dialogue, à ceci près toutefois que l'un des interlocuteurs (S_1), tout en étant situé sur l'axe de la communication, manifeste ce comportement négativement : « se taire » est en effet l'équivalent de « ne pas dire » et doit être considéré comme une forme du faire verbal.

Du point de vue narratif, le dialogue peut être considéré comme un *affrontement verbal*, chacun des interlocuteurs ayant un comportement finalisé et déployant un PN qui lui est propre. S'agissant d'une structure d'interrelations polémiques, les deux PN se trouvent corrélés et imbriqués l'un dans l'autre. Si, pour les besoins de l'analyse, nous nous proposons de la disjoindre et de les examiner séparément, des imbrications ne manqueront pas de se manifester à tout instant et la détermination du type de corrélations qui s'établit entre les deux programmes sera une des tâches de l'analyse.

2. LE PROGRAMME NARRATIF DE L'ANTI-SUJET

1. *La compétence narrative.*

1.1. *Le PN explicite.*

La présence de la disjonction « mais », située au beau milieu du discours au second degré tenu par l'officier, est destinée à signaler le changement *topique* de ses propos : en effet, si la séquence précédente est consacrée à l'exposé d'un PN canonique *général*, dont le destinateur immédiat est la Guerre, le premier segment de la nouvelle séquence présente un PN *particulier*, dont la responsabilité incombe à S_2 (qui médiatise et spécifie les intentions de son destinateur).

Ce nouveau PN peut être défini par l'objet de valeur dont l'acquisition est visée et qui n'est autre que le « mot d'ordre » (cf. « Donnez-moi ce mot d'ordre »). C'est à la réalisation de ce PN que toute la SQ IX (et une partie de SQ X) sera consacrée.

1.2. *Le PN implicité.*

Sans s'interroger sur la nature sémantique de tel ou tel objet de valeur, on peut dire qu'un objet quelconque peut être institué en objet de vouloir pour au moins deux raisons distinctes :

a) il peut être désirable pour lui-même et devenir alors l'objet visé par un PN autonome ;

b) sa possession peut être considérée comme souhaitable ou nécessaire en vue de la réalisation d'un autre PN projeté.

On peut ainsi distinguer :

a) l'amour de l'argent en tant que tel (cf. *L'Avare*),

b) du besoin qu'on a de l'argent pour acquérir quelque chose.

L'argent, dans ce second cas, n'est pas une valeur axiologique, mais une *valeur d'usage*, et son acquisition peut constituer un sous-programme narratif qui s'intègre, comme un syntagme prévisible, dans le PN principal. Un genre spécial de littérature orale exploite ainsi l'enchaînement indéfini de tels sous-programmes, allant de l'acquisition de l'aiguille à celle du bœuf, et inversement.

Pour en revenir à notre texte, il est évident que la connaissance du « mot d'ordre » ne peut être considérée comme une valeur en soi pour l'anti-sujet. Il en résulte — et personne n'est dupe là-dessus, ni l'énonciataire ni le sujet en possession du « mot d'ordre » — que

« le mot d'ordre » n'est qu'une valeur d'usage dont l'anti-sujet veut se servir en vue d'un PN plus vaste et que ce PN implicite, sur lequel le texte reste muet, n'est autre que le projet de S_2 de pénétrer derrière les lignes ennemies, sinon dans Paris même.

Dans cette perspective plus générale, le sous-programme qui vise l'obtention du « laissez-passer » occupe, à première vue, une position prévisible dans le récit canonique et correspond à l'acquisition de l'*adjuvant*, conséquence de l'*épreuve qualifiante* : pour poursuivre son PN principal, l'anti-sujet doit d'abord être qualifié.

Or, cette épreuve est un échec pour S_2, qui n'obtient pas le mot d'ordre, échec qui entraîne, comme il se doit, l'interruption de l'ensemble du programme. Puisqu'il en est ainsi, et étant donné que la structure polémique de la narration implique le déroulement parallèle des deux PN (celui de S_2 et celui de S_1), on est en droit de dire — et ceci indépendamment de toute considération des contenus investis — que l'*échec* de S_2 signifie en même temps la *victoire* de S_1.

1.3. *La construction du PN.*

Cependant, la construction de ce genre de PN complexes — et par *PN complexe* nous entendons un PN qui intègre un ou plusieurs sous-PN — exige un savoir et un savoir-faire : elle présuppose une certaine connaissance générale portant sur l'organisation des événements, c'est-à-dire un *savoir* sur les modes d'existence des PN, et un *savoir-faire* portant sur la construction de nouveaux objets narratifs, autrement dit, une compétence narrative. La *compétence narrative* n'est pour nous rien d'autre que le simulacre rendant compte du fonctionnement de « l'intelligence syntagmatique », tel qu'il se manifeste dans le discours ou tel qu'il peut être installé, avec son statut de présupposition logique, dans la structure de l'énonciation.

Deux sortes de *savoir* doivent être distingués pour mieux comprendre ce mécanisme :

a) D'un côté, un *savoir narratif*. Ainsi le raisonnement du Prussien : « ... comme vous êtes *sortis* par les avant-postes, vous avez assurément un mot d'ordre pour *rentrer* », repose sur un savoir qui n'est pas purement sémantique (selon lequel « sortir » *vs* « rentrer »), mais essentiellement narratif, concernant l'organisation générale des déplacements (/départ/ ↔ /retour/).

b) De l'autre côté, un *savoir thématique*. Le constructeur d'un programme particulier doit posséder en outre un dictionnaire thématique relatif à la sphère d'activités envisagée (comportant notamment des lexèmes comme « avant-poste », « mot d'ordre », etc.).

193

Ces deux sortes de savoir constituent sa « *mémoire* », sorte de code compartimenté où le programmateur peut puiser à sa guise. Dans notre cas précis, elle permet à S_2 la *reconstitution* du PN de S_1. Il s'agit en l'occurrence d'une forme spécifique du *faire interprétatif* grâce auquel, à partir de quelques détails observables qui se trouvent confrontés avec ce savoir général — à la fois narratif et thématique — un PN cohérent se trouve reconstitué (cf. un genre particulier de romans policiers). Contrairement à ce qui se passe dans SQ VIII, qui offre un échantillon d'*interprétation déductive*, le faire cognitif impliqué dans le segment textuel que nous examinons en ce moment peut être spécifié comme constituant l'*interprétation inductive* (qui comporte il est vrai, en alternance, des éléments déductifs provenant de la mémoire).

Conjointement avec ce *savoir-être*, à la fois narratif et thématique, la construction des PN exige un *savoir-faire* tout aussi important où il faut distinguer également :

a) d'une part, un *savoir-faire narratif*, qui consiste dans l'exploitation de la mémoire narrative en vue de la construction de « projets », c'est-à-dire de nouveaux programmes virtuels. Une telle programmation est de nature présuppositionnelle : il s'agit, en partant d'un « but » reconnu, c'est-à-dire d'un objet de valeur situé sur l'axe du vouloir, de remonter progressivement, en posant une à une des relations de présupposition logique entre les énoncés narratifs que fournit la « mémoire », jusqu'à la « source » du programme, c'est-à-dire jusqu'à la position initiale et actuelle du sujet, en comblant ainsi, par un enchaînement syntagmatique continu, la distance qui sépare le sujet de l'objet de son vouloir, en y insérant un nombre indéfini de sous-programmes visant l'acquisition de valeurs d'usage. Autrement dit, si la *réalisation* d'un PN se présente comme une suite d'énoncés narratifs orientée, allant du sujet vers l'objet, l'*élaboration* de ce PN emprunte la démarche opposée et part de l'objet de valeur vers le sujet qui le vise.

b) D'autre part, un *savoir-faire thématique* doit compléter la compétence narrative de nature logico-grammaticale. Le savoir thématique est en effet de peu de secours s'il n'est exploité comme un thésaurus dont les éléments sont susceptibles d'entrer en combinaisons syntagmatiques constituant autant de parcours thématiques possibles. L'art militaire, qui est en cause dans notre récit, est comparable à l'art du cordonnier; tous les deux cependant ne sont pas — ou pas toujours — des exploitations récurrentes des parcours thématiques stéréotypés, le savoir-faire qu'ils impliquent étant générateur de « variations sur le même thème », sources de reproduction, mais aussi d'inventivité.

Le cas particulier que nous examinons se présente, de plus, comme un exemple d'adaptation de cette créativité narrative aux « circonstances », c'est-à-dire comme inscription de la construction d'un nouveau PN dans le cadre général des activités (et des inter-activités) humaines, régies par des PN particuliers et qui se rencontrent, s'entrechoquent et se provoquent. En effet, la reconstitution de la série événementielle effectuée par S_2 (et qui repose sur le PN de S_1) agit comme un « stimulant » et donne lieu à ce qu'on appelle le *raisonnement analogique* : c'est en maintenant tel quel le PN de S_1 (dont les temps forts sont « sortir de Paris » et « rentrer dans Paris ») que l'interprète (S_2) construit son nouveau PN, par la simple *substitution des sujets* dans le programme équivalent (S_2 à la place de S_1). Le raisonnement analogique dont il s'agit contribue à l'élaboration du nouveau programme de deux manières différentes : en exploitant le schéma narratif actualisé, mais aussi en offrant le cadre dans lequel peut s'inscrire, en *s'actualisant*, l'objet de valeur (pénétration derrière les lignes ennemies) qui n'était jusque-là que virtuel.

On voit, d'autre part, la contribution qu'apporte à l'élaboration du PN l'introduction de la composante thématique ou, mieux, de la compétence thématique recouvrant l'activité militaire. Non seulement la valeur ultime visée (la pénétration dans Paris) relève de ce champ sémantique, mais l'inclusion du sous-programme visant l'acquisition de la valeur d'usage (le « mot d'ordre ») repose sur la connaissance du mode d'usage de ce genre de valeurs.

D'autre part, le sous-programme destiné à obtenir le mot d'ordre pose ses propres exigences : pour obtenir un objet de valeur (et si l'on ne veut pas recourir, comme c'est le cas, à l'usage de la force brute, sous forme de torture, par exemple), il faut pouvoir proposer une autre valeur à sa place, en organisant une structure d'échange. Cette valeur d'échange sera la « grâce » offerte par l'officier. Or, pour pouvoir proposer la grâce, il faut d'abord culpabiliser son éventuel bénéficiaire, en le mettant en position de « traître » ayant mérité la mort. Ceci entraîne à son tour l'actualisation du PN canonique « espionnage », programme dont l'exposé occupe, on l'a vu, toute la séquence VIII : voilà qu'apparaît, au bout d'un enchaînement régi par une série de présuppositions, la raison d'être narrative de l'exposé de l'idéologie guerrière.

Ces quelques observations sur le fonctionnement de l'intelligence syntagmatique ne sont évidemment pas suffisantes pour permettre la formulation d'une théorie de la compétence à la fois narrative et discursive. Aussi nous contentons-nous de résumer brièvement les principales étapes qui constituent autant de jalons conduisant l'enchaînement logique présupposé par la construction d'un PN particulier :

1. L'interprétation du PN de S_1, qui fait ressortir l'organisation des déplacements du sujet : /départ/ → /retour/.

2. Le raisonnement analogique qui permet l'actualisation de l'objet de valeur (pénétration dans Paris) et la substitution des sujets.

3. L'intégration, dans ce PN complexe, d'un sous-programme destiné à obtenir une valeur d'usage (le « mot d'ordre »).

4. L'élaboration de ce sous-programme en lui donnant une forme d'échange et la recherche d'une valeur d'échange équivalente ou supérieure.

5. La construction du PN canonique (« espionnage ») permettant d'actualiser la valeur d'échange « grâce ».

6. L'explicitation de l'idéologie du pouvoir susceptible de fonder et de justifier le PN canonique.

Les limites que nous impose l'analyse d'un récit particulier ne permettent pas de tenter d'établir ici le tableau comparatif à deux rentrées, rendant compte des distorsions considérables qu'on peut reconnaître entre, d'une part, l'enchaînement logique que présuppose la construction d'un programme narratif et, de l'autre, le déroulement effectif du discours narratif. L'imagination du lecteur pourra facilement y suppléer. Nous tenons toutefois à mettre en évidence, d'une part, le fossé qui les sépare, d'autre part, l'énormité de la tâche qui attend les sémioticiens lorsqu'ils se proposent d'expliciter et de reconstituer l'ensemble des parcours sous-tendus par la production du discours.

2. La performance narrative.

2.1. La proposition d'échange.

La réalisation du PN complexe, élaboré par S_2, est conditionnée par l'exécution du sous-programme visant l'acquisition de la valeur d'usage « mot d'ordre ». Ce sous-programme qui peut s'écrire :

$$\text{F trans} [S_1 \longrightarrow (S_2 \cap O : \text{mot d'ordre})]$$

se trouve développé à son tour sous la forme d'une figure discursive appelée *échange*. Le PN qui régit et organise, du côté de S_2, le reste de la séquence se présente donc comme une proposition d'échange.

La structure d'échange peut être énoncée en formulant ses deux termes comme suit :

$$\frac{\text{« Donnez-moi ce mot d'ordre »}}{\text{contre-don}} \quad vs \quad \frac{\text{« et je vous fais grâce »}}{\text{don}}$$

où l'on peut noter le phénomène de permutation syntagmatique : l'offre de don, en effet, est censée normalement précéder la demande de contre-don.

La formulation discursive semble d'ailleurs être destinée à souligner le caractère contractuel, reposant sur le principe *donnant, donnant* de la proposition :

a) ainsi, le « mot d'ordre » étant un objet de savoir communicable, c'est à un faire verbal que s'attend l'officier : l'expression « donnez-moi » contribue à réifier cet objet du savoir;

b) de même, la « grâce », proposée en échange, est un « *renoncement* à la vengeance » et se présente donc comme une séparation volontaire, envisagée par S_2, d'avec un objet de valeur.

Toutefois, ce caractère égalitaire de l'échange proposé se trouve en même temps dénié par le fait qu'un axe du pouvoir, distinguant les deux parties contractantes selon la catégorie /dominant/ *vs* /dominé/ lui est sous-tendu :

a) bien qu'atténuée par l'offre qui suivra, la demande est formulée par l'officier en termes d'impératifs (cf. « Donnez-moi »);

b) la « grâce » que l'on se propose d'accorder ne peut, à son tour, être exercée que par l'instance du pouvoir.

La proposition de S_2 garde par conséquent un caractère ambigu : offre d'échange, elle est en même temps sommation. Persuasion déceptive maladroite, elle ne pourra être interprétée que comme une manifestation du pouvoir par S_1.

Le reste du PN de S_2, contenu dans la séquence, se présente :

a) sur le *plan discursif,* comme l'expansion de l'offre : « je vous fais grâce »;

b) sur le *plan narratif,* comme l'exercice, par S_2, de son faire persuasif.

2.2. *Le faire persuasif.*

Le faire persuasif peut être considéré, de manière générale, comme une des formes du *faire cognitif,* c'est-à-dire d'un faire qui, contrairement au *faire pragmatique* (qui manipule les objets de valeur), s'exerce sur le savoir relatif à ces objets. Situé sur la dimension cognitive, le faire persuasif peut comporter une ou plusieurs performances qui visent à l'établissement d'un *contrat fiduciaire* comprenant, en tant que contrepartie, l'adhésion de l'interlocuteur. Lorsque l'objet du faire persuasif est la véridiction, le dire-vrai (ou faux, mensonger, etc.) de l'énonciateur, le contre-objet dont l'obtention est escomptée consiste dans la « confiance », le « crédit » ou, tout simplement, le « croire-vrai » que l'énonciataire accorde au statut du discours énoncé. Il s'agit là d'une forme particulière du contrat fiduciaire, que nous désignons comme *contrat énonciatif* ou *contrat de véridiction* : il porte alors sur le discours-énoncé en tant qu'objet de savoir, valorisé du fait de sa modalisation.

Dans le cas que nous examinons en ce moment, le contexte dans lequel s'exerce le faire persuasif est quelque peu différent. S_2, en cherchant à persuader S_1, vise en fait à obtenir de lui un objet de valeur. Dans ce but, il propose d'abord une structure d'échange qu'il a élaborée et qui relève de la *dimension pragmatique* de son faire : pour obtenir quelque chose, il faut offrir une contrepartie. Cette opération pragmatique s'inscrit pourtant immédiatement dans la *dimension cognitive* : pour obtenir un objet de valeur, il est opportun de présenter la contre-valeur offerte comme alléchante, d'exercer, autrement dit, un faire persuasif ayant pour but de valoriser l'objet en question. Toutefois, pour que ce faire soit couronné de succès, il faut qu'il aboutisse à l'adhésion entière de l'autre partie contractante : il ne suffit pas que l'interlocuteur accepte que l'objet offert possède le statut de valeur, encore faut-il qu'il fasse crédit, d'une certaine manière, aux paroles portant sur la valeur de cette valeur, en les assumant lui-même. Le faire persuasif vise par conséquent, dans ce cas également, l'établissement du contrat fiduciaire. La différence entre les deux types de contrat réside en grande partie dans le fait que le premier sert à consolider et à garantir le discours énoncé comme tel, tandis que le second ne sanctionne qu'un programme narratif inscrit dans ce discours; que le premier contrat fiduciaire est un *contrat énonciatif* et le second, un *contrat énoncif* (dont la conséquence serait, dans notre cas, la conclusion de l'échange sur le plan pragmatique).

2.3. *Les PN d'usage.*

Tout se passe comme si le faire persuasif, cherchant à valoriser l'objet d'échange offert, proposait en fait de l'interpréter et de l'évaluer en termes de *valeur d'usage éventuel*, en l'intégrant dans un ou plusieurs PN virtuels complexes, dans lesquels la valeur acquise pourrait être utilisée, à titre d'adjuvance ou de médiation, en vue de l'acquisition de nouvelles valeurs. En généralisant, on pourrait peut-être dire qu'un des modes d'exercice du faire persuasif consiste dans la confection et dans la projection, à l'adresse de l'instance réceptrice, des *PN d'usage*.

La démarche structurale — dans la mesure où elle relève de l'approche scientifique générale, et non de la « philosophie structuraliste » qui n'en est qu'une extrapolation maladroite et éphémère — exige que la position du terme /persuader/ fasse nécessairement émerger son terme contradictoire qui sera, dans notre cas, /dissuader/. Le schéma de la communication étant, d'autre part, bi-polaire, on peut s'attendre à ce qui aux termes inscrits dans l'instance d'émission correspondent des termes appropriés et homologables dans l'instance de réception. Si l'on admet que la persuasion et /ou dissuasion peuvent être soit acceptées soit refusées, on peut essayer de représenter ce réseau relationnel sous la forme d'un carré sémiotique :

Deixis de la persuasion   *Deixis de la dissuasion*

persuader d'accepter   persuader de refuser

dissuader de refuser   dissuader d'accepter

Dans la mesure où le dispositif proposé est correct, il permet de formuler un certain nombre d'observations de caractère général :

1. On se rend compte, d'abord, que le *faire persuasif* n'est qu'une forme en expansion d'un /faire-vouloir/ fondamental qu'exerce le sujet engagé dans la structure de la communication (tout comme le *faire dissuasif* relève d'un /faire-non-vouloir/).

2. On voit, ensuite, que le dispositif peut s'appliquer, à quelques retouches près, à tous les niveaux narratifs où une structure contractuelle est mise en place : à l'établissement du contrat énonciatif, à la structure de l'échange, mais aussi, par exemple, aux relations entre destinateur et destinataire visant à instituer, à l'aide d'un /faire-vouloir/, un /vouloir-faire/.

2.4. *Le dilemme.*

Si l'on examine sous cet angle la proposition d'échange faite par l'officier prussien, on remarquera que, le premier paragraphe de son propos comporte l'exposé des termes de l'échange, alors que les deux paragraphes suivants sont consacrés à la textualisation de son faire persuasif. En effet, un des termes de l'échange, « le mot d'ordre », une fois énoncé, se trouve occulté pour le reste de la séquence : le faire dissuasif qui aurait pu consister, suivant notre modèle, à *dévaloriser* la possession du mot d'ordre, en est complètement absent.

Le faire persuasif explicite, au contraire, ses deux possibilités prévisibles et consiste :

a) dans le deuxième paragraphe, à *persuader d'accepter*, en suggérant le PN d'usage de la valeur /vie/ qui se trouve offerte, et

b) dans le troisième paragraphe, à *dissuader de refuser* (qui est la négation du /non-vouloir/, en expliquant le PN d'usage qui résulterait du refus de la valeur proposée : en effet, la suspension de la « grâce » rétablirait l'exécution du PN canonique, prévoyant en cette position la « punition du traître », et poserait ainsi la valeur /mort/.

On voit apparaître de nouveau ici l'ambiguïté essentielle du discours de S_2 : au lieu de présenter les deux formes de persuasion comme des propositions d'appréciation d'*avantages* et d'*inconvénients*, S_2 les formule comme des *tentations* et des *menaces* et les polarise de telle sorte que les valeurs offertes par les deux programmes de persuasion s'articulent comme des contradictoires que l'on peut homologuer comme :

$$\frac{/\text{acceptation}/}{/\text{refus}/} \simeq \frac{\text{« grâce » }/\text{vie}/}{(\text{punition}) /\text{non-vie}/}$$

La liberté de choisir se transforme ainsi en une obligation de choisir, et la structure d'échange en *dilemme*. En effet, l'échange, qui est, pour chacun des participants, une substitution volontaire d'objets de valeur tels que :

donner le mot d'ordre $\longrightarrow$ obtenir la grâce
(recevoir) le mot d'ordre $\longleftarrow$ (accorder) la grâce

se trouve dédoublé d'un schéma niant les deux termes de l'échange :

ne pas donner le mot d'ordre $\longrightarrow$ ne pas obtenir la grâce
(= être puni de mort)

La possibilité de l'acceptation ou du refus de l'échange se transforme ainsi en une « mise en demeure » de choisir.

Cette présentation intuitive des choses demande à être quelque peu approfondie. Le *choix* devant lequel se trouve placé le sujet en cas de proposition d'échange, mais aussi en présence d'un dilemme, s'interprète, en premier lieu, comme une *décision* qui est un exercice de /pouvoir-faire/ situé sur la dimension cognitive. Ce /pouvoir-faire/ se réduit, dans le cas que nous examinons en ce moment, à une alternative : un *pouvoir-accepter* ou un *pouvoir-refuser*. Qu'il s'agisse d'une proposition d'échange ou d'un dilemme, le destinataire dispose également de cette « faculté de choisir » qui est une forme de faire modalisé. La différence entre le *choix* proprement dit (tel qu'il s'exerce dans la situation d'échange, par exemple) et le *dilemme* se situe à un niveau hiérarchiquement supérieur, caractérisé par la surmodalisation hypérotaxique : tandis que le *choix libre* se définit comme le *pouvoir de choisir ou de ne pas choisir*, le dilemme, lui, est un *non-pouvoir de ne pas choisir* (ou obligation de choisir). Les positions respectives des deux structures modales du pouvoir-faire cognitif peuvent être indiquées sur le carré sémiotique :

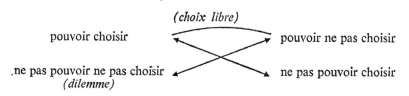

La transformation effectuée à la suite du faire persuasif de S₂, du libre choix, (dont l'illusion avait été donnée lors de la proposition d'échange), en dilemme qui comporte l'obligation de choisir n'est, une fois de plus, qu'une manifestation du *pouvoir* de S₂ et permet d'assimiler l'échange proposé à une forme de *contrat injonctif*.

2.5. *Vers la textualisation.*

Cette transformation du contrat d'échange en contrat injonctif devient particulièrement nette lorsqu'on examine l'expression figurative qu'emprunte la modalisation de la « mise en demeure » dans le discours manifesté. Si l'on admet que la *temporalisation* est la forme figurative par laquelle s'exprime l'imposition, au destinataire du discours (S₁), de cette « obligation ardente », on peut voir, dans le raccourcissement progressif du laps de temps accordé à la prise de décision, une sorte de « mise en durée » de l'obligation de choisir.

Ainsi, le premier segment, consacré à l'exposé des termes de l'échange, n'impose pas, comme il se doit, de limites temporelles à l'adoption de la proposition. Par la suite, au contraire, les notations temporelles s'organisent de la manière suivante :

> *Seg 2 :* « tout de suite »
> *Seg 3 :* « dans cinq minutes »
> *Seg 1* de sǫ x : « une minute, pas deux secondes de plus »

On voit que, si *Seg 2* pose l'urgence du choix, elle reste cependant imprécise quant à la durée; le passage de la courte durée /indéfinie/ à la même durée /définie/, obtenue par la quantification du temps, équivaut à un rétrécissement *(Seg 3)*. Ce n'est pourtant que dans la séquence suivante que l'intervention de l'officier se réduit au seul « don » d'une minute : le caractère chiffré avec précision (« pas deux secondes de plus ») du message annule définitivement la possibilité de libre choix et l'affiche comme une pure *sommation*.

Le même principe de gradation domine d'ailleurs l'ensemble du texte de la séquence. Ainsi *Seg 2* et *Seg 3* peuvent être considérées, respectivement, comme des formulations discursives des deux PN d'usage, du programme « tentation » et du programme « menace ». La forme discursive des deux segments reste toutefois celle d'une alternative, dont l'un des termes est manifesté en expansion et l'autre en condensation.

Les « menaces de mort » se trouvent ainsi exprimées deux fois, au /présent/, dans *Seg 2* et au /futur/, dans *Seg 3*. Le programme actualisé de « mort » est aussi décomposé en « mort » proprement dite et « après-mort », (dans l'eau). On reconnaît aisément là le phénomène de la *paradigmatisation* du récit :

Actualisation	Réalisation
Seg 2 : « mort »	SQ X : « fusillade »
Seg 3 : « après-mort »	SQ XI : « immersion »

$$\Longrightarrow$$

Sur un fond commun de récurrence structurelle, on trouve :
a) *sur le plan narratif :* le passage de l'actualisé à la réalisation;
b) *sur le plan discursif :* l'expansion d'un segment en séquence.

3. LE PROGRAMME NARRATIF DU SUJET

1. *L'interprétation des valeurs offertes.*

1.1. *Incompatibilités axiologiques.*

Le PN de S_2, qui couvre la séquence et qui consiste pour l'essentiel dans l'exercice du *faire persuasif*, se trouve corrélé, disions-nous, avec le PN de S_1, qui doit se développer logiquement comme le programme du *faire interprétatif.* La difficulté de l'analyse de ce PN réside dans le fait que le *faire interprétatif* n'est d'aucune manière manifesté dans le texte, qu'il se trouve rendu précisément par le silence des deux amis. Dès lors, l'interprétation que nous pouvons donner de ce *faire interprétatif* ne peut reposer que, d'une part, sur la connaissance des résultats auxquels il aboutit (le refus d'échange) et, de l'autre, sur ce que nous savons, en tant qu'énonciataire, de S_1 : tant sur la position actantielle qu'il occupe dans le récit que sur les investissements sémantiques dont il est chargé. Autrement dit, notre propre faire interprétatif repose uniquement sur notre connaissance du contexte discursif.

Or, si l'on essaie de se mettre à la place de S_1 et de lire attentivement les PN d'usage éventuel que S_2 expose à son intention, on ne manquera pas de noter une incompatibilité totale qui caractérise les deux « visions du monde » respectives. Tout se passe comme si le PN d'usage « alléchant », présenté par S_2, étant lu comme « repoussant » par S_1 et inversement, le PN d'usage qui cherche à décourager de refuser l'offre, incite plutôt à la refuser. Autrement dit, et pour reprendre le carré sémiotique déjà utilisé :

persuader d'accepter   persuader de refuser

dissuader de refuser   dissuader d'accepter

la lecture des propositions de S_2 consiste à interpréter :

(1) /persuader d'accepter/ ⟶ comme ⟶ /dissuader d'accepter/
(2) /dissuader de refuser/ ⟶ comme ⟶ /persuader de refuser/

La persuasion y est lue comme dissuasion, et inversement, et les arguments réunis pour faciliter l'acceptation sont autant de raisons de refus.

1.2. *Le sujet selon le mensonge.*

Ainsi, avec le PN d'usage « tentation », la « grâce » qui est offerte peut être interprétée comme une forme de liberté, c'est-à-dire comme une éventuelle transformation, située sur le plan pragmatique, de l'*objet* (prisonniers) en *sujet* (hommes libres). Cependant, le statut véridictoire prévu pour ce sujet impose immédiatement des limites à l'exercice de la liberté promise :

« Personne ne le saura jamais »
« Le secret disparaîtra avec vous »

laissant prévoir en effet une vie double — publique et secrète — aux deux amis. Sur le plan du paraître, ils pourront assumer le *rôle* d'hommes libres, sur le plan de l'être, ils seront autre chose, leur *rôle thématique* sera celui de bénéficiaires de la grâce du Prussien, celui des traîtres graciés, de simples exécutants du PN de S_2 : sous le paraître de sujets /non-dominés/ se cachera leur être de /dominés/.

L'inconscience de l'officier, incapable de voir les choses autrement que sous l'angle de sa propre idéologie, va plus loin, produisant de nouvelles phrases ambiguës :

« Vous rentrerez *paisiblement* »

signifie bien pour lui l'assurance d'un retour tranquille de deux amis dans l'exercice de leur nouvelle liberté; mais la phrase se prête également à une autre interprétation : « vous rentrerez *sans être inquiétés* » (sous-entendu : « par les Français »), interprétation qui range automatiquement les deux amis du côté de l'anti-destinateur et les culpabilise en tant qu'éventuels « traîtres ».

Il en est de même de la dernière phrase du Prussien :

« Vous devez avoir des parents? »

susceptible, elle aussi, d'une double lecture :

a) à première vue, elle cherche à actualiser les valeurs disjointes, à les rendre désirables et à présenter ainsi la « grâce » offerte comme plus attrayante;

b) mais, inscrite dans le contexte plus large, une telle formulation ne peut que consolider l'option de refus de cette « grâce ».

Une dernière ambiguïté provient de l'interprétation du /secret/ et du /mensonge/ : en effet, les deux plans du /paraître/ et de l' /être/, une fois thématisés, seule la sanction du sujet cognitif décidera :

a) si le statut véridictoire est celui du *secret* $(e + \overline{p})$: S_1 sera « traître », mais ne le paraîtra pas, ou

b) si ce statut est celui du *mensonge* $(\overline{e} + p)$: S_1 paraîtra « homme libre », mais ne le sera pas.

On voit bien que, lorsque l'officier parle du « secret », ses paroles peuvent être interprétées comme « mensonge », la liberté offerte se présentant comme une vie *selon le mensonge*.

1.3. *Le sujet selon le secret.*

Il en est de même du PN d'usage « menace », où le malentendu fondamental subsiste entre les interlocuteurs. Si la menace de mort que S_2 pose comme terme de l'alternative offerte au choix est réelle, le PN d'usage qu'il expose pour montrer de quelle manière S_1 pourra utiliser, si l'on peut dire, la valeur « mort » ainsi offerte, comporte, lui aussi, une double lecture.

« Songez que dans cinq minutes vous serez *au fond de cette eau* »

a) est évidemment, pour l'officier, le comble de l'abomination, censée avoir l'effet dissuasif décisif;
b) mais, pour les deux amis, cette évocation de l'eau ne peut produire que l'effet contraire; l'*Eau* est un des destinateurs de S_1 (= le non-anti-destinateur); en tant que tel, il leur a fait connaître, sous forme de *don*, la joie de vivre; dans la deixis positive de leur univers axiologique, la position de l'Eau, on s'en souvient, se trouve homologuée avec celle de /non-mort/.

Ainsi, ce qui est voulu par S_2 comme menace de /mort/ apparaît, pour S_1, comme une invitation à la /non-mort/, et la dissuasion de refuser l'offre se présente comme une persuasion de la refuser.

La connaissance de la véritable nature de l'Eau est évidemment le secret de S_1 et l'offre de S_2 est susceptible d'être lue comme une *non-mort selon le secret.*

Or, si l'on tient compte que la « grâce » proposée n'est en fait qu'une soumission à S_2 et à son PN, c'est-à-dire à l'anti-sujet représentant l'anti-destinateur axiologiquement homologué comme /mort/, on voit que le choix offert se présente :
a) pour S_2, comme le choix entre *vie* (« grâce ») et *mort*;
b) pour S_1, comme le choix entre /mort/ et /non-mort/.

Ce sont là les investissements axiologiques entre lesquels les deux amis sont sommés de choisir. Quant à l'éventualité de leur émergence comme sujets, le choix est celui de leur vouloir-être :
a) soit des sujets *selon le mensonge,*
b) soit des sujets *selon le secret.*

2. *L'interprétation de la contre-valeur demandée.*

On avait déjà remarqué précédemment que, bien que la structure de l'échange exige la juxtaposition et l'évaluation comparative de ses deux termes, S_2 déploie son activité de persuasion portant sur l'un des termes seulement, la « grâce » qu'il offre, tout en laissant occulté le second terme, le « mot d'ordre » qui n'est mentionné qu'en préambule, et à la fin du faire persuasif. Il y a lieu de croire, au contraire, que ce terme est constamment présent lors du faire interprétatif de S_1 : le silence des deux amis n'est rien d'autre que le refus de le « donner ».

Avant qu'il n'apparaisse comme un éventuel objet d'échange, le « laissez-passer » est, pour S_1, un objet adjuvant devant lui permettre de réaliser son PN initial (le retour à Paris). Du fait de la capture, il se trouve dévalorisé et cesse d'être actuel.

La situation change complètement lorsque, inscrit dans le PN de S_2 comme une valeur d'usage, le « mot d'ordre » devient un objet de convoitise pour S_2 ou plutôt quand S_2 en *informe* S_1 : c'est le /savoir/ acquis sur la valeur que le mot d'ordre a pour l'anti-sujet et qui change son statut aux yeux du sujet.

Cette constatation ne manque pas d'un certain intérêt théorique : nous avions admis jusqu'à présent qu'un objet n'était un objet de valeur que s'il était situé sur l'axe du vouloir le reliant au sujet et que si, par conséquent, il était *disjoint* du sujet. La *conjonction* du sujet et de l'objet constitue, au contraire, la réalisation de la valeur et signale l'achèvement du programme établi en vue de son obtention.

Nous sommes obligé d'envisager ici une nouvelle éventualité, celle de la *révalorisation* de l'objet, en conjonction avec le sujet, grâce à la modalité du *savoir* : tout comme lorsqu'on est prêt à faire l'impossible pour la garder, quand on apprend que la femme aimée se prépare à vous quitter; le savoir apparaît ici comme susceptible de provoquer un nouveau *vouloir* et d'engendrer, de ce fait, un nouveau PN.

Ce PN, qui est le programme de non-séparation d'avec l'objet de valeur, est un *anti-programme* que fait surgir le savoir transitif sur le PN de l'anti-sujet. Car il faut bien distinguer deux cas qui, tout en reposant sur le savoir dont l'acquisition transforme la situation (cf. la *reconnaissance* selon Aristote), présentent deux formes de *vouloir* différentes : dans le cas de la femme aimée, il s'agit de la revitalisation d'un même *vouloir*, tandis que dans le cas du mot d'ordre c'est un *vouloir contraire* qui fait son apparition. En effet, il ne s'agit pas ici de vouloir garder pour soi le mot d'ordre — qui n'a plus aucune valeur — mais d'empêcher l'ennemi d'en prendre possession. Les deux vouloirs se distinguent donc par l'objet qu'ils visent, c'est-à-dire par le PN qu'ils régissent :

(a) *Premier cas :* (« femme aimée ») = vouloir $(S_1 \cup O)$
(b) *Second cas :* (« mot d'ordre ») = vouloir $(S_2 \cap O)$

On voit que, dans le second cas, la structure de l'objet de valeur et du PN qu'il régit fait immédiatement penser à la « *nuisance value* » dont était taxée souvent la politique du général de Gaulle à l'égard des États-Unis.

Cependant, tout comme pour S_2, le « laissez-passer » n'est qu'un adjuvant hypotaxique utilisable en vue de la réalisation d'un PN complexe plus vaste (la pénétration derrière les lignes ennemies), pour S_1, lui aussi, le même objet se présente comme une *valeur d'usage* s'inscrivant dans un PN général, comme un moyen de *dénier* le pouvoir /dominateur/ de S_2 et d'*affirmer* son statut de /non-dominé/, c'est-à-dire d'homme libre.

3. *Le programme narratif de la libération.*

3.1. *Le PN complexe de S_1.*

La reconstitution hypothétique du faire interprétatif de S_1 à laquelle nous procédons ne représente peut-être pas le « cheminement de la pensée » de S_1, au sens de son parcours historique effectivement réalisé. Elle met en évidence néanmoins un trait général de ce faire, qui est son caractère *négateur* : en effet, le *faire persuasif* de S_2 se trouve d'abord nié et lu comme un *faire dissuasif*; le PN d'usage, exploitant le « laissez-passer », est ensuite nié par son propre programme de « nuisance ».

L'examen de la proposition d'échange faite par S_2, nous a d'ailleurs montré l'ambiguïté de cette offre qui, présentée comme un *choix*, se révèle être, à l'interprétation, un *dilemme*, c'est-à-dire une obligation de choisir, et met ainsi le destinataire S_1 dans la position modale de /ne pas pouvoir ne pas faire/. Dès lors, dans la mesure où le *faire interprétatif* peut déboucher sur l'action, dans la mesure aussi où cette action ne peut se situer que sur la dimension cognitive, le *faire somatique* étant exclu, du fait du passage du sujet à l'état d'objet (captif), le faire de S_1 ne peut se manifester que comme la *négation* de /ne pas pouvoir ne pas faire/. La représentation de cette opération sur le carré sémiotique :

$$
\begin{array}{ccc}
\underline{\text{pouvoir faire}} & \diagdown\diagup & \underline{\text{pouvoir ne pas faire}} \\
\overline{\text{ne pas pouvoir ne pas faire}} & \diagup\diagdown & \overline{\text{ne pas pouvoir faire}}
\end{array}
$$

montre bien que la négation de ce terme a pour résultat l'émergence de son terme contradictoire, du /pouvoir ne pas faire/.

Or, la prise de connaissance du second terme de l'échange (le « mot d'ordre ») et l'acquisition du *savoir* sur le PN d'usage de S_2 qui en résulte, offre justement à S_1 l'occasion d'asserter sa nouvelle position modale de /pouvoir ne pas faire/. Ainsi, le *faire interprétatif* de S_1 se trouve accompagné d'une dynamique modale qui peut être homologuée comme :

FAIRE INTERPRÉTATIF		FAIRE DÉCISIONNEL
$\dfrac{\text{dévalorisation de l'offre}}{\text{revalorisation de la demande}}$	$\simeq$	$\dfrac{\text{négation de /ne pas pouvoir ne pas faire/}}{\text{assertion de /pouvoir ne pas faire/}}$

Si l'on essaie de lire l'interprétation que nous venons de proposer, on s'aperçoit vite que, dans la confrontation de S_1 et de S_2, le véritable enjeu ne consiste pas à donner ou à ne pas donner le mot d'ordre, mais à se mesurer au niveau des pouvoirs détenus par les deux sujets : l'assertion, par S_1, de son pouvoir de /ne pas faire/ est en même temps une suspension du /pouvoir faire/ de S_2. C'est dans ce sens que le PN de non-disjonction avec le laissez-passer est un PN d'usage qui s'intègre dans un PN hypérotaxique.

Mais il y a autre chose. Les énoncés modaux de *pouvoir* : /ne pas pouvoir ne pas faire/ et /pouvoir ne pas faire/, que nous examinons en ce moment, sont, à y regarder de près, hypotaxiques par rapport à la /négation/ et à l' /assertion/ qui les régissent, ils sont en fait des énoncés-objets sur lesquels s'exerce le faire transformateur du sujet. Ainsi, si au lieu de les traiter comme des *prédicats modaux* nous adoptons une formulation différente, en les considérant comme des *valeurs modales*, nous pouvons ré-écrire l'opération de la négation d'un terme et de l'assertion de son contradictoire comme un programme situé au niveau de la syntaxe narrative :

$$\text{F trans } S_1 \longrightarrow [S_1 \cup O_1 \text{ (: ne pas pouvoir ne pas faire)} \cap O_2$$
$$\text{(: pouvoir ne pas faire)}]$$

ce qui veut dire que le sujet transformateur vise à se disjoindre d'une valeur modale /ne pas pouvoir ne pas faire/ et à se conjoindre avec une autre valeur modale, contradictoire par rapport à la première : /pouvoir ne pas faire/.

Ainsi formulé, le PN complexe de S_1, tout en recouvrant la totalité du récit, apparaît comme le programme de *vouloir-pouvoir (être libre)*, dont l'éventualité avait surgi, dans la SQ VI, lors du débat des deux

mis sur l'être du pouvoir, débat conclu par le constat « qu'on ne
erait jamais libres » et que nous avons déjà interprété comme *l'actua-*
sation axiologique du /vouloir-pouvoir/, programme qui s'*actualise*
aintenant idéologiquement et dont la *réalisation* est proche.

3.2. *L'intervention du Mont-Valérien.*

La réapparition, sous la forme d'un paragraphe intercalé :

« Le Mont-Valérien tonnait toujours »

e ce dieu de la guerre, tout en étant compréhensible — elle n'est
u'une manifestation particulière du réseau relationnel paradigma-
que qui recouvre l'ensemble du discours narratif — ne manque pas
'intérêt : on voit bien qu'il s'agit là, sur le plan discursif, du procédé
'anaphorisation par lequel la phrase — paragraphe, insérée dans
2 IX, joue le rôle d'*anaphorisant*, en évoquant et en présentifiant un
aste segment de SQ V, son *anaphorisé*, segment qui était destiné à
écrire en détail le faire mortel du Mont-Valérien.
L'anaphore, telle qu'elle est utilisée ici, présente des caracté-
stiques particulières : son rôle consiste à relier, en l'intégrant, le
lan figuratif du discours — qui avait servi, dans la première partie
u récit, à expliciter l'univers axiologique de S_1 — au *plan cognitif*
ur lequel se déroule notre séquence; à recouvrir, aussi, de l'ombre
e l'anti-destinateur universel, représenté par le Mont-Valérien, la
gure de son délégué, S_2. L'anaphore ainsi établie, reliant les deux
arties du récit /R1 et R2/, garantit finalement la permanence de l'iso-
opie fondamentale et l'unité de la narration.
Il est, dans ce cas, d'autant plus remarquable de constater que la
apparition du Mont-Valérien, dans cette deuxième partie du récit,
'est pas simple, mais dédoublée : tout comme, dans SQ VI, deux seg-
ents autonomes avaient été consacrés à la présentation de l'anti-
estinateur selon son être et selon son faire, de même le rappel du
ire du Mont-Valérien, introduit dans notre SQ IX, sera suivi plus
in, dans SQ XI, de l'invocation de son *être*. L'actualisation de l'*imago*
ortis universelle, figurée par le Mont-Valérien, rend ainsi *exemplaire*
mort des deux pêcheurs.
Le rôle de l'anaphorisation une fois éclairci, on peut encore se
emander pourquoi le paragraphe anaphorisant se trouve installé
récisément en cet endroit et non ailleurs. Il nous semble possible
apporter une réponse à cette question. A regarder le déroulement
 la séquence, on s'aperçoit que le Mont-Valérien apparaît :

a) d'une part, immédiatement après la mention par l'officier d[u] terme « eau » : les deux termes apparaissent dès lors en positio[n] antithétique et la présence du Mont-Valérien valorise en retour l[e] premier terme qui, de l' « eau » de S_2, devient l'*Eau* de S_1, en const[i]tuant ainsi le couple de *contradictoires* axiologiques de l'univer[s] sémantique de S_1, et manifestant ainsi le véritable enjeu du choix;

b) d'autre part, au moment où le jeu persuasif de S_2 est termin[é] et la vérité des relations /dominant/ *vs* /dominé/ est devenue év[i]dente, la proposition d'échange se transforme en une *confrontatio[n] des pouvoirs* des deux sujets : le Mont-Valérien, incarnation du /po[u]voir-faire/ absolu, se trouve ainsi posé, pour être *dénié* par les deu[x] pêcheurs « debout », en tant que mal universel et non en tant qu[e] concours de circonstances malheureuses.

3.3. *L'organisation du silence.*

Il s'agit maintenant d'aborder la phase la plus délicate de l'inte[r]prétation de la séquence, en essayant de rendre compte de la dynam[i]que du faire cognitif de S_1. Car, si l'on a réussi, dans une certai[ne] mesure, à reconstituer le faire interprétatif de S_1, il ne faut pas oubli[er] que celui-ci doit être à son tour corrélé au faire décisionnel qui co[r]respond, sur la dimension cognitive, à la composante performancie[lle] des structures narratives, c'est-à-dire à la partie *réalisation* du PN[.] En effet, dans le cadre de cette séquence, S_1 réalise son PN et se réali[se] en tant que sujet. Notre hypothèse, en somme, est la suivante : a[u] lieu d'être seulement un sujet camusien du refus — du fait qu'il e[st] modalisé par le /pouvoir ne pas faire/ — et un héros révolté, S_1, a[u] contraire, ne se contente pas de cette position initiale, mais met e[n] exécution son PN, pour parvenir à un état du sujet selon le /pouvo[ir] être/.

Le *faire cognitif* de S_1 trouve sa manifestation sur le plan verb[al] et consiste, on l'a vu, à « se taire », c'est-à-dire à exercer le *faire verb[al] négatif et négateur*. Ce faire, à son tour, se trouve inscrit dans le cad[re] discursif du dialogue et, si pratiquement l'officier prussien est seul [à] parler, son discours est découpé en segments interrompus par d[es] *pauses* marquées par les notations de l'énonciateur :

> « L'officier *reprit :* »
> « Le Prussien... *reprit* »
> « L'officier *reprit :* »

pauses qui constituent autant de lieux de répliques suspendues.

Le dialogue, en tant que simulacre de l'énonciation installée da[ns] l'énoncé, se trouve donc bien établi. Or, cette forme dialoguée comporte conventionnellement deux éléments :

a) l'élément *encadrant* (cf. « reprit »), relevant de l'ordre de l'énoncé, grâce auquel l'énonciateur organise directement le dialogue simulé, et

b) l'élément *encadré*, qui simule l'énonciation en tant que discours à deux actants énonciatifs.

On voit que, en ce qui concerne S_2, l'élément encadré étant bien rempli, l'élément encadrant reste vide et redondant (cf. « reprit », répété trois fois); dans le cas de S_1, au contraire, l'élément encadré étant laissé vide, l'énonciation se rabat sur l'élément encadrant, en opérant de la sorte une substitution des fonctions de l'encadrant et de l'encadré. On peut donc essayer de lire les éléments de l'encadrement comme « passant pour » les répliques encadrées.

En essayant de regrouper les unités discursives d'encadrement, on y retrouve aisément une itération de dispositions binaires, chaque unité encadrante comportant des notations, situées tantôt sur le plan verbal tantôt sur le plan somatique, relatives au statut de S_1 en tant que participant au dialogue :

	Plan somatique	Plan verbal
(1)	« livides » $+$ « tremblement »	« se taire »
(2)	« immobiles »	« sans ouvrir la bouche »
(3)	« rester debout »	« silencieux »

Remarque : On voit que la notation somatique précède chaque fois la notation du faire verbal.

Si l'on se rappelle le statut modal de S_1 qui est, d'une part, le sujet cognitif sur la dimension cognitive de la narrativité et, de l'autre, un objet ou un non-sujet réduit à l'état de /dominé/, sur la dimension pragmatique, on peut admettre que les deux plans — verbal et somatique — que nous venons de reconnaître, peuvent être corrélés aux deux dimensions — cognitive et pragmatique — comme des expressions figuratives de celles-ci :

$$\frac{plan\ verbal}{dimension\ cognitive} \simeq \frac{plan\ somatique}{dimension\ pragmatique}$$

S'il en est ainsi, il nous est loisible de considérer les deux plans à la fois dans leurs interactions et dans leur déroulement, que l'on supposera comme manifestant la réalisation progressive du PN, tout en les interprétant comme des lieux des transformations modales qui affectent le statut de S_1, à la fois comme sujet cognitif et comme non-sujet pragmatique. Examinons, par conséquent, tout d'abord, dans une approche quasi-intuitive, les étapes successives de cette manifestation bi-polaire.

1. En rapprochant le comportement verbal « se taire » de l'attitude somatique « être livide », « avoir les mains agitées d'un tremblement », on s'aperçoit qu'il est possible de les interpréter comme étant des représentations, d'un côté, du sujet *actif* et, de l'autre, du sujet *passif* (c'est-à-dire « agi », subissant l'action d'un autre) ou, ce qui revient au même, comme des représentations d'un *faire* s'opposant à celles d'un *état*.

2. Si l'on passe maintenant au second couple oppositionnel, on remarque d'abord un changement notable sur le plan de l'articulation syntagmatique du PN : au sujet qui *subit* une action contraire succède le sujet « immobile » qui, par conséquent, *domine* le tremblement. On note ensuite qu'une sorte de permutation s'est produite entre les expressions verbale et somatique : tandis que le faire verbal prend l'aspect somatique de « ne pas ouvrir la bouche », un langage du corps semble se substituer à lui en tant qu' « acte de signifier » : tout se passe même comme si c'est l' « immobilité » qui commandait, en tant qu'un de ses hypotaxiques, le « ne pas ouvrir la bouche ».

3. Le troisième segment manifeste le plan verbal sous la forme de « rester silencieux », c'est-à-dire non plus comme un *faire*, mais comme un *état* définitivement acquis. La station « debout », au contraire si on la compare surtout à l' « immobilité » du deuxième segment prend des allures d'un faire somatique *signifiant*, d'un « faire face » de S_1, en présence du Mont-Valérien. Entendons-nous bien : ni l' « immobilité » ni la station « debout » ne sont ici des attitudes corporelles « naturelles » — il est évident, par exemple, que tout le long de l'affrontement les deux amis se tenaient debout — ce sont des expressions figuratives choisies par l'énonciateur pour signifier autre chose que l'immobilité du corps ou le fait de se tenir debout.

Le parcours narratif se trouve ainsi accompli : en partant de l' « acte de silence », qui est la manifestation du /pouvoir ne pas faire/ et qui correspond à l'attitude de l'homme révolté de Camus nous sommes parvenu à l'attitude du sujet « debout », face à la mort et en état de la nier : un « mourir debout », qui rappelle étrangement pour les gens de ma génération, le mot d'ordre pacifiste de l'entre-deux-guerres, selon lequel il valait mieux « vivre à genoux que mourir debout ».

Cette pré-lecture du PN de S_1 pourrait être suivie d'une formulation plus rigoureuse. On pourrait ainsi représenter le déroulement

u PN sur le plan somatique comme la discursivisation d'une série
'opérations effectuées sur le carré :

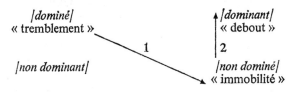

a proposant de considérer les trois termes structuraux :

$$|dominé| \implies |non\ dominé| \implies |dominant|$$

ɔmme correspondant aux trois étapes-segments que nous venons
'examiner.

1. Ainsi, si l'on considère que le plan somatique ne fait que mani-
ster le statut du sujet se trouvant sur la dimension pragmatique et
écrit comme sujet en situation d'objet, ce statut peut être homologué
vec le terme /dominé/ de notre carré. Mais un tel état est suivi,
ans le même segment, d'un faire cognitif (manifesté par « se taire »),
ont l'activité s'exerce dans deux directions différentes : c'est, d'une
art, l'exercice du /pouvoir ne pas faire/ à l'encontre de l'anti-sujet,
ais c'est aussi, d'autre part, un faire négateur opérant sur son
ropre PN, fondé sur la modalité du pouvoir négateur fraîchement
:quise. Le /pouvoir ne pas faire/ n'est en effet qu'une sous-articu-
tion de la modalité du /pouvoir/ et susceptible, comme tel, de fonc-
onner comme opérateur de transformation.

2. Dès lors, il est aisé de suivre le déroulement du programme :
négation de l'état /dominé/ fait automatiquement surgir son contra-
ctoire, l'état /non-dominé/, exprimé par l' « immobilité » annulant
mouvement « tremblement ».

3. Mais l' « immobilité » n'est pas seulement le constat de la cessa-
ɔn du « tremblement », c'est aussi, disons-nous, l' « acte de signifier »
l'assertion de l'état de /non dominé/ : la permutation des plans
rbal et somatique, que nous avons enregistrée en cet endroit, s'expli-
ue alors comme la reprise, pour le compte du somatique, de la
nction d'opérateur, muni du pouvoir d'asserter; et c'est cette
sertion de l'état de /non dominé/ (exprimé dès lors par l'état ver-
l, devenu somatique, de « ne pas ouvrir la bouche ») qui fait appa-
itre son terme présupposé de /dominant/. Les effets de la permuta-
ɔn /verbal/ $\rightleftarrows$ /somatique/ se font sentir ici aussi : c'est l'expres-
on « rester silencieux » qui a pour fonction de signifier l'*état*, tandis

que l'expression « debout » fonctionne comme l'opérateur du pouvoir négateur de la /mort/ (= Mont-Valérien).

Le point délicat de la démonstration nous paraît être la permutation entre le verbal et le somatique, qui s'effectue lors de la deuxième étape du parcours narratif. Dans la mesure où ces deux plans sont homologables avec les dimensions cognitive et pragmatique sur lesquelles se trouve situé simultanément le sujet, la raison d'être de cette permutation nous paraît résider dans la nécessité de faire assumer par le sujet pragmatique le pouvoir d'affronter et de nier la mort : la modalisation du sujet cognitif est insuffisante lors du passage qui, dans la séquence suivante, s'effectuera de la dimension cognitive à la dimension pragmatique de la narrativité. Les deux amis, en effet, y seront amenés à affronter la « dolce morte corporale » de saint François d'Assise.

SÉQUENCE X

La mort

'Allemand donna des ordres dans sa langue. Puis il changea sa chaise de lace pour ne pas se trouver trop près des prisonniers; et douze hommes inrent se placer à vingt pas, le fusil au pied.

'officier reprit : « Je vous donne une minute, pas deux secondes de plus. » 'uis il se leva brusquement, s'approcha des deux Français, prit Morissot sous e bras, l'entraîna plus loin, lui dit à voix basse : « Vite, ce mot d'ordre? 'otre camarade ne saura rien, j'aurai l'air de m'attendrir. »

Morissot ne répondit rien.

.e Prussien entraîna alors M. Sauvage et lui posa la même question.

M. Sauvage ne répondit pas.

Is se retrouvèrent côte à côte.

Et l'officier se mit à commander. Les soldats élevèrent leurs armes.

Alors le regard de Morissot tomba par hasard sur le filet plein de goujons, resté dans l'herbe, à quelques pas de lui.

Un rayon de soleil faisait briller le tas de poissons qui s'agitaient encore. Et une défaillance l'envahit. Malgré ses efforts, ses yeux s'emplirent de larmes.

Il balbutia : « Adieu, monsieur Sauvage. »

M. Sauvage répondit : « Adieu, monsieur Morissot. »

Is se serrèrent la main, secoués des pieds à la tête par d'invincibles tremblements.

'officier cria : « Feu! »

.es douze coups n'en firent qu'un.

M. Sauvage tomba d'un bloc sur le nez. Morissot, plus grand, oscilla, pivota et s'abattit en travers sur son camarade, le visage au ciel, tandis que des bouillons de sang s'échappaient de sa tunique crevée à la poitrine.

L'Allemand donna de nouveaux ordres.)

. ORGANISATION TEXTUELLE

. *Encadrement de la séquence.*

La séquence qui précède est constituée d'un pseudo-dialogue entre 'officier et les deux pêcheurs, à l'exclusion complète des soldats censés être présents sur la scène, mais qui ne s'étaient manifestés d'aucune manière. Aussi leur réapparition — à la manière de l'entrée en scène, lors d'une représentation, de nouveaux acteurs — peut-elle être considérée comme un critère de segmentation séquencielle.

A ce critère de changements intervenus dans la composition numérique d'acteurs, on peut en ajouter un autre, déjà utilisé, celui de la récurrence lexématique et phrastique. En effet, si nous fixons la frontière initiale de la séquence à :

« L'Allemand donna des ordres (dans sa langue) ».

on ne peut manquer de relever, à la fin de la séquence, et inaugurant la séquence suivante :

« L'allemand donna de nouveaux ordres »

Cette récurrence est, d'autre part, significative du point de vue topique : si les premiers ordres ont pour conséquence la fusillade des deux Français, la seconde série d'ordres aboutit à leur immersion dans le fleuve. Les deux séquences x et xi apparaissent donc, sur le plan narratif, comme des manifestations textuelles de deux sous-programmes narratifs consécutifs de S_2.

2. *Articulation interne.*

L'ensemble de la séquence x est articulé comme une succession d'ordres manifestant, sur le plan verbal, le *faire décisionnel* de l'officier, suivis à chaque fois du *faire exécutif* des soldats, situé, lui, sur le plan somatique. Ainsi :

(1) « L'Allemand donna des ordres » ⟶ « ... douze hommes vinrent se placer à vingt pas, le fusil au pied »

(2) « ... l'officier se mit à commander » ⟶ « Les soldats élevèrent leurs armes »

(3) « L'officier cria : « Feu! » » ⟶ « Les douze coups n'en firent qu'un »

Chacun de ces trois segments, caractérisés par l'exploitation d'une partie seulement des acteurs se trouvant sur la scène et débouchant sur *le faire pragmatique*, est suivi d'un segment autonome, mettant en représentation les deux amis. Tout se passe comme si le metteur en scène, chargé de la production de cette séquence, fixait successivement le projecteur, d'abord sur l'un, ensuite sur l'autre groupe d'acteurs.

Nous n'analyserons pas pour l'instant les trois segments ainsi dégagés : l'armature de la séquence constituée par la triplication des commandements et des exécutions est suffisamment solide pour garantir leur autonomie. Nous nous contenterons de les dénommer provisoirement :

(1)   la dernière tentative
(2)   les adieux
(3)   le martyre

en paraphrasant le contenu, saisi intuitivement, de chacun d'eux.

2. L'ÉCONOMIE DE LA SÉQUENCE

1. *L'isotopie patriotique.*

Un fait, à première vue troublant, s'introduit dans SQ x avec l'apparition inattendue de nouvelles dénominations, jusque-là inutilisées, et qui disparaîtront par la suite, de S_2 et S_1 : à la désignation de l'officier comme « Allemand » — nom dont la récurrence servira d'encadrement à la séquence — correspond pour la première fois celle de « deux Français », appliquée à nos pêcheurs. L'isotopie patriotique qui se manifeste ainsi semble par ailleurs confirmée par la mention renouvelée de l'uniforme que portent les deux amis :

$$\frac{\text{Début (promenade)}}{\text{« \textit{culotte} d'uniforme »}} \simeq \frac{\text{Fin (mort)}}{\text{« \textit{tunique} crevée à la poitrine »}}$$

Ce fait est gênant non pas tellement parce qu'il montrerait le caractère chauvin de l'attitude de Maupassant * — nous ne sommes pas là pour juger l'idéologie de l'auteur —, mais parce qu'il serait en contradiction avec l'interprétation globale et, du même coup, remettrait en question la cohérence textuelle selon laquelle le Mont-Valérien, installé

---

* Comme nous l'a fait observer un jeune chercheur alllemand ayant assisté à la présentation orale de certains éléments de cette analyse (NdA).

du côté français, mais semant la mort et la souffrance autant chez le
uns que chez les autres, serait l'anti-destinateur universel, incarnation
de la mort; le récit de Maupassant reposerait alors sur la dichotomie
axiologique quelque peu simpliste, partageant le monde en « bons
Français » et « méchants Allemands ».

L'explication de ce fait réside, il nous semble, dans la persistance
du mythe révolutionnaire de 1789 — mythe à tel point assumé collec-
tivement que le mot « patrie » dans les dictionnaires et les textes de
l'époque signifie unanimement « pays où l'on est *libre* » — qui resur-
git avec la restauration de la République (nous sommes en 1883) et
reste vivant jusqu'à nos jours (cf. les panneaux exposés en 1945 à la
frontière française, du côté allemand, pour indiquer que « ici commence le pays de la *liberté* »); ainsi situé dans son contexte historique
le patriotisme français, considéré dans sa dimension mythique, n'est
qu'un sous-produit de l'exigence universelle de liberté. On voit
par conséquent, que l'isotopie patriotique, introduite de manière
quasi implicite par l'énonciateur, avec la mention de l'Allemand
et de deux Français, n'est qu'une manifestation *hypotaxique* de l'isotopie fondamentale sur laquelle se déroule le PN « vouloir-pouvoir
être libre ».

2. *La mise en scène.*

Ceci étant précisé, on peut revenir aux problèmes plus spécifiques
de l'organisation de la séquence qui repose, disions-nous, sur une
armature solide, faite de la mise en place d'un dispositif militaire
obtenu par la triplication de commandements suivis d'exécutions
et représentant le fonctionnement mécanique de l'actant collecti
articulé selon les fonctions à remplir et les rôles à tenir. Une telle disposition s'inscrit normalement comme un chaînon nécessaire dans la
réalisation du PN de S_2, programme canonique de l'idéologie dominante, qu'il avait repris à son compte, et comportant, en cet endroit
l'énoncé narratif « la punition du traître ».

Et cependant, du fait de trois segments intercalés après chaque
ordre exécuté, l'*exécution* elle-même, dans le sens de « punition », se
trouve comme décomposée en trois tranches syntagmatiques, censées
être originellement désémantisées par leur intégration dans un pro
gramme opératoire unique et se présente comme une succession
d'images au *ralenti*. Déroulé au ralenti, le faire somatique d'exécution
prend un aspect théâtral souligné, qui a pour effet de dédoubler la

ignification de son programme. Tout comme une danse folklorique exécutée sur scène, en gardant son sens premier qui supporte son organisation syntagmatique, déroule en même temps ce schéma syntagmatique comme un spectacle signifiant à l'adresse de l'observateur, la manœuvre militaire, tout en obéissant au programme premier, constitue en même temps un spectacle d'intimidation à l'adresse des deux amis.

Remarque : Cette mise en scène signifiante est d'ailleurs accompagnée d'exercices *proxémiques* de l'officier que nous aurons à examiner plus loin.

3. LA DERNIÈRE TENTATIVE

1. *La sommation.*

A considérer la première partie de cette séquence, celle qui comprend une double activité de l'officier : les ordres adressés à ses soldats et la sommation signifiée aux pêcheurs, on remarque qu'elle constitue en fait le lieu de *chevauchement* des deux séquences, IX et X. D'un côté, la SQ IX semble se poursuivre, les principes de son organisation — l'alternance de *menaces* et de *tentations* — continuent à régir la disposition des contenus du segment intercalaire. De l'autre côté, la mise en place du dispositif militaire et la théâtralisation de l'espace d'exécution annoncent déjà la SQ X et indiquent une nouvelle articulation des contenus, narrativement organisés comme tentative de *disjonction* d'acteurs constituant S_1, suivie de leur *conjonction* définitive dans la mort.

En tenant compte de l'organisation reconnue dans SQ IX, on peut facilement diviser le premier segment intercalaire en deux sous-segments, dont le premier représente le dernier recours aux *menaces,* tandis que le second sert à formuler d'ultimes *tentations.*

La mise en demeure, exprimée par :

« Je vous donne une minute, pas deux secondes de plus. »

se présente ici comme une sommation *triplée,* fait qui rend compte d'ailleurs du chevauchement partiel des séquences :

1. Elle est d'abord une sommation *verbale.* C'est la dernière inter-

vention de l'officier face aux deux amis, mais elle ne concerne plus les termes du dilemme énoncés précédemment et ne porte plus que sur le *temps*, qui apparaît ainsi comme expression figurative de la « mise en demeure » et constitue l'ultime menace.

2. La sommation est, en même temps, d'ordre *scénique* : la mise en place du dispositif militaire d'exécution joue le rôle connotatif d'intimidation.

3. Elle est aussi *proxémique* : la création de la distance entre S_1 et S_2, que provoque l'officier en changeant sa chaise de place, comporte une connotation proxémique signifiant la suspension de la proposition d'échange. Nous y reviendrons.

La réunion de ces procédés de nature différente constitue un tout visant à obtenir un effet de sens persuasif.

2. *La séparation manquée.*

2.1. *Individualisation des programmes.*

Le sous-segment destiné à présenter la dernière tentative consiste dans la tentation de dissolution de l'actant collectif S_1 en deux acteurs individuels : Morissot et M. Sauvage qui, intégrés chacun dans un PN qui lui est propre, sont appelés à s'ériger en actants S_1 (M) et S_1 (S).

Le projet de séparation a pour conséquence, sur le plan discursif, de dédoubler l'expression textuelle en la réitérant : la *même* question est successivement posée aux deux acteurs et la même *non-réponse* est donnée par chacun des actants. La division de chacune des expressions textuelles en question et réponse, c'est-à-dire, respectivement, en faire verbal de S_2 et de S_1, oblige le lecteur à s'interroger séparément sur la signification du faire de deux antagonistes.

Toutefois, la caractéristique commune de cette nouvelle organisation narrative est l'*individualisation des programmes* :

1. Ainsi, l'officier fait la nouvelle offre à chacun des deux amis séparément, et leur refus ne peut être qu'individuel.

2. Il en est de même des programmes virtuels offerts comme projets, et d'abord du *secret* promis. Le secret n'est jamais un programme en soi : il est toujours gardé par rapport à quelqu'un, étant nécessairement inscrit dans la structure de la communication. Or, le secret proposé dans SQ IX :

« Personne ne le saura jamais »

est un secret vis-à-vis de la collectivité, tandis que la nouvelle forme du secret :

« Votre camarade ne saura rien »

n'est destinée qu'à la communication inter-individuelle.

3. La promesse de *non-punition* subit le même sort : la *grâce* proposée précédemment pouvait être accordée pour des raisons d'État, tandis que la *pitié*, simulée sous la forme de l' « attendrissement », le serait pour des raisons de cœur.

4. Il en est de même de la *complicité* appelée à s'instaurer à la suite de l'acceptation de l'offre : dans le premier cas, la complicité offerte est *passive*, l'officier se présentant comme exécuteur d'une justice dépersonnalisée, dans le second cas, elle serait *active*, le donateur s'engageant à exercer un faire persuasif et à jouer le rôle thématique de l' « attendri » auprès du camarade trompé.

On voit donc que, considérés séparément, (*a*) le sous-programme de S_2 consiste dans un faire pragmatique « séparation », suivi d'un faire persuasif, offrant la complicité, et (*b*) les sous-programmes de S_1 (M) et de S_1 (S) en constituent la réponse sous la forme d'un faire interprétatif implicite et d'un faire décisionnel qui, face à la sommation individuelle, représente la prise de responsabilité individuelle.

2.2. *Les jeux proxémiques.*

Le faire verbal de S_2 se trouve doublé d'un faire somatique d'une espèce particulière, pour lequel on peut retenir le nom de faire *proxémique*. Il s'agit, au sens restreint que nous donnons à ce terme, non de l'exploitation de l'espace en général qui, en sa qualité de signifiant, est susceptible de produire des signifiés et constitue, de ce fait, une sorte de *langage spatial*, qui est à considérer comme un des champs constitutifs d'une *logique naturelle*, fonctionnant au niveau figuratif du discours, mais d'une utilisation des mouvements et des attitudes du corps humain qui, en tant que *signifiants*, recouvrent et rendent compte des relations inter-actorielles.

Nous avons déjà été amené à faire allusion à ce genre d'expressions spatiales en parlant notamment du caractère théâtral que comporte la construction de la séquence elle-même. La *mise en scène* et la *proxémique* possèdent en effet beaucoup de traits communs ou du moins complémentaires : il ne convient pas d'essayer d'en faire ici la théorie. Nous nous contenterons donc de formuler quelques remarques relatives à l'exercice du faire proxémique.

SÉQUENCE X

Les relations inter-actorielles que le faire proxémique est appelé à signifier dans la séquence examinée sont au nombre de trois :

1º relations entre les deux amis d'un côté et les soldats, de l'autre;

2º relations entre les deux amis et l'officier;

3º relations entre les deux amis.

Examinons-les de plus près, les unes après les autres.

1. La disposition scénique des soldats — dont l'officier est le metteur en scène — fonctionne, du point de vue de la signification, sur un double registre : il s'agit, d'un côté, d'un *faire narratif* programmé, qui aboutira à l'exécution des deux amis; de l'autre côté, d'un *faire communicatif* ayant pour but l'intimidation. Ce qui distingue ce faire communicatif du faire proprement proxémique, c'est le fait qu'il se présente comme étant d'*ordre connotatif* et qu'il repose en réalité sur un faire narratif premier : ce n'est pas le cas du faire proxémique, qui est susceptible d'être organisé en un programme autonome.

2. L'exploitation que l'officier fait des mouvements et des attitudes de son corps, en vue de transmettre de la signification à l'adresse des deux amis, semble, au contraire, proxémique au sens que nous venons de donner à ce terme.

Trois catégories proxémiques sont ainsi utilisées :

/éloigné/	*vs*	/rapproché/
/assis/	*vs*	/debout/
/déplacement réfléchi/	*vs*	/déplacement transitif/

Les deux premières semblent se trouver en distribution complémentaire :

$$\text{/éloigné/} + \text{/assis/} \quad vs \quad \text{/rapproché/} + \text{/debout/}$$

Remarque : Il nous a fallu plusieurs lectures pour nous apercevoir que l'éloignement de l'officier par rapport aux deux amis était accompagné d'une nouvelle position /assis/ qui, de fait, ne s'imposait nullement.

Ces deux catégories, considérées comme des catégories de l'expression, sont corrélées aux catégories du contenu :

$$\frac{\text{/éloigné/}}{\text{/hostilité/}} \quad vs \quad \frac{\text{/rapproché/}}{\text{/amitié/}}$$

$$\frac{\text{/assis/}}{\text{/supériorité/}} \quad vs \quad \frac{\text{/debout/}}{\text{/égalité/}}$$

222

Remarque : Les catégories utilisées, on le voit, sont relativisées par le contexte : ce n'est que parce que les deux amis sont également /debout/ que le /debout/ de l'officier peut signifier /égalité/.

De leur côté, les deux formes de /déplacement/ — l'officier se déplaçant lui-même, la première fois, et « entraînant » l'un après l'autre les deux amis, la seconde fois — peuvent être lues comme suit :

$$\frac{/\text{déplacement réfléchi}/}{/\text{individuation du PN}/} \simeq \frac{/\text{déplacement transitif}/}{/\text{solidarité du PN}/}$$

Les termes catégoriques situés à gauche et ceux situés à droite peuvent être réunis en sémèmes :

$$Sm\ 1 = /\text{hostilité}/ + /\text{supériorité}/ + /\text{individuation du PN}/$$

aura pour effet de sens « menace »

$$Sm\ 2 = /\text{amitié}/ + /\text{égalité}/ + /\text{solidarité du PN}/$$

provoque, au contraire, l'effet de sens « tentation ».

On voit à peu près comment le faire proxémique en arrive à dédoubler le faire verbal de S_2.

3. Les relations spatiales des deux amis en tant qu'acteurs individuels ne sont pas organisées par eux-mêmes; eux, ils ne font que les subir, comme relevant du faire de l'officier. Sur le plan de l'expression, elles se manifestent comme des *conjonctions* et des *disjonctions actorielles*, s'articulant en deux temps :

(a) $S_2 \cap S_1 (M) \cup S_1 (S)$
    $S_2 \cap S_1 (S) \cup S_1 (M)$

(b) $S_2 \cup S_1 (S) \cap S_1 (M)$

signifiant, par *anticipation*, l'échec de la destruction de l'actant S_1 et sa reconstruction qui sera sanctionnée de manière plus marquée, dans le segment suivant.

4. LES ADIEUX

1. *Le réseau paradigmatique.*

La paradigmatisation du récit, procédure qu'on a déjà reconnue à l'occasion de la réapparition du Mont-Valérien dans la séquence précédente, devient de plus en plus fréquente à l'approche du dénouement. A cette paradigmatisation, qui relève du faire, de la technique de l'*énonciateur*, correspond, pour l'*énonciataire*, des appels réitérés à la rétro-lecture, une invitation à la condensation du discours, afin qu'arrivé au bout de sa peine — ou de son plaisir — le texte se présente à lui comme un schéma de compréhension simple, « un tout de signification ».

A regarder le deuxième segment intercalaire qui se situe entre les deux derniers commandements de l'officier, on y reconnaît, sans examen approfondi, deux parties distinctes, se référant chacune à une tranche textuelle antérieure différente. Ainsi, le premier sous-segment renvoie à la *pêche miraculeuse* (SQ V), tandis que le second, à la *rencontre* des deux amis (SQ III). Cette double récurrence textuelle nous dispense de rechercher d'autres critères d'articulation interne du segment.

2. *La comparaison des valeurs.*

2.1. *Acteurs ou actants?*

Le sous-segment destiné à raviver les souvenirs de la pêche se divise à son tour, de manière quasi prévisible, en un faire cognitif suivi de ses répercussions sur le plan somatique. Il est à noter toutefois que ce faire cognitif relève, à un moment crucial du récit, de l'un des deux acteurs seulement :

« Alors le regard de Morissot tomba ... sur ... »,

à un moment surtout où l'on voit les deux amis « se retrouver côte à côte », après la tentative de leur séparation : le « côte à côte » peut être interprété, en effet, comme la reconstitution sur le plan spatial de l'actant collectif.

Cependant, on se rappellera que Morissot est présenté tout le long du texte comme l'élément actif, explorateur, du couple (cf. « Morissot colla sa joue par terre... »; « Morissot tourna la tête et aperçut... ») : une division à la fois fonctionnelle et caractérielle, selon la catégorie /extraverti/ *vs* /introverti/, à l'intérieur de l'actant collectif, peut être admise.

Une telle interprétation n'est pourtant pas entièrement satisfaisante : comme il s'agit de deux amis « ayant des goûts semblables et des sensations identiques », on peut considérer que ce qui vaut pour l'un vaut également pour l'autre et que, par conséquent, « le regard de Morissot » sous-entend le regard de M. Sauvage, parallèle et implicite. Car, à examiner les choses d'un peu plus près, on s'aperçoit que la fusion des acteurs en un seul actant, telle du moins qu'elle est annoncée spatialement par le « côte à côte », n'est pas complète. La mort, en effet, est toujours assumée individuellement : la non-réponse, donnée séparément par chacun, la « défaillance » devant les valeurs vitales auxquelles on renonce, la « reconnaissance » impliquée, nous le verrons, dans la scène des adieux sont des actes individuels; et c'est un actant collectif agrandi et enrichi, bien différent de celui des débuts du récit, qui se reconstitue face à la mort. Au lieu de parler, comme au début du récit, de la constitution d'un actant duel à partir de deux acteurs, il vaudrait peut-être mieux envisager ici un processus de fusion comparable, mais situé à un niveau hiérarchiquement supérieur, où l'on verrait deux actants dotés chacun de compétence, se reconnaître et se constituer en un archi-actant duel.

2.2. *Valeurs du sujet et de l'objet.*

A cette individualisation du faire cognitif qui souligne la séparation des deux amis devenus actants autonomes, correspond, sur un autre plan, l'apparition d'une nouvelle discontinuité, sous la forme du « hasard » : le regard de Morissot ne tombe pas « naturellement » sur le filet de goujons, mais « par hasard ». Le PN de S_1, présenté comme une quête résolue et finalisée, se trouve interrompu par un accident de parcours, la *permanence* posée comme quelque chose qui est « plus fort que la mort » s'ouvre sur une *incidence* qu'est la vie humaine occurrente, donnant ainsi lieu à une estimation comparative de deux systèmes de valeurs sous-jacents.

Les deux systèmes axiologiques, impliqués relèvent d'une double problématique : celle du *sujet* posé comme valeur grâce aux modalités qu'il est susceptible d'acquérir, et celle de l'*objet* qui, convoqué comme lieu d'investissement des valeurs, valorise le sujet par les conjonctions opérées, de manière médiate. Cette opposition structurale, manifestée dans le reste du texte de façon récurrente par des expressions du genre « des pieds à la tête », se trouve réalisée dans la démarche cognitive de Morissot, que nous examinons à travers la disjonction spatiale contenue dans la préposition « sur » :

$$\frac{/\text{haut}/}{\text{« regard »}} \longrightarrow \text{« tomber sur »} \longrightarrow \frac{/\text{bas}/}{\text{« filet de goujons »}}$$

et établit à l'avance la relation de /dominant/ à /dominé/ entre les deux axiologies.

2.3. *L'actualisation des valeurs existentielles.*

Le « regard », signal de l'exercice du faire cognitif, fait en même temps fonction de *connecteur* d'isotopies : en effet, s'il renvoie immédiatement le lecteur à un sujet connaissant, installé dans le discours, il précise en même temps que son faire cognitif va s'exercer sur le plan sensoriel particulier, celui du voir, et permet de ce fait d'introduire, en sa qualité d'objet de connaissance, des représentants du système axiologique formulée en termes de *figurativité spatiale*.

Il nous semble inutile de recommencer ici l'analyse de ce plan figuratif qui a déjà été effectuée au moment où l'énonciateur avait mis en place le dispositif axiologique dans son ensemble. Il suffira par conséquent de signaler pour mémoire certains traits caractéristiques de cette figuration :

1. Il faut noter d'abord que le regard de Morissot rencontre le filet de goujons « à quelques pas de lui » : les poissons, hyponymes de valeurs *virtuelles* constitutives de l'univers axiologique de S_1, restent *disjoints* du sujet, mais se trouvent, en tant que valeurs, *actualisés* par le regard.

2. L'hyponyme « filet de goujons » est fortement récurrent dans le texte. Il est toutefois intéressant de signaler le traitement grammatical différent infligé à ce syntagme nominal lorsqu'il se trouve en relation soit avec S_1 (comme c'est le cas dans notre segment), soit avec S_2 (dans la dernière séquence) :

$$\frac{\text{en relation avec } S_1}{\text{« filet plein de goujons »}} \quad vs \quad \frac{\text{en relation avec } S_2}{\text{« filet aux goujons »}}$$

opposition qui sous-tend deux points de vue différents, selon la catégorie :

/êtres/   *vs*   /choses/

3. En tant qu'êtres vivants, les poissons sont des *dons* de l'Eau et, à ce titre, hyponymes de ce terme axiologique fondamental que nous avons interprété comme /non-mort/. Or, dans les deux cas cités, les « goujons » sont qualifiés par :

« qui s'agitaient *encore* »
« pendant qu'ils sont *encore* vivants »

ce qui veut dire que, sur l'axe :

$$/\text{non-mort}/ \Longrightarrow /\text{mort}/$$

ils se trouvent situés, selon la logique des approximations, plus près du terme /non-mort/; leur statut d'hyponymes de l'Eau est ainsi confirmé.

4. L'expression « un rayon de soleil » fait apparaître, à son tour, « rayon » comme hyponyme de Soleil, dont l'investissement axiologique est, on le sait, le terme /vie/. Le rayon faisant briller les poissons opère dès lors, sur le plan hyponymique, la conjonction :

$$/\text{vie}/ + /\text{non-mort}/$$

conjonction qui recouvre la totalité de la deixis positive de l'univers axiologique de S_1.

> *Remarque :* Pour « briller » (cf. « petite bête *argentée* »), qui met en valeur, sur le plan de la qualité de la couleur, l'opposition /brillant/ *vs* /mat/.

5. Les valeurs existentielles de S_1, formulées comme la deixis positive de son univers, se trouvent *actualisées* par le faire cognitif de Morissot et, de ce fait, *modalisées* par le *savoir-être*. Le faire cognitif comporte, par conséquent, un aspect interprétatif qui permet d'inaugurer une nouvelle phase, estimative, de ce faire. Les deux amis ne meurent pas bêtement, mais en pleine connaissance de cause, en faisant apparaître comme antiphrastique l'anthroponyme de Morissot.

2.4. *La dichotomisation du sujet.*

Des difficultés presque insurmontables surgissent si l'on applique à la succession de deux phrases :

> « Un rayon de soleil faisait briller... »
> « Et une défaillance l'envahit »

non le regard d'un lecteur « intuitif » qui emmagasine, tout le long du parcours textuel, une somme considérable de savoir implicite sur les personnages mis en représentation, mais celui d'un linguiste qui, se trouvant en présence d'une suite de deux phrases « bien formées », cherche à déterminer la relation qui peut exister entre elles, relation qui fonderait l'intelligibilité du discours. Dire, par exemple, que, selon le principe *post hoc, ergo propter hoc*, il existe entre les deux phrases — et, du même coup, entre la vue des poissons et la défaillance du spectateur — une relation de cause à effet, n'a pas de sens.

Toute concaténation des phrases, si on la situe à la surface du texte, est impossible, voire absurde, et le discours ne peut être considéré comme « lisible » à ce niveau. Car, contrairement au présupposé couramment admis par la linguistique phrastique, le niveau de surface n'est ni dénotatif ni premier. Ce qui peut être saisi comme une « réalité » au niveau de la surface du texte (fait d'un enchaînement de signes), c'est très souvent une simple succession d'expressions litotiques renvoyant une à une, à l'aide de relations tropiques variables, à une isotopie textuelle profonde. Et ceci n'est pas propre aux seuls textes poétiques qui seraient des assemblages d'« anomalies sémantiques », mais à tout texte « normal »; le texte de Maupassant peut être, il nous semble, considéré comme représentatif de cette « normalité ».

Dans l'état actuel de nos connaissances des processus discursifs, il est difficile de dire avec précision quels sont les chaînons manquants, parce que restés implicites, qu'il faut reconstituer pour rendre le discours lisible de manière linéaire. Nous avons déjà tenté l'interprétation de la première phrase : il s'agit là de la représentation hyponymique des valeurs existentielles, telles qu'elles sont appréhendées par le faire cognitif de S_1. La deuxième phrase :

> « Et une défaillance l'envahit »

qui renvoie paradigmatiquement à :

« et une joie délicieuse les pénétrait... »

demande à être déchiffrée.

1. Malgré une forte analogie d'encadrement contextuel, la « joie » paraît comme le résultat d'un faire somatique (mettant en scène le filet et les poissons), tandis que la « défaillance » se présente comme la conséquence d'un faire cognitif (bien que visant le même filet de poissons).

2. Le prédicat « pénétrer » paraît euphorique (ou du moins neutre), tandis que « envahir » comporte une connotation dysphorique.

3. Les deux prédicats exprimant sur le mode figuratif la conjonction d'un *englobé* — qui est une intériorité somatique d'ordre thymique — et d'un acteur situé dans l'*englobant*, on s'attendrait qu'à la « joie » euphorique — qui est l'acteur de la première scène — corresponde quelque chose comme la « douleur » dysphorique, pour la seconde représentation.

Or, la « défaillance » n'est pas (toujours selon le *Petit Robert*), un « état douloureux », mais « une diminution importante et momentanée des *forces* physiques », « une faiblesse », « une incapacité » : paraphrases et parasynonymes renvoyant, sous une forme négative, à la modalité du *pouvoir*. Il s'agit là, par conséquent, d'une véritable « anomalie sémantique ».

Reprenons notre examen de l'« état des choses » qui caractérise la position narrative donnée. Cet état comporte deux sortes de *savoir*, propres à S_1 :

a) le savoir sur la valeur des valeurs existentielles ;

b) le savoir sur la perte, prochaine et irrémédiable, de ces valeurs.

Les deux savoirs portent sur un état de *disjonction* entre S et O, disjonction sous-tendue et soutenue par le vouloir du sujet. Si, dans le premier cas, le vouloir, aidé par l'actualisation des valeurs-poissons, est *euphorique*, dans le second cas, au contraire, l'impossibilité de la réalisation du vouloir le rend *dysphorique*, les deux connotations du vouloir étant proportionnelles en intensité : plus l'objet de valeur est désirable (cf. « joie délicieuse »), plus sa perte est regrettable.

L'état d'esprit qui caractérise S_1 est donc comparable à celui qui est recouvert, en français, par le lexème « regret », désignant un « état de conscience douloureux; causé par la perte d'un bien ». Voilà que nous retrouvons enfin la « douleur », prévisible à la suite du rapprochement avec « joie » et pourtant non réalisée dans le texte. Toutefois, cette douleur, appelée « regret », se situe sur la dimension cognitive (c'est un « état de conscience ») ; elle n'est pas

« causée par la perte d'un bien », mais par le *savoir* sur la perte à venir.

La symétrie entre les deux segments dont le rapprochement était suggéré par l'énonciateur se trouve ainsi reconstituée :

La pêche miraculeuse		*La mort*
$S_1 \cap O$: poissons	$\Longleftrightarrow$	$S_1 \cup O$: poissons
conjonction pragmatique	$\Longleftrightarrow$	disjonction cognitive
« joie » somatique	$\Longleftrightarrow$	« douleur » cognitive

Ce n'est qu'après avoir rétabli ce chaînon manquant — la douleur excessive éprouvée sur le plan cognitif —, que nous pouvons songer à faire intervenir la relation causale entre les deux phrases manifestées et à interpréter la « défaillance » comme la répercussion, sur le plan somatique, de la douleur noologique, comme la conversion, avec changement de plan, d'un vouloir impossible en un non-pouvoir.

La « défaillance » qui envahit le sujet n'est pourtant pas une absence ou une négation du pouvoir, mais bien plutôt un *anti-pouvoir* autonome, qui fait que la machine somatique fonctionne et exerce son faire selon la modalité de /ne pas pouvoir ne pas faire/; ainsi le faire somatique est noté par :

« ses yeux s'emplirent de larmes »

mais aussi par « secoués des pieds à la tête par d'invincibles tremblements », ce qui montre bien que le faire cognitif et les conséquences qu'il entraîne sont partagés par les deux amis.

On voit, d'autre part, que ce fonctionnement autonome de l'organisme n'est pas troublé par les tentatives d'exercer sur lui le pouvoir noologique : « malgré les efforts », les yeux s'emplissent de larmes, et les tremblements qui secouent les deux amis sont « invincibles ». Une dichotomisation du sujet en résulte : au /ne pas pouvoir ne pas faire/ du sujet somatique correspond le /ne pas pouvoir faire/ du sujet noologique. Le sujet somatique n'est pas nié — il ne peut pas être nié — par le sujet noologique, il se trouve tout simplement disjoint et autonomisé, mais capable toutefois d'aller à la rencontre de sa mort, sans que celle-ci affecte le sujet noologique, dont le pouvoir négateur peut dès lors s'exercer librement.

3. *La reconstitution de l'actant duel.*

3.1. *Les deux positions de l'actant duel.*

A regarder dans son ensemble la scène qui précède le commandement « Feu! » on ne peut qu'être frappé par le réseau de similitudes textuelles qu'elle présente avec la scène des retrouvailles du début du récit. Reproduisons-les pour mémoire :

	Début		*Fin*
(1)	(séquence figurative)		« Ils se retrouvèrent... »
(2)	« Dès qu'ils se furent reconnus... »		« Côte à côte »
(3)	« ils se serrèrent les mains, »		(segment figuratif)
(4)	« tout émus de se retrouver... »		« Adieu... Adieu... »
(5)	« ... marcher côte à côte.., »		« Ils se serrèrent la main... »

On voit bien qu'à deux exceptions près — nous aurons à les examiner — le dispositif textuel est le même dans les deux.cas : la scène finale se présente comme la reproduction à peu près exacte de la scène initiale.

La première différence réside dans l'emplacement syntagmatique réservé dans chacun des textes aux notations « se retrouver » et « côte à côte », situées à la fin du dispositif, dans la scène du début, et à son commencement, dans la scène de la fin. Dans un cas comme dans l'autre, il s'agit de la représentation spatiale signalant la conjonction des deux acteurs. C'est en prenant en considération les sèmes spatiaux environnant les deux représentations que les éléments différentiels apparaissent sur le plan sémantique. En effet, la position spatiale des deux amis est caractérisée comme :

Début		*Fin*
/mouvement/ (« marcher »)	*vs*	/immobilité/
/horizontalité/	*vs*	/verticalité/ (« debout »)

Les principales caractéristiques du sujet par rapport à son programme narratif se trouvent ainsi exprimées en termes de *spatialité :* dans le premier cas, le /mouvement/ renvoie à l'*inchoativité* du PN et au *faire* qui se trouve devant le sujet, dans le second cas, l' /immobilité/

signale l'aspect *terminatif* du PN et l'*être* du sujet. De même, l' /horizontalité/ correspond au *vouloir-faire* du sujet, tandis que la /verticalité/, à son *pouvoir-être*.

La différence des positions syntagmatiques de ces notations s'explique du même coup : dans la scène du début, la reconstitution du sujet noologique vise à la réalisation du programme somatique commun, dans la scène de la fin, au contraire, le rétablissement de l'union somatique précède l'affirmation du sujet noologique.

3.2. *La reconnaissance réciproque.*

La seconde différence est marquée sur le plan sémantique : ainsi, à la notation (2) de la scène du début, qui fait état de la « reconnaissance » réciproque des deux amis, correspond, dans la scène finale, la notation (4) relative à leurs « adieux ». Il nous revient de voir si cette différence est fondée sur une disjonction catégorielle ou si elle n'est qu'un procédé stylistique installé à la surface du texte.

L'attention du lecteur ne peut qu'être attirée par l'emploi emphatique de « Monsieur » dans cette scène d'adieu :

> « Adieu, *monsieur* Sauvage »
> « Adieu, *monsieur* Morissot »

appelatif qui, à la différence de ses autres emplois dans le texte, est graphiquement réalisé en entier (et non en abréviation comme M.) et écrit avec un *m* minuscule.

Si l'on examine, en rétro-lecture, l'ensemble des emplois de cet appelatif dans notre texte, on arrive à les grouper facilement comme suit :

a) Dans la séquence d'introduction des deux acteurs, l'énonciateur les présente respectivement comme « M. Morissot » et « M. Sauvage », en leur conférant ainsi un statut social commun.

b) Dans la suite du texte, une distinction se trouve établie et maintenue par l'énonciateur entre « Morissot » et « M. Sauvage ». Elle manifeste, à l'intérieur de l'ensemble des « citoyens libres », la différence entre les classes sociales :

— M. Sauvage étant un *commerçant* et, du même coup, *républicain* ;

— Morissot étant un *artisan* et, par opposition au premier, *anarchiste*.

c) Le troisième emploi de l'appelatif est au pluriel :

> « Eh bien, Messieurs, ...? »

Énoncé par l'officier s'adressant à ses prisonniers, l'appellatif comporte une connotation dérisoire; stylistiquement, il peut être considéré comme antiphrastique, à cette réserve près que les *antiphrases* de Maupassant sont presque toujours « vraies » (cf. « Nous leur offririons une friture »).

En effet, bien malgré lui, sans le vouloir et sans le savoir, l'officier prussien énonce une vérité du texte : les deux amis, la suite des événements le montrera, sont des « messieurs », et c'est comme un *sémème resémantisé*, resitué sur le plan axiologique, qu'il faut lire l'appellatif utilisé dans la scène des adieux.

On comprend dès lors que l'échange de qualifications qui s'opère ainsi entre les deux amis ne soit autre chose qu'une nouvelle « reconnaissance » et que, malgré la différence de sa réalisation discursive, elle correspond, dans le schéma que nous avons dressé, à la « reconnaissance » enregistrée au moment des retrouvailles sur les boulevards de Paris. Une nuance importante les sépare toutefois : tandis que la première « reconnaissance » porte sur l'« être » des deux acteurs en tant qu'il se manifeste dans l'assomption d'une axiologie commune (décrite dans la séquence intercalaire figurative), la nouvelle « reconnaissance », tout en reprenant la première (et c'est une des raisons d'être du segment figuratif réintroduisant et actualisant, sous la forme hyponymique de « poissons », tout le système axiologique) relève en même temps du *savoir sur le faire* de chacun des actants (et non plus des acteurs).

Deux sortes d'observations s'imposent en cet endroit :

a) On voit qu'en se référant au schéma proppien — et il nous semble commode de nous y référer, du moins dans sa version « corrigée » — la *reconnaissance*, en tant que *faire-savoir sur le faire du sujet*, se situe à la suite et comme une conséquence de l'*épreuve glorifiante :* la signification fonctionnelle du segment précédent — où la défaillance somatique n'ébranle pas la décision du sujet — apparaît ainsi clairement. Les deux sujets S_1 (Morissot) et S_2 (Sauvage), ayant toutefois déjà opéré leur choix, en optant de rester *sujets selon le secret*, la reconnaissance reste intersubjective et réciproque.

Ainsi cette deuxième partie du récit (R_2), caractérisée, au niveau discursif, par la prédominance du faire de S_2 constamment affiché, apparaît, sur le plan narratif plus profond, comme le déroulement complet du PN de S_1 : au dernier poste du PN de S_1, celui de « glorification », correspond la position inaugurale du PN de S_2, celle de « disqualification ».

b) Les hésitations de lecture, relatives à la désorganisation et à la réorganisation de l'actant collectif S_1, s'expliquent en même temps dans la mesure où le premier segment intercalaire de cette séquence, consacré à la tentative de la dissolution de l'actant duel s'est soldé par un échec, on est en droit de considérer que le nouveau contrat entre les deux amis, scellé par le serrement des mains, indique la reconstruction de cet actant collectif. Ceci est vrai, à cette différence près toutefois que le nouvel actant collectif qui émerge est, du point de vue de sa modalisation, d'une nature plus riche et hiérarchiquement supérieur au premier. La constitution de l'actant duel au début du récit reposait, on s'en souvient, sur une identité à la fois axiologique et idéologique. De nouveaux événements sont intervenus entre temps, exigeant de nouvelles prises de position individualisées : c'est en tant qu'actants individuels que les deux amis ont affirmé leur /pouvoir ne pas faire/ et leur /pouvoir-être/. Par conséquent, le nouvel actant duel, qui se reconstitue à la fin de notre segment, est le résultat du contrat établi entre deux sujets modalisés individuellement, en tant que *sujets libres* et compétents.

5. LE MARTYRE

1. *Le dernier affrontement.*

Il nous reste à examiner le dernier segment de la séquence, contenant la description de la mort des deux amis.

Deux questions se posent à son propos. On peut se demander, d'abord, quel est le sens général de ce passage ou, plus précisément, quelle est la signification fonctionnelle d'éléments narratifs qui y sont inscrits : le segment précédent s'étant révélé comme le lieu de la reconnaissance intersubjective, « secrète », des deux sujets et de leur réunion en un actant collectif nouveau, on peut se demander si cet actant a encore quelque chose à faire dans l'économie générale du récit.

La deuxième question est relative à la forme discursive — qui est celle de « description » —, que l'énonciateur choisit pour produire ce segment. Nous avons vu précédemment que les « morceaux descriptifs » en tant que formulations de surface, étaient susceptibles de recouvrir des organisations narratives et sémantiques, situées à des niveaux plus profonds, de nature fort différente.

En cherchant à répondre à cette dernière question, on doit noter, en premier lieu, le caractère un peu insolite de la « description », du fait qu'elle n'est pas donnée, selon le canon littéraire du XIXe siècle, en « imparfaits », mais en « passés simples » : il s'agit donc d'une description qui n'en est pas une. En effet, si l'on examine les prédicats verbaux que le discours manifeste, on en rencontre, du point de vue sémantique, deux sortes :

a) Les prédicats relatifs à la chute des corps, dont les principaux sont « tomber » et « s'abattre ». Le terme « corps » est d'ailleurs inconvenant ici, car la représentation des sujets phrastiques (« M. Sauvage » et « Morissot ») indique bien qu'il s'agit là non de la « chute » d'objets, mais des mouvements d'êtres vivants, des personnes humaines. Disons tout de suite que ces mouvements peuvent être considérés narrativement comme des /déplacements/ et que, de ce fait, leur finalité, c'est-à-dire leur signification, peut être recherchée dans leur aspectualité terminative, autrement dit, dans la position que les corps occuperont à la suite de ce déplacement.

b) Le prédicat « s'échapper » (en parlant des « bouillons de sang »), donné comme concomittant avec les premiers (« tandis que... ») représente également un faire actif, susceptible d'être interprété comme un /déplacement/.

Or, puisqu'il s'agit de personnes vivantes, c'est-à-dire d'actants susceptibles d'exercer un faire et capables de poursuivre un PN, on peut chercher à déterminer leur faire, en l'inscrivant dans le contexte narratif plus large. Ce contexte narratif est fait du déroulement, parallèle et corrélé, de deux PN : dès lors, s'il est difficile de comprendre, à première vue, la signification fonctionnelle du segment examiné dans le cadre du PN de S_1, il est toujours loisible de recourir au PN de S_2, où sa position narrative est tout à fait claire : il s'agit ici de l'emplacement de l'énoncé narratif « punition (du traître) », tel qu'il avait été annoncé dans le PN canonique du début, par le « je vous fusille » de l'officier.

Si l'on interprète la *punition* comme une privation, c'est-à-dire comme une diminution ou, dans les cas-limites, comme une néantisation de l'être de l'anti-sujet, la fusillade, dans notre cas, peut être considérée comme une transformation :

$$/\text{vie}/ \implies /\text{non-vie}/$$

ou, ce qui revient au même, comme la conjonction, au niveau de la syntaxe de surface, du sujet avec le terme /non-vie/, ce qui peut être formulé ainsi :

$$F \text{ trans } [S_2 \longrightarrow (S_1 \cap O : /\text{non-vie}/)$$

Or, le terme axiologique /non-vie/ se trouve homologué, dans le texte que nous étudions, avec la position syntaxique du /non-destinateur/ qui, à son tour, est figurativement représentée par le *Ciel*. Ce que vise, sur ce plan figuratif, S_2, c'est la conjonction de S_1 avec le non-destinateur Ciel.

Si l'on tient compte maintenant du fait qu'il s'agit, lorsqu'on parle en cet endroit de S_1, de l'actant duel exerçant activement son faire et que la charge modale qui le caractérise est le pouvoir négateur, le / pouvoir ne pas faire/ — situé, il est vrai, sur la dimension cognitive —, on reconnaît que le segment examiné constitue le lieu de convergence des PN de S_2 et de S_1 et de croisement de leur faire, de telle sorte que :

— S_2 vise à *effectuer*, sur le plan pragmatique, la *conjonction* de S_1 avec Dr (Ciel);

— S_1 vise à *signifier*, sur le plan cognitif, la *négation de cette conjonction*.

2. *La vacuité du Ciel.*

Étant donné la dichotomisation du sujet S_1 en sujet somatique et sujet noologique (que nous avons reconnue lors de notre analyse précédente), le fait de constater que les deux PN dont il s'agit se déroulent sur deux dimensions distinctes ne nous gêne pas. Bien au contraire, ceci nous aide à comprendre l'exploitation que fait l'énonciateur des catégories spatiales, pour signaler, de manière redondante, cette disjonction. Ainsi l'affrontement entre S_2 et S_1 et, par conséquent, la scène de la fusillade, relevant du faire pragmatique, sont situés spatialement sur le *plan horizontal* : les deux sujets se trouvent face à face sur cet axe. A la suite du déplacement « volontaire » de S_1, que nous avons reconnu dans notre segment, un nouvel *axe vertical* est institué par les deux acteurs placés dans la position "couché", de telle sorte que Morissot se retrouve « le visage au ciel » (cf. aussi les deux amis « debout »).

Pour mieux comprendre l'attitude des deux amis à l'égard de l'instance destinatrice représentée par le Ciel, il peut paraître utile de se référer à un autre texte, tout aussi caractéristique de l'*idéologie* de l'énonciateur (Maupassant). Nous pensons notamment à son conte bien connu, intitulé *La Ficelle*, où le comportement de « l'aristocratie de la charrue » est décrit à l'aide d'une figuration spatiale comparable. Ainsi, en parlant des véhicules dételés, métonymes de leurs propriétaires, il les représente comme :

> levant *au ciel*, comme deux bras, leurs brancards
> ou bien *le nez par terre*, et le derrière en l'air

Le rapprochement, sur le plan figuratif, est convaincant : l'état terminatif du faire de S_1 représente Morissot « faisant face » au ciel et M. Sauvage, tombé « sur le nez », lui tournant le dos.

Si l'on cherche rétrospectivement à réunir les valeurs attribuées le long du texte au Ciel, on s'aperçoit que, mise à part sa manifestation sous la forme de « brise », où il assume le rôle de décepteur, toutes ses représentations le font considérer comme un *lieu vide*, comme un contenant susceptible d'être rempli par autre chose — la lumière ou le sang solaire — mais ne possédant aucune propriété intrinsèque. Cette vacuité du Ciel en fait une sorte de non-lieu, qui correspond parfaitement à la définition du non-destinateur.

On comprend dès lors l'apparition concomitante « des bouillons de sang » qui s'échappent de la poitrine : étant l'hyponyme de *Soleil*, le sang signale la résurgence du terme /vie/, consécutive à la dénégation du terme /non-vie/ qui s'est effectuée, on l'a vu, sur le plan figuratif, par la mise en place du dispositif somatique signifiant à la fois et l'affrontement du non-destinateur et le rejet des valeurs qu'il représente.

L'exploitation du plan figuratif et, notamment, des *figures somatiques* pour leur faire signifier les activités du sujet noologique est un des traits qui caractérisent le « symbolisme » du xixe siècle.

3. *La parabole chrétienne.*

Il est impossible, évidemment, de parler du Ciel et de ne pas évoquer les représentations chrétiennes du Ciel, qui constituent un fond de croyances collectives, un champ à la fois axiologique et idéologique, *sociolectal*, par rapport auquel se définissent et se déterminent les représentations *idiolectales* de l'énonciateur Maupassant. A première vue, tout se passe comme si l'imaginaire chrétien du Ciel n'était posé implicitement que pour être *nié* en opposant à la plénitude et à la richesse des investissements sémantiques du Ciel chrétien, une vacuité et une absence de tout sens.

Ce jugement hâtif, tout en étant correct pour l'essentiel, doit cependant être nuancé sinon révisé. En effet, à regarder de plus près ce passage descriptif, en s'attachant non pas tant au faire des acteurs qu'à son résultat, c'est-à-dire à la figure spatiale qui se constitue à la suite de ce faire, on remarquera que, M. Sauvage étant de petite taille et Morissot, qui est grand, s'abattant « en travers sur son camarade », ils forment en fait la figure de la *croix;* que le corps de Morissot en position prospective, portant comme signature « des bouillons de sang » qui s'échappent de la poitrine, rappelle étrangement la figure de Jésus crucifié. Toute la différence réside alors dans le fait que ce martyre humain se dresse face à un Ciel qu'il nie.

Si notre analyse est correcte, on aurait affaire ici à une procédure assez curieuse qui consiste à exploiter des représentations chrétiennes sociolectales afin de dénier, de manière idiolectale, d'autres représentations chrétiennes; autrement dit, on assisterait à la production d'un mythe anti- et para-chrétien selon un modèle chrétien.

Un problème théorique se pose en cette occasion. En proposant une nouvelle interprétation du segment, nous venons de postuler l'existence d'une *nouvelle isotopie figurative* de lecture, sous-jacente à la première qui, elle aussi, est figurative. Celle-ci, ne correspondant pour l'instant qu'aux dimensions d'un segment, paraît comme *possible*, mais *non nécessaire :* elle ne deviendra *acceptable* que si, d'une part, une nouvelle lecture permet son élargissement aux limites du texte et que si, d'autre part, elle ne met en évidence l'existence d'éléments sémantiques ou narratifs qui seraient en contradiction avec la première isotopie figurative.

Comment procéder alors à cet élargissement d'isotopie à partir de l'emplacement textuel où l'on a reconnu, dans l'image de la croix, un éventuel· *connecteur d'isotopies*? Quelques suggestions empiriques devront à tenir lieu ici d'une *stratégie* plus élaborée.

1. Ainsi, l'entourage immédiat de l'image connectrice peut permettre de consolider le rapprochement suggéré : la défaillance des deux amis à l'approche de la mort évoque la détresse de Jésus sur la croix, l'apparition d' « une montagne de fumée », que porte le Mont-Valérien après la mort, fait penser à la grande obscurité qui recouvre le monde à la mort de Jésus.

2. Ce ne sont là pourtant que des analogies possibles. Plus important paraît le *silence* qui caractérise le comportement du sujet lors de la deuxième partie du récit (R_2), et auquel correspond le silence tout aussi significatif de Jésus lors de son procès. Si l'on pense, dans cette même perspective, aux comportements de l'anti-sujet — le faire tentateur d'un côté, les raisons « supérieures » de condamnation invoquées tout aussi bien par l'officier que par Ponce-Pilate de l'autre — il semble que l'économie générale de R_2 autorise cette nouvelle lecture sous-jacente. Car il ne s'agit plus ici de rapprochements situés sur le seul niveau figuratif : la figuration repose, de plus, sur l'*idenitté*

modale des sujets compétents mis en comparaison, sujets caractérisés par le /pouvoir ne pas faire/ et le /pouvoir-être/.

3. La comparabilité actantielle une fois établie, on peut essayer de relire la première partie du texte (R₁) en se demandant si l'isotopie figurative générale choisie par Maupassant, qui fait assumer à ses acteurs le rôle de *pêcheurs*, ne renvoie pas à cette première communauté de disciples de Jésus faite, elle aussi, de pêcheurs, si l'importance redondante de la figure de *poissons* n'est pas à comparer à l'un des symboles fondamentaux de l'Église primitive.

4. Lorsque de telles connections se trouvent établies, la nouvelle lecture peut se donner libre cours et de nouvelles polysémies se reconnaissent, suivant l'inspiration et l'humeur du lecteur, un peu partout : pourquoi, en effet, ne pas noter, en comparant l'enterrement de Jésus à l'immersion de deux amis, le tremblement de terre à la réaction agressive de l'eau lors de la plongée des corps, pourquoi ne pas rapprocher la puissance symbolique de « pierres » rencontrées dans les deux récits, etc.

Ce qui se trouve explicité ici, c'est d'abord la *compétence réceptive* du lecteur, capable d'engendrer, à l'aide d'opérations sémiotiques qui caractérisent son faire interprétatif, de nouvelles isotopies figuratives à partir d'une isotopie posée explicitement par l'énonciateur. On aurait tort de s'imaginer cependant que tout peut être réduit ainsi à une compétence subjective du lecteur et servir à confirmer la théorie d'une « infinité des lectures possibles ». Bien au contraire, la compétence de produire des textes pluri-isotopes peut être sans difficulté reconnue à l'énonciateur. Le discours parabolique n'est, dans cette perspective, que l'institutionnalisation de cette compétence : « parler en paraboles » n'est autre chose que traduire successivement une isotopie figurative en une autre. Le discours « mythique », tel qu'il réapparaît dans le cadre de la littérature française avec le *Moïse* de Vigny, repose sur le même principe de production d'une isotopie figurative parallèle, mais non explicitée, où un certain nombre de connecteurs manifestés autorise le faire interprétatif du lecteur relativement libre, pour ne pas dire « créateur ». C'est à cette tradition « mythique » du xixᵉ siècle, solidement établie, qu'il faut, nous semble-t-il, rattacher l'écriture « symboliste » de Maupassant.

Les obsèques

L'Allemand donna de nouveaux ordres.
Ses hommes se dispersèrent, puis revinrent avec des cordes et des pierres qu'ils attachèrent aux pieds des deux morts; puis ils les portèrent sur la berge.
Le Mont-Valérien ne cessait pas de gronder, coiffé maintenant d'une montagne de fumée.
Deux soldats prirent Morissot par la tête et par les jambes; deux autres saisirent M. Sauvage de la même façon. Les corps, un instant balancés avec force, furent lancés au loin, décrivirent une courbe, puis plongèrent, debout, dans le fleuve, les pierres entraînant les pieds d'abord.
L'eau rejaillit, bouillonna, frissonna, puis se calma, tandis que de toutes petites vagues s'en venaient jusqu'aux rives.
Un peu de sang flottait.
L'officier, toujours serein, dit à mi-voix : « C'est le tour des poissons maintenant. »
(Puis il revint vers la maison.)

1. ORGANISATION TEXTUELLE

1. *Encadrement de la séquence.*

La séquence que nous nous proposons d'examiner est constituée graphiquement d'une succession de nombreux paragraphes de longueur inégale. Aussi ses contours ne se dégagent-ils — de manière suffisamment nette —, qu'en comparaison avec les séquences qui l'encadrent. Ainsi, par rapport à SQ X, dominée par « des ordres » de l'officier, SQ XI s'enclenche par l'énoncé de « nouveaux ordres ». Quant à SQ XII, qui achève le récit, elle est autonomisée par des démarcateurs manifestes :

> DÉBUT : « *Puis* il *r*evint... »
> FIN   : « *Puis* il *s*e *r*emit... »

Entre ces deux frontières séquencielles, le texte à examiner est de son côté resserré par deux paragraphes destinés à manifester le faire verbal de S_2 ; il se trouve inséré entre les ordres de l'officier et son commentaire faisant suite à l'exécution des ordres ; entre la prescription des obsèques et l'oraison funèbre qui les clot, nous assistons, à la surface du texte, au déroulement de la cérémonie elle-même.

2. *Articulation interne.*

La cérémonie, qui consiste dans la manipulation des défunts — ou, ce qui revient au même, dans le « devenir » post-mortuaire de S_1 si l'on se place au point de vue de son PN —, constitue le corps même de la séquence. Elle est divisée en trois paragraphes-segments, disjoints graphiquement (sur le plan de la manifestation textuelle) et spatialement (sur le plan de l'organisation narrative) en trois segments où, à la dénomination chaque fois différente de S_1, correspond un espace différent, qui lui est attribué. Ainsi :

$$\frac{\text{« les morts »}}{/\text{terre}/} \simeq \frac{\text{« les corps »}}{/\text{terre}/ + /\text{eau}/} \simeq \frac{\text{« un peu de sang »}}{/\text{eau}/}$$

On voit que le passage de la /terre/ à l'/eau/ se fait, sur le plan spatial, par la médiation d'un espace complexe (le bord de l'eau) et qui est, on s'en souvient, l'*espace utopique* euphorique des deux amis.
Ce déroulement ternaire de la cérémonie funéraire se trouve interrompu deux fois par l'insertion de deux paragraphes de type figuratif, mettant en scène les deux destinateurs dont relèvent les sujets S_2 et S_1 et qui sont :

$$\text{le Mont-Valérien} \simeq \text{Dr } 2 \simeq /\text{mort}/$$
$$\text{l'Eau} \qquad \simeq \text{Dr } 1 \simeq /\text{non-mort}/$$

On voit que les deux destinateurs ainsi évoqués correspondent aux espaces /terre/ et /eau/ auxquels sont déjà corrélés, dans leur « devenir », les deux amis. A ce « devenir », manifesté figurativement sous la forme du /déplacement/ et du passage d'un espace à l'autre, correspond donc — on peut le supposer du moins — la transformation :

$$/\text{mort}/ \implies /\text{non-mort}/$$

2. LA TRANSFIGURATION

1. *La procédure de l'occultation.*

Tout comme dans la séquence précédente, où l'exécution gestuelle des ordres de l'officier donnait l'impression d'une mise en scène élaborée et provoquait l'effet de sens du « ralenti », nous observons ici le procédé comparable de la *décomposition syntagmatique* du faire gestuel et, plus généralement, somatique, qui produit un effet d'inutilité et d'insolite et provoque finalement la quête d'un sens autre.

Il s'agit ici, à première vue, de l'exploitation particulière de l'une des propriétés fondamentales du discours, susceptible d'opérer à tout moment des expansions et des condensations. Nous avons déjà pu reconnaître l'utilisation stylistique de cette flexibilité du discours dans le fonctionnement de ce qu'on appelle « l'esprit français » : étant donné deux niveaux de profondeur discursive, le jeu « spirituel » consiste à produire en expansion les segments discursifs auxquels on attache, à un niveau plus profond, peu d'importance, et inversement, à traiter le topique du discours en condensation ou, souvent, même de manière litotique.

La procédure employée dans notre cas semble différente, ne serait-ce que parce que le texte produit et manifeste et corrélativement deux programmes narratifs à la fois : du moment qu'on déploie en expansion et comme au ralenti le faire *pragmatique* relevant du PN de S_2, dont on saisit mal la finalité (pourquoi l'immersion, en fait?), le PN de S_1 apparaît au lecteur comme occulté, *noologique* et porteur d'un sens « profond ». Le fait de ne pas mentionner ce programme parallèle lui confère ainsi une existence anagogique.

On voit que cette procédure d'occultation ne fait que prolonger, sous une autre forme, le silence persistant tout le long du R_2 : trait d'écriture qui valorise le non-dit aux dépens du texte explicite.

2. *L'immersion.*

Nous avons déjà été amené, pour expliciter l'organisation — générale de la séquence, à faire état de l'articulation ternaire du micro-récit des obsèques, cette structure ternaire étant nécessaire pour aménager un lieu de médiation entre /terre/ et /eau/.

242

Si l'on suit toutefois, à l'exemple du texte de surface, l'exécution du PN de S_2, on remarque d'abord que le faire des soldats consiste essentiellement dans la manipulation de S_1 en tant que sujet somatique, c'est-à-dire en tant qu'objet, à la suite de la capture. Le parallélisme des prédicats lexicaux utilisés dans les deux séquences est, de ce point de vue, suggestif :

Capture	*Immersion*
« saisir »	« porter »
« emporter »	« saisir »
« jeter »	« lancer »
« passer dans l'île » ⟷	« plonger dans le fleuve »

On voit que le comportement des soldats, étant décrit dans des termes presqu'identiques, la seule différence réside dans sa finalité : la conjonction avec la terre (« l'île ») est visée dans le premier cas, la conjonction avec l'eau (« le fleuve »), dans le second. Ce qui paraît significatif à la suite de cette comparaison, ce n'est pas la manipulation redondante des objets-corps, mais la différence dans l'exploitation des espaces.

Le déplacement vers la berge constitue en effet le retour de S_1 à *l'espace utopique*, que l'on peut définir, pour tout récit, comme le lieu où il se passe quelque chose de décisif, lieu, pour nos deux amis, de leur expérience existentielle de la « joie ». Mais c'est aussi un lieu « mixte », réunion de la /terre/ et de l' /eau/, propice aux transformations.

Aussi le deuxième segment, destiné à décrire l'opération de lancement, c'est-à-dire, en principe :

$$F\ [S_2 \rightarrow (/\text{terre} + \text{eau}/ \cup S_1 \cap /\text{eau}/)]$$

retient notre attention, surtout du fait qu'il possède une organisation discursive pour le moins curieuse.

Le segment est constitué de deux phrases. Dans la première phrase, S_1 occupe la position d'objet phrastique, dans la seconde, celle de sujet. Quant à leurs dénominations, les situations se trouvent inversées : de « Morissot » et « M. Sauvage », traités comme des personnes, ils deviennent « les corps » dans la deuxième phrase, de telle sorte que :

$$\frac{\text{« Morissot » + « M. Sauvage »}}{\text{objet phrastique}} \Longrightarrow \frac{\text{« les corps »}}{\text{sujet phrastique}}$$

Ce n'est pas tout. Si l'on examine la seconde phrase, on s'aperçoit que le sujet « corps » y reçoit, successivement, deux sortes de prédicats :

« Les corps » ⤴ *sujet passif* : « balancés avec force », « lancés au loin »
⤵ *sujet actif* : « décrivirent une courbe », « plongèrent dans le fleuve »

Si l'on tient compte de ces deux « anomalies » : (*a*) du fait qu'au moment même où S_1 est dénommé « corps », il devient le sujet phrastique et (*b*) du fait qu'à l'intérieur de la même phrase décrivant le « lancement » il se produit la transformation de S_1 (« corps »), de sujet passif en sujet actif, on doit reconnaître qu'elles signalent, à la surface, une transformation autrement plus importante, en train de s'effectuer au niveau profond. En effet, c'est au moment où il se trouve suspendu entre /terre/ et /eau/ que le « corps » s'instaure comme sujet actif, qu'il « ressuscite » en quelque sorte pour exercer un nouveau faire, consistant à « décrire une courbe » et à « plonger, debout, dans le fleuve ». L'ancien *sujet somatique*, passif et traité comme objet, cède sa place au nouveau *sujet noologique*, ayant pour *signifiant* le lexème « corps », vidé de son contenu ancien et fonctionnant maintenant sur le nouveau plan figuratif.

Sur ce plan, il reste au sujet noologique deux opérations à accomplir. La première consiste à « décrire une courbe » : celle-ci est constituée par un mouvement prospectif situé sur l'axe horizontal (« les corps... lancés au loin ») et qui, en même temps, sur l'axe vertical, vise le bas (« plongèrent ... dans le fleuve »). La courbe ainsi « décrite » correspond à la « descente » qui, on s'en souvient, définissait figurativement la quête des valeurs vitales, les deux termes /prospectif/ + /bas/ constituant le *lieu euphorique* visé (SQ IV). Le R_2 complète et achève ainsi le R_1.

La deuxième opération est la plongée, *debout*, dans le fleuve. Le lexème « debout », placé en cet endroit, paraît fondamental, non seulement parce que toute la description minutieuse des obsèques semble tendre vers l'apparition de ce mot définitif, mais aussi parce que, terme récurrent, il est posé là une seconde fois pour s'opposer à la manifestation, tout aussi récurrente, du Mont-Valérien. Nous ne reviendrons pas sur l'analyse détaillée qui nous a permis de reconnaître dans « debout » la suppléance somatique du silence dénégateur : l'examen du « corps » ressuscité et appelé à désigner le sujet noologique n'a fait que confirmer cette première analyse. Il suffira de dire que si le premier « debout » est un *non*, lancé à la face du Mont

244

alérien « tonnant » et exerçant son /pouvoir-faire/, le second
« debout » dénie de la même façon le Mont-Valérien « grondant »
t manifestant son /pouvoir-être/. Le rejet de cet anti-destinateur,
homologué axiologiquement avec /mort/, est en même temps la
quête du non-anti-destinateur, figuré par l'Eau, qui incarne la valeur
le /non-mort/.

> *Remarque :* Le lexème « debout » doit être considéré comme le
> dernier mot de cette phrase : en effet « les pierres entraînant
> les pieds d'abord » n'est qu'un procédé stylistique, utilisé
> par Maupassant (mais aussi par Flaubert), destiné à effacer,
> par une notation « réaliste », les effets de sens « symbolistes »
> de l'écriture.

Le PN de S_1, en sa qualité de sujet noologique, consiste donc à
éaliser, sur le nouveau plan figuratif instauré, la conjonction eupho-
ique avec son destinateur final.

. LA RECONNAISSANCE

. *Les manifestations de l'Eau.*

Le paragraphe destiné à rendre compte de l'accueil réservé par
Eau aux « corps » qui viennent se conjoindre avec elle est constitué
'une seule phrase, divisible en deux parties, dont la première se pré-
ente comme une succession de prédicats verbaux au passé simple et
a seconde se trouve régie par un seul verbe à l'imparfait. Si l'on note,
e plus, que la série de prédicats de la première proposition relève
'un seul sujet compact « l'eau », tandis que la seconde proposition,
e comportant qu'un seul prédicat, le rattache à un sujet discontinu
de toutes petites vagues », on dira que le paragraphe dans son
nsemble se présente comme un chiasme grammatical, les états et les
aires, les continuités et les discontinuités s'entrecroisant dans le
xte.

La première proposition, analytique quant à sa prédication, appa-
aît d'abord comme expression d'une série de réactions de l'Eau,
agie » de l'extérieur. En effet, l'emploi des passés simples indique

qu'il s'agit, de la part du sujet « eau », d'actions ponctuelles, et qu[e]
celles-ci, débutant par un re-jaillissement, se produisent « sous l'effe[t]
d'une pression » extérieure. L'ensemble de ces prédicats se distribue[,]
d'autre part, sur l'axe des aspectualités, de la manière suivante :

« rejaillir »	« bouillonner », « frissonner »	« se calmer »
/inchoatif/ $\longrightarrow$	/itératifs/ $\longrightarrow$	/terminatif/

Le prédicat, saisi globalement, se présente donc comme expressio[n]
temporalisée de l'*événement*. Passons rapidement en revue ses compo[-]
santes successives :

a) Si l'on pense que le verbe « jaillir » se définit comme « sortir e[n]
un jet subit et puissant » *(Petit Robert)*, on voit que, dans not[re]
contexte, il indique la sortie de l'Eau de son espace « naturel », à l[a]
rencontre d'autres éléments de la taxinomie figurative.

b) Les jonctions qui s'opèrent lors de cette « sortie » sont de deu[x]
sortes : la conjonction avec la chaleur vitale (cf. Soleil) provoque l[e]
« bouillonnement »; la confrontation disjonctive avec le froid mort[e]
(cf. le Mont-Valérien) donne, au contraire, le « frisson », et les deu[x]
contacts censés représenter les *actions* de l'Eau se résolvent, du fa[it]
qu'ils se réfèrent aux termes contraires, en des *agitations* qui ne serve[nt]
finalement qu'à exprimer « une vive émotion ». Ainsi s'explique l'appa[-]
rente contradiction contenue dans les verbes « bouillonner » et « fri[s-]
sonner » qui, par leurs désinences temporelles, expriment des actio[ns]
ponctuelles et, par leurs racines, des états itératifs d'agitation.

c) L'agitation que résume la juxtaposition des deux verb[es]
contraires, « bouillonner » et « frissonner », se calme aussitôt. En effe[t,]
contrairement au Soleil et au Mont-Valérien qui « soufflent le chau[d]
et le froid » (c'est-à-dire qui « font la loi ») en tant que *destinateu[rs]
actifs*, l'Eau et le Ciel sont des *destinateurs passifs*, le premier, releva[nt]
de la deixis positive, renvoyant au « calme », le second, négatif, éta[nt]
caractérisé par le « vide ». Les destinateurs actifs sont inchoatif[s,]
promoteurs du mouvement et de l'action, les destinateurs passi[fs]
sont terminatifs, ils en recueillent les fruits.

Le sens global de cette réaction de l'Eau se précise en conséquence[:]
la forme de l'événement que prend la conjonction du sujet avec so[n]
destinateur permet de le connoter à la fois comme « accueil » et comm[e]
« indignation », l'événement lui-même n'étant toutefois que l'irru[p-]
tion de la contingence dans la permanence.

Dès lors, la seconde proposition se présente comme la conséquen[ce]
de ce faire aquatique, de « toutes petites vagues » étant produit[es]

par l'agitation de l'eau. La représentation figurative qui en est donnée est toute transparente : les vagues qui atteignent les rives sont là pour figurer le /faire-savoir/ du destinateur, accomplissant ainsi sa fonction de « reconnaissance ». La distance qui sépare l'événement, situé sur le plan cosmique, de ses échos sur le plan humain est telle que seules « de toutes petites vagues » peuvent la recouvrir figurativement.

. « *Un peu de sang flottait...* »

Cette phrase toute simple qui, du fait des investissements antérieurs du texte — texte qui n'oublie rien — semble se passer de commentaire, incite toutefois à faire quelques observations, pour des raisons comparables à celles qui ont donné lieu à sa propre production.

Nous avons déjà noté en effet que la séquence que nous examinons est faite d'une succession de nombreux paragraphes de longueur inégale, ce genre de dispositif graphique étant, en principe, destiné à signaler que chaque paragraphe, indépendamment de ses dimensions textuelles, occupe dans la séquence une position équivalente en importance à celle des autres paragraphes : les numérations que l'on introduit depuis une quinzaine d'années pour marquer les subdivisions et les sous-articulations des textes sémiotiques ou linguistiques n'ont pas d'autre but. La petite phrase qui nous préoccupe équivaut donc au paragraphe entier; une place comparable doit par conséquent lui être réservée dans l'économie de notre analyse.

On notera ainsi que cette phrase-paragraphe intervient comme troisième terme de l'organisation ternaire des « obsèques », qui constitue l'ossature de la séquence. Cette organisation est justifiable, on l'a vu, d'une triple manipulation de l'espace :

$$\text{/terre/} \longrightarrow \text{/terre} + \text{eau/} \longrightarrow \text{/eau/}$$

mais aussi de la manifestation différente de l'activité des sujets S_2 et S_1 : alors que le premier segment met en évidence S_2 /les soldats/, en tant que sujet manipulant l'objet (les deux morts), le segment trois, qui nous préoccupe, ne manifeste plus, sous la forme figurative de « sang », que le sujet S_1. Le segment du milieu, auquel est attribué l'espace utopique « le bord de l'eau », apparaît dès lors comme le lieu de transformations à la fois syntaxiques et sémiotiques : divisé

247

en deux, il représente, dans sa première partie, les « corps » *agis* par S_2 (« balancés » et « lancés »), alors que sa deuxième partie met en scène les « corps » agissant en tant que S_1 (ils « décrivent une courbe » et « plongent dans le fleuve »). De même si, dans la première partie, le lexème « corps » fonctionne comme *signifié somatique* des « morts », dans la deuxième partie, le même « corps » se présente comme *signifiant somatique* du sujet noologique.

Le rôle de *pivot transformationnel*, que joue ce segment du milieu, permet non seulement l'installation de la figure noologique « corps » (qui, contrairement aux « *deux* amis », aux « *deux* pêcheurs » n'est pas donné comme « les *deux* corps », mais comme « les corps »), mais justifie en même temps la lecture noologique de « un peu de sang » représentant le sujet transfiguré.

On notera aussi la diminution *partitive* de « sang » dans les trois positions successives dans lesquelles le terme apparaît dans le texte : si, dans le premier cas, celui du ciel « *ensanglanté* par le soleil », s'agit de la représentation du sang en tant que *totalité* relevant du destinateur vital qu'est le Soleil, les « bouillons de sang » n'en sont plus que l'hyponyme réalisé sur le plan humain, et non plus cosmique, « un peu de sang » reste, malgré un nouveau changement du plan d'existence sémiotique, non pas une fraction, une parcelle, mais un *partitif hyponymique*, représentant, en tant que principe de /vie/, la totalité du sang solaire.

Il convient de rappeler ici le caractère prémonitoire de la mort du Soleil automnal sur lequel nous avons eu l'occasion d'insister lors de l'examen de la séquence figurative intercalaire (SQ II) : le drame cosmique, situé dans le ciel, se reflétait, on s'en souvient, dans l'eau qui était rouge « comme du sang » entre les deux amis. Les deux spectacles sont, pour l'énonciateur, homologables et superposables, le drame humain n'étant que la réalisation occurrentielle du devenir cosmique : tout comme le « rajeunissement » du Soleil, le séjour aquatique des deux amis n'est pas la mort, mais la promesse de résurrection.

Nous ne croyons pas nécessaire de prolonger ici la lecture éventuelle du texte sur l'isotopie chrétienne; les figures de « corps » et de « sang », recouvrant hyponymiquement :

$$\frac{\text{« corps »}}{\text{/non-mort/}} + \frac{\text{« sang »}}{\text{/vie/}}$$

sont, sur ce plan, suffisamment explicites.

4. L'ORAISON FUNÈBRE

1. *L'axiologie de l'anti-sujet.*

Il nous reste à examiner le dernier segment de la séquence qu constitue, à la surface du moins, cette sorte d'oraison funèbre prononcée à mi-voix, par l'officier : « C'est le tour des poissons maintenant », oraison quelque peu insolite, car, d'abord, le lecteur n'avait pas été prévenu du déplacement de l'officier accompagnant les morts et qu'ensuite, il n'était pas habitué à entendre celui-ci parler « à mi-voix », à utiliser le « discours intérieur ».

Ce segment peut être mis en parallèle avec le paragraphe manifestant les réactions de l'eau qui, dans sa deuxième partie, correspond, sur le plan narratif, à un /faire-savoir/ du destinateur sur le faire du sujet qui se confie à lui. Dans cette perspective, les paroles de l'officier paraissent comme un /faire-savoir/ opposé, énoncé par délégation au nom de l'anti-destinateur. En effet, dans la mesure où un même enchaînement événementiel est susceptible de se présenter comme la manifestation, à la surface, de deux PN se déroulant parallèlement, la position narrative de « reconnaissance », telle qu'elle est prévue par le récit canonique, a toutes raisons de se dédoubler. Théoriquement, ce déroulement dédoublé peut se présenter comme :

$$\frac{\text{« révélation du héros »}}{\text{« révélation du traître »}} \simeq \frac{\text{« qualification par Dr »}\ /\text{faire-savoir}/}{\text{« disqualification par Dr »}\ /\text{faire-savoir}/}$$

Dès qu'on essaie d'appliquer ce schéma, une nouvelle dimension interprétative du texte apparaît : étant donné que c'est la première fois que l'officier se met à parler à lui-même, en dévoilant ainsi le fond de sa pensée, la chose n'est pas étonnante en soi. Ce qui se manifeste ainsi, ce n'est pas l'incompréhension entre S_1 et S_2 — nous avons déjà eu l'occasion de le noter — c'est l'incompatibilité totale entre deux univers sémantiques dont relèvent respectivement S_1 et S_2.

La phrase prononcée par l'officier : « C'est le tour des poissons maintenant » est susceptible de plusieurs lectures. La première qui vient à l'esprit pourrait être paraphrasée à peu près comme : « j'ai fait mon travail; c'est le tour des poissons maintenant ». En effet, la gradation des menaces (SQ IX) adressées aux deux amis consiste à considérer le fait de se retrouver « au fond de cette *eau* » comme la

pire chose qui puisse leur arriver, située après la menace de mort
Au moment de l'exécution, la fusillade est, de la même manière, e
pour des raisons qui ne sont pas explicitées, suivie de la cérémoni
d'immersion.

Il n'y a qu'une seule interprétation de ce phénomène récurrent qu
soit possible : l'*Eau*, dans l'axiologie figurative de S_2, se trouve situé
dans la deixis négative, bien plus, elle représente, dans le disposit
actantiel, le terme d'anti-destinateur, et la suprême punition du traîtr
(de l'anti-sujet, du point de vue de S_2) est sa conjonction définitiv
avec celui-ci. Mais l'interprétation doit être poursuivie : les « pois
sons » considérés comme l'émanation hyponymique de l'Eau, s
trouvent érigés en délégués actifs de cet anti-destinateur et appelé
à achever l'œuvre de néantisation entreprise par S_2. Ainsi s'ébauch
un système de valeurs de l'anti-sujet, qui, tout en utilisant la mêm
terminologie figurative, se trouve *décalé* par rapport à l'axiologi
du sujet : observation dont les conséquences peuvent être non négli
geables pour l'élaboration de la théorie des systèmes axiologique
figuratifs et, du même coup, pour la sémiotique des univers séman
tiques.

2. *L'idéologie du pouvoir.*

Une seconde lecture de la même phrase peut être proposée qui, san
être en contradiction avec la première, rendrait compte non plus d
la seule deuxième partie du récit (R_2), mais de l'ensemble du text
et qui, au lieu de suggérer une interprétation de l'*axiologie* de S_2
refléterait plutôt son armature *idéologique*. Dans ce second cas
les paroles de l'officier semblent être là comme pour résumer « l
morale de l'histoire », qui serait la suivante : « vous avez attrap
les poissons (R_1), c'est le tour des poissons maintenant (de vou
attraper (R_2) ».

On voit qu'il s'agit là de deux choses à la fois : d'une part, d
l'interprétation à donner à l'histoire-récit, et de l'autre, de la visior
générale du monde ou de la « philosophie », comme on se plaît à l'ap
peler aujourd'hui, de l'anti-sujet, l'interprétation déductive n'étant
on l'a déjà remarqué, que l'application de l'idéologie à un cas parti
culier qui se présente. Cette conception du monde, qu'on l'appell
la morale « de l'œil pour l'œil » ou du « juste retour des choses »
est celle, on l'a vu, de la société humaine fondée sur la violence e
l'affrontement, c'est l'idéologie de la guerre, que l'officier avait ten
à expliquer aux deux amis. C'est elle, notons-le en passant, qu

onstitue un des *pivots* essentiels de l'*armature narrative canonique*, récit ayant tendance à s'inverser, comme l'exigence de la vengeance ndividuelle ou de la justice sociale.

L'histoire des deux amis étant la réalisation de la « justice imma-ente » (deuxième lecture), c'est la conjonction avec l'Eau, suivie de a destruction de leurs corps par les poissons (première lecture), qui n est la sanction définitive.

. *La redistribution du savoir.*

A cette *idéologie du pouvoir* dont l'application occurrentielle se itue sur la dimension pragmatique de la narration et qui se présente, u point de vue de la véridiction, comme une *isotopie de la réalité*, e trouve opposée une *idéologie de la liberté* qui, située sur la dimen-ion cognitive et noologique, ne peut être homologuée qu'avec *'isotopie de l'illusion*. Telle est la lecture des événements proposée ar l'anti-sujet.

C'est à ce moment qu'intervient l'énonciateur pour effectuer une nversion de termes : la petite phrase de l'officier se trouve en effet ncadrée par le simulacre de l'énonciation, dont le segment qualifi-atif appliqué à S$_2$, « toujours serein », se réfère, par embrayage, u sujet du discours. « Serein » veut dire, en bon français, (et selon le etit *Robert*), « qui est à la fois *pur* et calme », ou « dont le calme pro-vient d'une *noblesse* ou d'une *paix morale* qui n'est pas troublée ». Si 'on tient compte du fait que la première qualification ayant la même tructure syntaxique et inscrite dans le même contexte énonciatif, tait « toujours calme » et annonçait la menace d'envoyer les deux mis « au fond de l'eau », on voit que l'écart entre le projet et la éalisation se situe entre :

« toujours calme » ⟶ « toujours serein »,

'est-à-dire dans l'acquisition complémentaire, sur la base du « calme » aractérisant les deux états, d'une « pureté » ou d'une « noblesse » mperturbables. L'énoncé de l'énonciation introduite par « L'officier, oujours serein, dit à mi-voix ... » doit être lu, par conséquent, sur le egistre antiphrastique, procédé on ne peut plus fréquent chez Mau-passant.

L'énonciateur, on le voit, bouleverse lui-même les règles du jeu, n superposant aux deux *savoirs* partiels, ceux de S$_1$ et de S$_2$, son ropre savoir transcendant qu'il fait d'ailleurs partager à l'énonciataire que nous sommes. Mais il y a plus : en identifiant son savoir et celui du lecteur, avec le savoir de S_1, il condamne du même coup par une simple inversion catégorielle, S_2 à un *non-savoir* fondamental en transformant ce qui n'était qu'une illusion aux yeux de S_2, en une *sur-réalité* autrement plus solide.

La clôture du récit

Puis il revint vers la maison.
Et soudain il aperçut le filet aux goujons dans l'herbe. Il le ramassa, l'examina,
sourit, cria : « Wilhelm? »
Un soldat accourut, en tablier blanc. Et le Prussien, lui jetant la pêche des
deux fusillés, commanda : « Fais-moi frire tout de suite ces petits animaux-là
pendant qu'ils sont encore vivants. Ce sera délicieux. »
Puis il se remit à fumer sa pipe.

1. ORGANISATION TEXTUELLE

1. *Encadrement de la séquence.*

La séquence qui reste à examiner possède une armature apparemment solide. Elle est démarquée, au commencement et à la fin, par l'itération de deux adverbes temporels « puis » indiquant, d'une certaine manière, le temps « après le récit », indication qui est confirmée par le préfixe *re-* des deux verbes :

« Puis il *re*vint... »
« Puis il se *re*mit... »

marquant à chaque fois le retour à la situation antérieure. Les démarcateurs aspectuels d'ordre terminatif se trouvent ainsi installés pour signaler la clôture du texte et l'abolition du récit.

Du point de vue spatial, une disjonction forte sépare la dernière séquence du reste du texte : le / déplacement/ de S_2 signifie en même temps un changement radical d'*espace :* de l'espace utopique de S_1 (le bord de l'eau) le récit se déplace vers l'espace utopique de S_2

(l'île). Les programmes narratifs du sujet et de l'anti-sujet se trouvent ainsi spatialement disjoints :

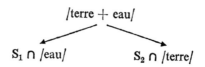

Si l'on se rappelle que les deux espaces /eau/ et /terre/ sont à considérer, sur le plan de l'axiologie figurative, comme des termes contradictoires, la séparation des deux PN apparaît comme définitive, chacun des protagonistes étant abandonné à son propre sort.

2. *Articulation interne.*

La succession d'adverbes « puis » — « puis » divise, d'autre part, la séquence en deux segments autonomes, les adverbes introduisant et régissant chacun un espace textuel séparé, et ceci indépendamment des dimensions inégales des deux textes.

On notera aussi que, bien que chaque segment débute par une indication inchoative (« soudain » et les deux passés simples), ils se distinguent immédiatement quant à la forme narrative sous-tendue, le premier segment étant la manifestation du *faire* de S_2, le second, celle de son *être*. Cette distinction narrative se trouve, de plus, connotée par des *positions somatiques* différentes de l'officier :

$$\frac{\text{faire}}{\text{/debout/}} \simeq \frac{\text{être}}{\text{/assis/ (implicite)}}$$

En reprenant notre première observation selon laquelle la séquence dans son ensemble nous est apparue comme la clôture du récit, on peut dire que les deux segments se présentent respectivement comme des liquidations des PN ayant commandé les deux parties majeures du texte, R_1 et R_2 :

$$\frac{R_1 : \text{/paix/} = \text{« pêche »}}{\textit{Seg 1} : \text{« faire frire les poissons »}} \simeq \frac{R_2 : \text{/guerre/}}{\textit{Seg 2} : \text{« fumer la pipe »}}$$

2. LA CONSOMMATION DES POISSONS

1. *Une expérience « délicieuse ».*

Le retour solitaire de l'officier à son espace utopique, le faire qu'il est censé y accomplir, faire portant sur l'objet de valeur représenté par les « poissons », tout cela ne peut que renvoyer à un autre faire comparable, celui de deux pêcheurs qui, dans leur propre espace utopique, ont réalisé, par leur conjonction avec les « poissons », l'expérience existentielle de la « joie ». Une récurrence précieuse : l'itération de la qualification « délicieux » que l'on ne rencontre que deux fois dans le texte et qui est attribuée, une première fois, à la « joie » des deux amis et, la seconde fois, à la consommation envisagée par l'officier, confirme ce schéma projeté *a priori* sur le segment non encore analysé. S'agissant, dans un cas comme dans l'autre, de la conjonction du sujet avec l'objet de valeur, conjonction ayant des effets paroxystiques, on aura donc probablement affaire à deux expériences comparables, c'est-à-dire parallèles et contradictoires, ne serait-ce que du fait de la disjonction définitive des deux PN que l'on vient de reconnaître.

2. *Le faire cognitif.*

Le segment qu'on se propose d'examiner se divise, selon la procédure de production textuelle déjà utilisée et reconnue, en deux sous-segments manifestant, d'un côté, le faire cognitif de S_2 et de l'autre, le faire pragmatique qui le suit.

L' « apercevoir » qui inaugure ce faire cognitif le désigne comme un faire réceptif actif, qui aboutit à la *conjonction cognitive* du sujet avec l'éventuel objet de valeur. Mais, on l'a vu, il est plus que cela : il projette le *savoir* particulier du sujet cognitif sur l'espace exploré et relaie ainsi, par ce débrayage cognitif, le savoir généralisé de l'énonciateur. Ainsi l'objet aperçu par l'officier, « le filet aux goujons » n'est pas l'objet en soi, n'est même pas l'objet posé là par l'énonciateur, il n'est que l'*objet du regard* de S_2. On comprend alors la différence, déjà notée, entre « le filet aux goujons » de l'officier et « le filet plein de goujons » rencontré par le regard de Morissot : tandis que Morissot y voit les « goujons », le Prussien n'aperçoit que « le filet » : le premier « symbolise » les poissons, le second les réifie.

> *Remarque :* Le faire gestuel qui suit ne fait que confirmer cette opposition : tandis que les deux amis « introduisaient délicatement les poissons dans une poche de filet », l'officier « ramasse le filet » et le « jette » au soldat.

Ce faire cognitif d'ordre réceptif que l'on pourrait désigner comme *informatif*, se développe en un faire *interprétatif*, bien que la différence entre les deux ne paraît pas aussi tranchée qu'on le supposerait. En effet, l' « examen » que l'officier fait subir aux goujons est une reconnaissance, une estimation qui cherche à identifier l'objet-occurrence aux « normes » axiologiques présupposées. Dès lors, le « sourire » de l'officier — qui ne sourit que deux fois et toujours en observant les poissons — est le satisfecit par lequel l'objet est reconnu et institué comme un objet de valeur. La modalité du *savoir* précède ainsi et détermine le vouloir du sujet.

L'objet de valeur ainsi reconnu change de dénomination et, de « chose », accède au rang d' « animal » (cf. « ces petits animaux-là »); il se trouve inséré en même temps dans la classe de *valeurs pragmatiques* constituée par les objets de consommation et de thésaurisation (objets des soins des divinités de la troisième fonction dumézilienne). Le statut de l'objet de valeur désiré par S_2 se trouve ainsi précisé.

3. *Le faire pragmatique.*

3.1. *La récompense du guerrier.*

Le comportement de l'officier présente en cet endroit une anomalie qu'il convient de relever : on aura noté que son faire, tout le long du texte, est donné comme étant exclusivement d'ordre décisionnel, le rôle exécutif étant relégué à ses soldats. Or, on remarque que, pour la première fois, l'officier fait ici quelque chose par lui-même. Son faire somatique se décompose comme :

$$\frac{\text{« ramasser »}}{/S_2 \cap O : \text{poissons}/} \longrightarrow \frac{\text{« jeter »}}{/S_2 \cup O : \text{poissons}/}$$

On a déjà noté que ces deux énoncés pragmatiques sont chaque fois précédés d'opérations cognitives : l'officier ramasse, en l'apercevant, un objet quelconque, il jette, à la suite de son examen, un objet de valeur, en se disjoignant d'avec lui, c'est-à-dire, en l'instituant, sur le plan pragmatique et non plus seulement cognitif, comme un objet de valeur. La nécessité, qui est le fait de l'énonciateur, de restituer ainsi un objet de valeur, saisi d'abord sur le plan cognitif, en le posant sur la dimension pragmatique, semble correspondre au désir de désambiguïser définitivement les « poissons », en consolidant leur statut d'objets pratiques et en supprimant toute référence à une interprétation axiologique. Le terme « jeter », dépréciatif, confirme d'ailleurs cette explication.

L'exercice somatique inhabituel de l'officier s'explique, d'autre part, par le fait qu'il s'inscrit dans un PN autonome, sans rapport avec le PN régi par le destinateur social « guerre ». Il s'agit ici d'un PN individuel visant l'obtention d'un objet de valeur choisi. La confirmation peut en être recherchée dans l'utilisation que fait l'énonciateur des soldats dont dispose l'officier prussien : alors que, dans le cadre du PN général, les soldats exécutent les ordres de leur chef par paires ou groupés en nombres pairs (2, 4, 12, 20), un seul soldat « dépose aux pieds de l'officier le filet plein de poissons qu'*il avait eu soin* d'emporter », en manifestant ainsi une initiative tout à fait insolite; un seul soldat fera frire les poissons pour les « délices » de l'officier. Bien plus : ce soldat sera le seul à être doté d'un nom propre, celui de Guillaume, empereur d'Allemagne. L'inversion des rôles qui se produit ainsi — un soldat anonyme qui fait offrande des poissons en les déposant *aux pieds* de son chef, un officiant « en tablier blanc », nommé Guillaume, qui préparera le repas sacrificiel — permet de se demander si le segment étudié n'est pas destiné à représenter les fonctions de *récompense* et de *glorification* du héros, fonctions remplies par les délégués de l'anti-destinateur social. Car, si le PN particulier qui visait la pénétration derrière les lignes ennemies s'est soldé par un échec, le PN canonique, conforme aux lois de la guerre (cf. « je vous prends et je vous fusille ») a été couronné de succès et le sujet qui s'en est chargé mérite bien la récompense. Si l'officier a toujours l'air de commander, il ne s'agit là que d'un paraître de surface : en réalité, il est bénéficiaire d'un *don* et objet d'un /faire-savoir/.

3.2. *Le don de la friture.*

Une telle lecture est très probablement correcte et satisferait l'énonciataire, si l'énonciateur dit Maupassant n'avait qu'une seule corde à son arc. En effet, le texte examiné comporte un autre fait insolite, qui risque de passer inaperçu. Cela concerne l'organisation syntagmatique des modalités et l'ordre de leur acquisition que nous avons reconnus dans l'exercice du faire cognitif de S_2 : l'acquisition de la modalité du /vouloir/, avons-nous remarqué, y est précédée et régie par celle du /savoir/. En soi, cela n'aurait rien d'étonnant, cette suite de modalisations /svp/ étant conforme à leurs compatibilités combinatoires; ce qui est plus gênant, c'est que ce savoir sur les valeurs, générateur d'un vouloir qui les axiologise a été lui-même tout récemment qualifié par l'énonciateur comme un /non-savoir/. Entre les deux PN se déroulant parallèlement, ceux de S_1 et de S_2, l'énonciateur, tout en nous faisant partager son savoir généralisé sur le monde, a fait son choix, en identifiant le savoir qui régit le PN de S_1 comme conforme au méta-savoir de l'énonciation et en conférant le statut de *sur-réalité* à l'isotopie véridictoire sur laquelle il se déroule. L'isotopie *réaliste*, où S_2 situe son faire et les valeurs qu'il convoite, est, par voie de conséquence, celle du non-savoir et de l'*irréalité*.

La superposition de plusieurs isotopies de lecture et le passage de l'une à l'autre par inversions antiphrastiques (par « perversion » pourrait-on dire pour se maintenir à la hauteur de la mode métaphorisante) n'est pas, on le voit, une découverte de l'écriture de la modernité. Les sautillements des « poissons », changeant avec désinvolture d'isotopie, en est le meilleur exemple : d'abord valeur de consommation que l'officier croit pouvoir s'approprier par son faire pragmatique, les « poissons » ont vite apparu comme un lexème figuratif représentant l'énoncé narratif du *don* de l'anti-destinateur, effectué par délégation.

Cependant, même transfigurés en objet de don, les « poissons » restent un objet ambigu : de qui sont-ils le don? de l'anti-destinateur qui reconnaît ainsi un des siens? ou du sujet, c'est-à-dire des deux amis qui, dans leur quête illusoire, promettent une « friture » aux Prussiens? Et s'il en est ainsi, que sont alors les « poissons » sur cette nouvelle isotopie? ne seraient-ils pas des représentants figuratifs et métonymiques de la « joie » et, de façon générale, des valeurs existentielles fondamentales?

Toutefois, la fameuse phrase :

« Nous leur offririons une friture »

qui contient la promesse, le projet du don qui vient de se réaliser ainsi, est prononcée sur le mode anti-phrastique à la manière d'un exorcisme. Tout en étant antiphrastique, elle est néanmoins prophétique et, comme telle, vraie, dans le sens où la prophétie, si elle se réalise, est vraie. Mais, si tel est le cas, seule la lecture antiphrastique du texte de Maupassant est valable, c'est-à-dire conforme à l'isotopie fondamentale posée lors de l'énonciation.

La signification du récit se trouve désormais « pervertie » une fois de plus : elle n'est plus la quête des valeurs existentielles qui, une fois trouvées, sont délaissées au profit des valeurs modales hiérarchiquement supérieures et d'une nouvelle quête de la liberté, signification qu'il est aisé de déchiffrer si l'on ne tient compte que du seul PN de S_1. Mais un double PN est présent dans le texte et le PN de S_2 complète celui de S_1 : le héros, pour être héros, a besoin du traître qui est en quelque sorte son « adjuvant objectif ».

Ce double programme apparaît alors comme régi par une structure d'échange, comme une réciprocité de don et de contre-don : pour avoir fourni l'occasion d'accéder à la liberté, c'est-à-dire pour avoir « donné la mort », S_1, en échange, « donne la vie » à S_2, en lui offrant sous la forme figurative de la « friture » promise naguère, les valeurs existentielles de /vie/ et de /non-mort/. Étant donné que S_1 est lui-même deux fois défini sémantiquement comme /vie $+$ non-mort / : la première fois, du fait de la conjonction avec les « poissons » lors de la « pêche miraculeuse » et, la seconde fois, lors de sa conjonction avec l'Eau (« corps » et « sang »); le don de la « friture » est en fait, sur le plan noologique, un don hyponymique de soi.

4. *Reprise de l'isotopie chrétienne.*

A côté des deux expressions paraphrastiques dont se sert l'officier pour désigner les « poissons » : « le filet aux goujons » et « ces petits animaux-là », on rencontre dans le même texte une troisième qui, placée hors de l'espace cognitif de l'anti-sujet, relève, par conséquent, directement du faire de l'énonciateur : c'est « la pêche des deux fusillés ». En tant qu'expression anaphorisante, elle subsume le récit entier, en établissant ses références aux deux « temps forts » de la narration : en mentionnant les « deux fusillés » (et non les « deux amis » ou les « deux pêcheurs ») elle renvoie à la scène de leur « passion »; en parlant de la « pêche » en tant que produit, elle rappelle discrètement leur « pêche miraculeuse ».

Aussi sommes-nous agréablement surpris lorsqu'on nous fait remarquer qu'en plus de la pêche miraculeuse qu'on a l'habitude de voir inscrite parmi les miracles de Jésus, l'Évangile selon saint Jean comporte, en appendice, la description d'une dernière pêche à laquelle Jésus ressuscité a assisté, l'aidant de ses conseils, au loin sur le rivage. La relecture de ce texte nous apprend d'ailleurs qu'il est constitué de deux séquences autonomes, la première, qui renvoie à la « pêche miraculeuse » de saint Luc ou de saint Marc, n'ayant, sur le plan de la surface au moins, aucune relation avec la seconde qui, en tant que description du partage du pain et du poisson grillé sur « un feu de braise » (mais il ne s'agit pas du même poisson qu'on vient de pêcher) et de leur consommation par les disciples, renvoie séparément à la multiplication des pains et du poisson. Nous ne sommes pas compétent pour discuter ici les questions ardues de l'exégèse biblique, ni surtout celles du symbolisme eucharistique et, plus particulièrement, de la suppléance par « poisson » de l'une des espèces (« vin ») ou des deux espèces à la fois (« vin » et « pain ») du repas eucharistique, bien que, à première vue, l'utilisation que nous avons faite du carré sémiotique

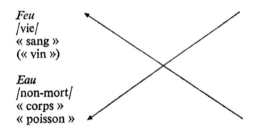

Feu
/vie/
« sang »
(« vin »)

Eau
/non-mort/
« corps »
« poisson »

explique facilement différentes lexicalisations des termes relevant de la deixis axiologique positive; en effet, le terme complexe représentant la deixis dans sa totalité, peut être lexicalisé soit par le signifiant « poisson », correspondant au terme /non-mort/ dans les positions narratives précédant ou suivant l'épreuve principale, soit par le signifiant « vin », au moment de l'affirmation décisive de /vie/; dans les deux cas, le « pain », lorsqu'il entre dans la composition, tantôt avec le « vin » tantôt avec le « poisson », ne remplit que la fonction d'auxiliation, marquant la présence du terme occulté et sauvegardant la « structure du mixte ».

Quoi qu'il en soit, le parallélisme des deux textes est on ne peut plus frappant, justifiant, pour ce qui nous concerne, la poursuite de la lecture de notre conte sur l'isotopie chrétienne. Après la transfiguration des « deux fusillés » et leur apparition, sur le plan du métasignifiant, sous la forme de « corps » et de « sang », voici que se présente la scène où le produit de la « pêche » (en conjonction avec le *feu,* dans les deux textes, notons-le en passant), don des deux martyrs, va être consommé.

Toutefois, les deux textes divergent sur un point fondamental, celui du choix du *destinataire:* tandis que les « poissons » sont distribués par Jésus à ses disciples, dans notre texte, ils sont offerts à l'anti-sujet, incarnation, on le sait, de la /mort/. Tout comme, lors de la scène de la « crucifixion » figurative, le sujet lance le défi au Ciel /≃ non-vie/, l'énonciateur, en faisant tenir au sujet la promesse de « friture », tourne en dérision le message de vie adressé au représentant de la mort, message non pertinent et qui s'annule en chemin, car le destinataire — qui n'est pas seulement, on l'a vu, le représentant de la classe militaire, mais de l'humanité tout entière — n'est pas compétent pour l'accepter.

La lecture proposée par l'énonciateur est donc à la fois profondément chrétienne et sacrilège.

3. LA CONSOMPTION DE L'ÉVÉNEMENT

La position narrative de la dernière phrase-paragraphe semble évidente. Nous avons vu, il est vrai, dans le prédicat ponctuel de la phrase qui commence par « il se remit à ... », en le comparant avec « il revint » du premier segment, la manifestation de l'aspectualité inchoative. On sait cependant que la ponctualité, en tant qu'irruption du discontinu dans la continuité, peut être interprétée, suivant la lecture adoptée, soit comme inchoativité annonçant l'événement, soit comme terminativité qui signale son épuisement : c'est le procès, situé entre les deux manifestations aspectuelles qui en décidera.

Or, « fumer sa pipe » est sans conteste la représentation figurative d'un état de *calme,* caractérisé par l'absence de perturbations tant somatiques que noologiques. On pourrait donc s'imaginer que la signification du segment est le retour à l'impassibilité initiale. Cet état fondamental ne fut toutefois jamais troublé : on a vu que l'officier « toujours calme », « toujours serein », savait faire face à l'événement, savait — c'est ainsi qu'il faut lire ces deux expressions intercalées — rester calme « malgré tout ».

La persévérance dans son *être* est donc le trait permanent de S_2. A ceci, on peut ajouter un autre caractère, extrait de sa figure de « fumeur » qui, on s'en souvient, est une imitation convaincante de son destinateur, le Mont-Valérien, crachant comme « son haleine de mort », des « jets de fumée ». Il s'agit donc de la permanence de l'être défini par le pouvoir, c'est-à-dire de l'*être du pouvoir*, de cette potentialité d'engendrer l'acte du pouvoir dont le produit est la mort. On peut donc dire que, dans la mesure où l'événement ($\simeq$ le récit) est le résultat du pouvoir-faire qui « fait être » la mort, son épuisement correspond à la position narrative que l'on peut définir comme la *virtualisation du pouvoir-faire qui se transforme en pouvoir-être*.

En ce sens, on peut dire que si le récit que nous venons de lire se présente, du point de vue *narratif*, comme un *récit conservateur* dont l'état final est identique et constitue le retour à l'état initial, il est, du point de vue de son organisation *idéologique*, c'est-à-dire de la signification des formes narratives, la constatation de la permanence de l'*imago mortis* que l'événement est appelé chaque fois à actualiser.

Mais l'événement est toujours ambigu, ne serait-ce que parce qu'il est rencontre de deux sujets et confrontation de deux faires contraires. Et si l'officier, installé à cheval sur sa chaise et fumant tranquillement sa pipe, est bien l'incarnation sereine du pouvoir souverain, il est, ne l'oublions pas, visé par un faire qui le dépasse : victime de l'illusion qui fait de lui le sujet du vouloir — la friture n'est pour l'instant que projet et promesse —, il s'attend sans s'en douter à recevoir le don des poissons.

La lecture se trouve ainsi suspendue, incapable de prendre parti : la quête de ce qui est « plus fort que la mort » n'est-elle pas, elle aussi, qu'une belle aberration?

Remarques finales

I

Ce parcours syntagmatique et linéaire du texte, jalonné de fréquents arrêts, ainsi que de nombreux détours et retours que nous venons d'accomplir nous l'avons appelé « exercices pratiques »; ce n'est pas là une marque de modestie, mais la désignation d'une approche méthodologique.

Cette approche est d'abord *auto-didactique*. Nous avons cherché à passer en revue le plus grand nombre de faits textuels, mais en changeant, pour chaque segment, pour chaque séquence, autant qu'il était possible, de point de vue et de point d'insistance, en doublant les variations textuelles de variations méthodologiques. C'est dire que nous avons évité de mettre en place — sauf lorsqu'il s'agissait d'approfondir une problématique ou de compléter les inventaires de nouvelles données — des *mécanismes itératifs* que postule toute analyse exhaustive : un tel simulacre de traitement automatique n'aurait fait que tripler ou quadrupler, sans véritable profit, le volume de nos observations. Toutefois, nous pensons avoir montré implicitement à la fois la nécessité d'un tel traitement, seul capable de manipuler des masses considérables de faits, et son impossibilité actuelle au regard de la complexité des organisations textuelles insuffisamment connues.

Par ces analyses, limitées et partielles, nous aurions aimé suggérer une certaine manière de lire, un *modèle méthodologique* qui nous semble, à l'heure actuelle, le mieux adapté à la stratégie de la recherche sémiotique : elle consiste, à chaque fois qu'on se trouve en présence d'un phénomène non analysé, à construire sa représentation de telle sorte que le modèle en soit plus général que le fait examiné ne l'exige, afin que le phénomène observé s'y inscrive comme une de ses variables. C'est ainsi que la pratique du texte pourra déboucher sur des considérations théoriques qui dépassent sa singularité, en transformant les « problématiques » en concepts opératoires et en paramètres méthodologiques, soumis ultérieurement, cela va de soi, à d'éventuelles confirmations ou infirmations.

L'analyse du texte préalablement segmenté — qui relève d'une approche à la fois inductive et interprétative — aurait pu être prolongée par une démarche constructive, cherchant à donner une représentation logico-sémantique, plus ou moins formalisée, de cet objet sémiotique, et à proposer le simulacre de sa production. Nous ne l'avons pas fait, pour des raisons théoriques d'abord : le statut sémiotique d'une telle construction ne serait nullement assuré, à défaut d'une grammaire discursive capable de générer des textes-objets, à défaut, aussi, d'une typologie, même hypothétique, des genres discursifs qui suggérerait des critères de spécification. Pour des raisons pratiques, ensuite : une centaine de pages de plus, redistribuant autrement les mêmes matériaux, n'aurait pas apporté grand-chose au spécialiste familiarisé avec ce genre de constructions, tout en paraissant superflue au lecteur dont la bonne volonté n'est pas inépuisable.

1. Les grandes lignes de l'organisation narrative du texte ont dû pourtant se dégager en suivant pas à pas la lecture. On a pu voir ainsi comment le texte s'articulait d'abord en deux récits successifs, selon la dominance de l'un ou de l'autre des deux sujets discursifs, comment ensuite chaque récit manifestait deux programmes narratifs corrélés — ceux du sujet et de ceux l'anti-sujet — qui l'organisaient à partir d'un niveau sous-jacent plus profond. Cependant, au fur et à mesure des progrès de la lecture, on en est arrivé à reconnaître, malgré l'occultation du PN de S_1 dans le second récit et malgré l'absence somatique de S_2 dans le premier, l'existence d'isotopies plus profondes, permettant de réunir les deux récits en programmes unifiés, recouvrant, pour chacun des sujets, l'ensemble du texte.

On a pu voir aussi que ces programmes étaient supportés par des isotopies de la véridiction et n'étaient lisibles qu'à cette condition : ainsi, le PN de S_2 pouvait être lu, dans ses résultats, comme une victoire sur le plan du paraître et comme un échec sur celui de l'être; et, inversement, le PN de S_1 se terminait par un échec apparent et une victoire réelle. Les jeux de la véridiction, constitutifs du référent interne, ne s'arrêtent pas là et le contrat liant l'énonciateur à l'énonciataire fait apparaître les changements et les modulations d'isotopies, aménageant des passages de l'illusion à la réalité et de celle-ci, à une sur-réalité anagogique.

Il serait peut-être un peu plus difficile, mais non impossible, de montrer comment dans ce cadre narratif général, régi par des programmes d'ensemble, s'inscrivent à tour de rôle des PN partiels, dont on a reconnu deux sortes : des *PN d'usage,* de nature syntagmatique, qui apparaissent comme autant de détours programmés, permettant la poursuite du programme initial, et des *PN de substitution,* d'ordre paradigmatique, dont les développements figuratifs (« pêche ») ou seulement thématiques (« amitié ») se présentent comme des suppléances de syntagmes narratifs reconnaissables.

2. On pourrait aussi s'interroger sur les résultats auto-didactiques de ces analyses parcellaires : ils nous paraissent satisfaisants et ne nous font pas regretter le temps, à première vue excessif, consacré à cette lecture. Toutefois, là encore, l'inventaire détaillé de l' « appris » ressemblerait par trop à un exercice scolaire.

Un fait nouveau s'est imposé progressivement à l'évidence : c'est l'existence de la *dimension cognitive* de la narrativité qui en arrive à doubler pratiquement l'ensemble du récit et dont nous avons été obligé, non sans tâtonnements et interprétations partielles, d'affirmer l'autonomie, en l'opposant — et en la corrélant autant que possible — à la *dimension pragmatique,* faite de descriptions d'acteurs et de comportements somatiques s'enchaînant en séries événementielles.

Tout comme la composante narrative dénommée « compétence » — par opposition aux « performances » des héros et des traîtres — qui comprend l'acquisition et la manipulation des modalités de savoir-pouvoir-vouloir-faire ou être, antérieures au faire ou à l'être eux-mêmes, a pu être progressivement dégagée à partir de sa présence réduite dans le schéma de Propp et s'instituer, surtout au regard des textes littéraires modernes, comme une composante autonome parfois même hypertrophiée (cf. les analyses de Claudel par J.-C. Coquet), de même le passage des textes oraux aux textes écrits impose la reconnaissance de la dimension cognitive susceptible de contenir ses propres programmes, ses acquisitions de compétences et ses effectuations de performances; autrement dit, l'élaboration de ses propres plans figuratifs.

La reconnaissance de cette nouvelle dimension dont, pour l'instant, on voit mal la configuration d'ensemble n'est qu'une ouverture vers de nouveaux champs d'exploration. Tout comme les analyses de la compétence sur le plan de l'imaginaire narratif débouchent normalement sur la problématique du sujet et son statut modal (qui se manifeste tant dans les discours intérieurs, que dans les inter-communications de groupe), les analyses cognitives permettent d'ores et déjà de distinguer des formes discursives spécifiques et des genres discursifs régis par des modes caractérisés — persuasif ou inter-prétatif — du faire cognitif. S'il est encore trop tôt pour parler d'une éventuelle typologie des discours non figuratifs, il n'est que plus important d'enregistrer la présence de la dimension cognitive dans les discours narratifs de caractère figuratif : elle garantit le maintien du principe d'*unité* de l'organisation narrative des discours, quels que soient les modes de leur manifestation, quelles que soient les composantes ou les dimensions qu'ils sélectionnent et favorisent en vue des réalisations discursives.

III

Une préoccupation était constamment sous-tendue à nos analyses partielles, le souci de savoir comment mesurer la distance entre différents niveaux de profondeur textuelle, quelles procédures installer, permettant de rendre compte des relations qu'ils entretiennent, comment combler, plus précisément, le fossé entre ce que le texte paraît être dans son déroulement discursif et ce qu'il est du fait de son organisation sémiotique, à la fois narrative et sémantique.

Certains principes d'organisation se reconnaissent assez facilement. Si la sémiotique narrative parvient à établir, grâce à la canonicité de ses structures, des niveaux homogènes et récurrents de la lecture du texte, la permanence discursive, quant à elle, semble reposer en grande partie sur des procédures d'*anaphorisation*, tant grammaticales que sémantiques, qui se présentent comme des applications du principe général d'expansion et de condensation sémantiques, régissant toute productivité linguistique : pulsations rythmant le texte à sa surface, elles fonctionnent comme des relais de la « mémoire textuelle » et garantissent à tout moment la conservation des acquis sémantiques du discours.

Les mécanismes de la « mise en discours » qui, dans la perspective de la production textuelle, en arrivent, à partir d'instances sémiotiques plus profondes, à dérouler le texte dans toutes ses variations de plans et de figures, sont encore mal connus. Seulement deux modes de production d'unités discursives — tels du moins qu'on les a vus à l'œuvre dans le texte de Maupassant — ont pu être déterminés pour l'instant : ce sont d'abord des procédures de *débrayage* et d'*embrayage*, créatrices de distances inégales et variées entre l'instance de l'énonciation et celle de l'énoncé, qui instaurent les unités discursives autonomes, définissables par leur mode de production grammatical; ce sont ensuite des procédures de *connexion d'isotopies*, qui assurent la cohérence du discours, malgré les variations de plans — abstraits et figuratifs — de manifestations sémantiques.

Tout se passe, dans le texte examiné, comme si ces deux sortes de procédures, grammaticale et sémantique, constituaient des éléments structuraux déterminants — mais non suffisants — d'une typologie d'unités discursives : les unités « descriptives », « dialogiques » et « narratives », pour s'en tenir à celles qui sont traditionnellement admises, se définissent d'abord par leur mode de débrayage/embrayage et par les relations tropiques qu'elles établissent entre elles et avec les dimensions sémiotiques du texte.

La prise en charge, par ces unités discursives, de différents types d'*écriture*, tout en les surdéterminant formellement, inscrit le texte dans l'univers sociolectal dont il relève; que les unités descriptives soient dotées d'une écriture « romantique », prosodiquement très marquée, que les unités dialogiques, du fait de l'exploitation systématique de la stéréotypie petite-bourgeoise, se présentent comme des échantillons d'écriture « réaliste », que les unités narratives signalent leur facture « classique » par l'usage constant de la litote et de l'hypotaxe, il s'agit là de la manipulation de l'inventaire des formes discursives dont dispose un contexte culturel, en vue de spécifications idiolectales.

Cet enchaînement d'unités discursives hétérogènes constitue toutefois, considéré globalement, un seul plan du *paraître discursif*, qui s'offre à la lecture comme n'étant là que pour signifier autre chose : telle description, à la manière du boudoir de Baudelaire, se donne pour la représentation figurative de « l'état d'âme »; les lieux communs ne nourrissent la conversation que pour nous révéler une sagesse plus profonde ou la dérision du monde; les récits d'états de choses et d'événements ne sont que des figures discursives et des lieux d'implications textuelles. Le paraître du discours renvoie, par mille allusions, à un *être* du texte sémiotique qui s'insinue comme son référent interne.

L'effet de sens global que produit une telle organisation textuelle est clair : le texte se présente comme un signe dont le discours, articulé en isotopies figuratives multiples, ne serait que le signifiant invitant à déchiffrer son signifié. Le « symbolisme » de Maupassant apparaît dès lors comme relevant d'une attitude sémiotique connotative qu'adopte une culture pour envisager le rapport de l'homme avec l'univers posé comme signifiant.

1972-1975.

Index rerum

Les chiffres renvoient aux séquences et à leurs subdivisions.

communication verbale II-2-2
      participative V-3-1
compétence III-4 / IIV-3-3
    narrative IX-2-1
    réceptive X-5-3
configuration discursive I-3-3
conjonction cognitive XII-2-2
connecteur d'isotopies IV-3-2 // X-4-2 // X-5-3
      antiphrastique IV-3-2
      métaphorique IV-3-2
connotation phorique VI-2-3 // VI-3-2
     dysphorique VI-2-3
     euphorique VI-2-3
     aphorique VI-3-2
contrat III-4-6 // IV-2-1
  énonciatif IX-2-2
  énoncif IX-2-2
  fiduciaire IX-2-2
  impératif IV-2-1 // IX-2-2
  permissif IV-2-1
  de véridiction IX-2-2
conversion I-2-2 // IV-3-2 // VI-2-3
cosmologique (plan —) II-4-3 // II-4-7 // VI-2-4
couverture figurative II-3-1
craindre IV-3-2

débrayage II-1-1 // VI-3-7 // VIII-2-1
  ' actantiel IV-3-2
  énonciatif V-2-1 // V-3-2
  énoncif V-2-1 // V-3-2
  simple V-2-1
  spatial II-1-1 // IV-2-2
  temporel II-1-1 // III-2-1
décepteur III-4-3 et 4
décision IX-2-2 (v. faire décisionnel)
décomposition syntagmatique XI-2-1
déformation significative VI-2-3
deixis de référence III-2-1
démarcateur III-1-2
description VI-3-7
désirer IV-3-2
destinateur II-5
  actif XI-3-1
  individuel IV-2-1
  passif XI-3-1
  social IV-2-1

dilemme IX-2-2 // IX-3-3

dimension cognitive II-1-2 // III-3-1 et 2 // III-3-4 // IV-3-2 // VI-3-7 // VII-1-2 //IX-2-2

       pragmatique IV-3-2 // VII-1-2 // IX-2-2

       volitive IV-3-2 // V-2-1

discours indirect libre IV-3-2

       mythique X-5-3

       au second degré VIII-2-2 // VIII-3

discussion VI-3-5

disjonction actorielle I-1-2 // X-3-2·

       graphique VIII-1-1

       logique V-1 // VI-1 // VIII-1-1

       phorique VII-1-1

       temporelle I-1-1

       topique VIII-1-1

       spatiale I-1-1 // VII-1-1

dispositif graphique I-1-1 // II-2-1

distance rhétorique I-3-1

échange IX-2-2

écriture VI-3-7

emboîtement (temporel et spatial) III-2-2

embrayage II-1-1 // VI-3-7 // VIII-2-1

       cognitif V-2-1

       spatial IV-2-2

encadrant IX-3-3

encadré IX-3-3

enchâssement II-1

énonciation énoncée III-3-3

épreuve décisive V-2

       glorifiante X-4-3

       qualifiante IV-2-1 // IV-3-2 // IX-2-1 et 2

espace cognitif III-3-4 // V-2

       étranger IV-2-2

       familier IV-2-2

       hétérotopique IV-2-2

       paratopique IV-2-2 // V-2

       topique IV-2-2 // IV-3 // V-2

       utopique IV-2-2 // V-2 // XI-1-2

faire cognitif II-1-1 // IV-1 // IV-3-2 et 3 // V-2-1 // V-3-2 // IX-2-2 // XII-2-2

    communicatif X-3-2

    décisionnel II-4-6 // IV-3-2 // IX-3-3 // X-1-1

    émissif V-2-1

    exécutif III-4-6 // X-1-1

    extéro-ceptif V-3-2 // VI-1

niveau discursif I-2-2
      logico-sémantique I-2-2
non-destinateur II-5 // III-4-5
non-anti-destinateur II-5 // III-4-1 // V-3-1
noologique (plan —) II-4-3 // II-4-7 // III-3-2
         (sujet —) XI-2-2
nouménal (plan —) IV-3-2

occultation XI-2-1
orientée (relation —) IV-3-2 // V-3-2
originalité sémantique VI-2-3

parabole X-5-3
paradigmatisation II-2-1 // II-4-3 // IX-2-2
parcours thématique VIII-3-5
performance IV-3-3 // V-3
             narrative IX-2-2
période (laps de temps) III-2-1
période (phrase complexe) IV-3-7
permanence III-1-3 // III-2-1
phatique II-3-3
phénoménal (plan —) IV-3-2
pivot narratif II-2-2 // III-3-1 // VI-3-6 // XI-3-2 // XI-4-2
point de vue VII-3-1
prédicat modal IX-3-3
programme narratif complexe IX-2-1
               explicite IX-2-1
               implicite IX-2-1
               d'usage IX-2-2
        cognitif IV-2-2
        discursif II-3-1
progrès narratif III-1-3 // III-4-1
proto-actant II-5
proto-destinateur social VI-3-4 // VII-2-5
proxémique III-3-2 // X-2-2 // X-3-1 et 2

réalisation IV-3-2 // V-3-1 // VI-3-7 // IX-2-2 // IX-3-3
récit conservateur XII-3
reconnaissance II-1-1 // III-3-1 // IV-3-2 // VI-3-6 // IX-3-2 // X-4-3 // XI-3
rection sémantique I-3-1
récurrence (sa fonction démarcative) III-1-3 // IV-1
réification syntaxique VI-3-2
relation hypotaxique (simple et complexe) I-3-1
renonciation V-3-1
représentation sémantique IV-3-2
rétro-lecture VIII-3-6
resémantisation X-4-3
revalorisation IX-3-2

Table

SÉQUENCE X : LA MORT

SÉQUENCE XI : LES OBSÈQUES

SÉQUENCE XII : LA CLÔTURE DU RÉCIT

REPRINT/AUBIN A LIGUGÉ (1-81)
D.L., 1ᵉʳ TR. 1976. Nᵒ 4365-3 (L 13170)

AUX MÊMES ÉDITIONS

EXTRAIT DU CATALOGUE

Barthes Roland, *Le Plaisir du texte; S/Z;*
Essais critiques; Le Système de la mode.
Bremond Claude, *Logique du récit.*
Cahiers pour l'analyse nº 7, *Du mythe au roman.*
Charles Michel, *Rhétorique de la lecture.*
Collectif, *Le Sens de la ville.*
Dällenbach Lucien, *Le Récit spéculaire.*
Ducrot Oswald et Todorov Tzvetan,
Dictionnaire encyclopédique des sciences du langage.
Genette Gérard, *Figures 1; Figures 2; Figures 3.*
Jakobson Roman, *Questions de poétique.*
Jolles André, *Formes simples.*
Kristeva Julia, *Semeiotike, recherches pour une sémanalyse;*
La Révolution du langage poétique; Polylogue.
Lejeune Philippe, *Le Pacte autobiographique.*
Propp Vladimir, *Morphologie du conte.*
Ricœur Paul, *Le Conflit des interprétations.*
Ruwet Nicolas, *Langage, musique, poésie.*
Sollers Philippe, *Logiques.*
Todorov Tzvetan, *Poétique de la prose;*
Introduction à la littérature fantastique;
Théorie de la littérature, textes des formalistes russes ;
Théories du symbole.
Tel Quel nº 35, *La Sémiologie en URSS.*
Weinrich Harald, *Le Temps.*
Wellek René et Warren Austin, *La Théorie littéraire.*